Will Collide and
Reshape the
Future of
Everything

MAURO F. GUILLÉN

2030

世界の大変化を「水平思考」で展望する

マウロ・ギレン
江口泰子 訳

早川書房

MAURO F. GUILLÉN

2030

——世界の大変化を「水平思考」で展望する

2030
How Today's Biggest Trends Will Collide and
Reshape The Future of Everything
by
Mauro F. Guillén

Translated by
Taiko Eguchi
First published 2021 in Japan by
Hayakawa Publishing, Inc.
This book is published in Japan by
arrangement with
Aevitas Creative Management
through The English Agency (Japan) Ltd.

装幀／水戸部 功

目次

＊訳者による注は小さめの（ ）で示した。

事実と数字

来たる産業革命の発祥地　サハラ以南のアフリカ[1]
その根拠　約二〇〇万平方キロメートルの肥沃な土地が農地として未開発
メキシコの面積　約二〇〇万平方キロメートル（日本の約五倍）

世界の富に占める女性が所有する富の割合（二〇〇〇年）　一五パーセント
世界の富に占める女性が所有する富の割合（二〇三〇年）　五五パーセント[2]
もしリーマン・ブラザーズが〝リーマン・シスターズ〟だったら　世界金融危機は避けられた

世界の飢餓人口（二〇一七年）　八億二一〇〇万人
世界の飢餓人口（二〇三〇年）　二億人
世界の肥満人口（二〇一七年）　六億五〇〇〇万人
世界の肥満人口（二〇三〇年）　一一億人
アメリカ人の肥満人口の割合（二〇三〇年）　五〇パーセント[3]

世界の陸地面積に占める都市面積の割合（二〇三〇年）　一・一パーセント[4]
世界人口に占める都市人口の割合（二〇三〇年）　六〇パーセント
世界の二酸化炭素排出量に占める都市の排出量の割合（二〇三〇年）　八七パーセント
海面上昇のリスクに曝される世界の都市人口の割合（二〇三〇年）　八〇パーセント

最大のミドルクラス消費者市場（現在）　アメリカと西欧
最大のミドルクラス消費者市場（二〇三〇年）　中国
二〇三〇年までに新興市場国でミドルクラス入りする人口　一〇億人
アメリカのミドルクラス人口（現在）　二億二三〇〇万人
アメリカのミドルクラス人口（二〇三〇年）　二億九〇〇〇万人[5]

イントロダクション：時計の針は刻々と

人はたいてい見たいものを見て、聞きたいことを聞く。
――ハーパー・リー著『アラバマ物語』に登場するテイラー判事[1]

二〇三〇年。

パリからベルリンまでその年の夏の西欧は異常なほど暑く、記録的な高温はとどまる気配がない。国際的な報道機関はそのニュースを伝え、ますます強い口調で警戒を呼びかけている。二、三週間、ロンドンの遠い親戚を訪ねていたリヒマは、帰りの便で母国のナイロビに着いたところだ。異邦人の目で英国を見たことが、周囲の世界の多様性についてリヒマに深い考えをもたらした。ナイロビの空港のなかを歩きながら、自分が生まれた国と英国との大きな違いを実感する。一世紀もしない前、英国は紛れもなくアフリカ大陸の強大な植民地帝国のひとつだった。英国人がいまだに現金を使っていたことに、リヒマはひどく驚いた。ケニアではずいぶん前からモバイル決済が当たり前になり、財布の替わりにスマートフォンを使う。空港を出たあと、自宅へ向かうタクシーのなかで運転手にジョークを飛ばす。六歳の時から自分も近所のほとんどの友だちも、オンラインスクールに「通っていた」

ことを話すと、英国人がいかにも戸惑ったような反応を見せたのがおかしかったのだ。

ナイロビから一万キロメートル以上離れたニューヨーク。エンジェルはジョン・F・ケネディ空港で通関手続きを待っている。ニューヨーク大学で二週間後に始まる理学系の修士課程に、二年間通うためだ。列に並ぶあいだ、その日の《ニューヨーク・タイムズ》に目を通す。トップニュースではアメリカ史上初めて、祖父母世代が孫世代の人口を上まわったと報じている。彼女の生まれ育ったフィリピンとは正反対の状況だ。それゆえ、アメリカでは何万人もの高齢者がロボットに面倒をみてもらって基本的なニーズを満たし、使わなくなった子ども部屋を貸し出して家計をやりくりしている。とりわけ、もはや期待したほどには、年金が財政的セーフティネットの役割を果たさなくなったからだという。エンジェルの注意を引いたかなり保守的な論説は、アメリカの富の所有において男女の地位が逆転したことを非難していた。論客はその動向を、将来のアメリカ経済にとって憂慮すべき事態と捉えている。エンジェルには、新聞の隅から隅まで読む時間があった。外国人は長蛇の列に並ぶしかなく、進みが遅いからだ。いっぽう、アメリカ市民と永住権保有者の列はかなり速く進む。この時、エンジェルがふと耳にした会話は、高度なブロックチェーン技術を使って、アメリカ人が入国審査を通過できるようになった詳しい方法についてだった。その画期的な方法を利用すれば、いろいろなことができるという。海外で購入した商品の売上税を査定したり、スーツケースを回収したあとすぐに自動運転カートを手配したりできるのだ。

＊＊＊

「すべてにおいて中国がナンバーワンになる」。

今日、その言葉を頻繁に耳にする。あるいは、しばらくのあいだ、米中が覇権をめぐって火花を散らす、とも。これらの言葉はいくらかの真実を含んではいるが、全体像を捉えてはいない。二〇一四年、インドが火星探査機を打ち上げて周回軌道に乗せ、世界を驚かせた。初の打ち上げでこれだけの成果をあげた国はインドだけである。宇宙時代の幕開け以来、アメリカ、ロシア、欧州のミッションの半数以上が失敗に終わったことを考えれば、今回の成功は紛れもない快挙だった。しかも、インド宇宙研究機関はその歴史的偉業を、わずか七四〇〇万ドルという破格の低予算で達成したのである。[2]

それでは、あの赤い惑星の軌道に探査機を投入するためには、具体的にどのくらいの予算が必要だろうか。スペースシャトル一回のミッションにかかる費用は、およそ四億五〇〇〇万ドル。映画「インターステラー」の製作費が一億六五〇〇万ドル。あなたが近所の映画館で見た「オデッセイ」の製作費は一億八〇〇〇万ドル。

作家トム・ウルフの言葉を借りれば、インドはみずからも「ライト・スタッフ」を有していることを実証してみせたのだ（『ザ・ライト・スタッフ』は、アメリカの宇宙ロケット計画の黎明期と宇宙飛行士の奮闘を描いたトム・ウルフの著作。タイトルは、ミッションを遂行するための「正しい資質」の意味）。自分たちは世界的な技術大国であり、計画を効率的に、予定通りにやり遂げる力があると知らしめたのである。火星探査機打ち上げの成功は、まぐれではなかった。それどころか、インドが世界の超大国に大きく差をつけたのは、今回が二度目のことである。二〇〇九年、インド初の月探査機は月に水が存在する証拠を初めて提示した。月の水は「極域に集中していると思われ、もしかすると太陽風の作用で生成されたのかもしれない」。《ガーディアン》紙はそう伝えている。この時のインドの発見を独自に検証するために、NASAは一〇年の月日を要した。[3]

私たちの多くが育った世界では、宇宙探査は頭脳明晰な科学者が考え出す壮大な計画だった。莫大な資源を有する超大国が資金を出し、勇敢な宇宙飛行士と有能なミッションスペシャリストが遂行する大事業だった。そのとてつもない複雑さと巨額の費用（そして、どの国がミッションを遂行する能力を持つか）について、疑問の余地はなかった。だが、そのような現実はもはや過去のものになりつつある。

かつて世界は裕福な先進国と開発途上国とにはっきりと分かれていた。それだけではない。次々と子どもが生まれ、退職者よりも労働者のほうが多く、人びとは持ち家と自家用車のある生活に憧れた。企業は、アメリカと欧州だけに目配りしていればよかった。政府債務であれ民間債務であれ、法貨と言えば刷ったお札だけだった。学校では「ルールに従って戦う」ように教わり、そのルールは変わらないものと考えて育った。そして学校を出たら仕事に就き、結婚して家庭を持ち、子どもが独立したら定年退職した。

私たちの知るそのような世界は急速に消えつつあり、目の前に広がるのは、新たなルールが動かす、ひどく困惑する新たな現実だ。いつの間にか、ほとんどの国で祖父母の数が孫の数を上まわる。アジアのミドルクラス市場が、アメリカと欧州を合わせた規模をしのぐ。男性より女性のほうが多くの富を所有する。ふと気がつくと、産業ロボットが製造労働者の数を超えている。人間の脳よりコンピュータのほうが多くなり、人間の目よりセンサーの数が増え、国の数より多くの通貨が出まわる。

それが二〇三〇年の世界である。

この数年間、私は一〇年先の展望について調査してきた。ペンシルベニア大学ウォートン・スクールで教鞭を執る身として、将来のビジネス状況だけでなく、やがて押し寄せる変化に労働者と消費者がどう呑み込まれてしまうのか、についても憂慮している。本書で述べるテーマについて、これまで数えきれないほど多くのプレゼンテーションを行なってきた。その対象も企業の経営陣から政策立案者、中間管理職、大学生や高校生までと幅広い。ソーシャルメディアとオンライン講座を通して、何万もの人たちと接触してきた。私が描き出す未来図に対して、彼らは決まって困惑と懸念の入り混じった反応を示す。本書は、待ち受ける乱気流をうまく乗りきるためのロードマップを提供する。

どんな未来が訪れるか、確かなところは誰にもわからない。もしわかるなら、ぜひ教えてほしい——一緒に巨万の富を築けるからだ。とはいえ、たとえ完全に正確ではなくても、一〇年後の世界についてさほど間違いなく予測することはできる。たとえば本書が描く未来像の影響を受ける人は、すでにそのほとんどが生まれている。彼らの学歴や現在のソーシャルメディアの利用パターンを考えれば、消費行動をおおまかに描き出すことは可能だろう。あるいは、八〇〜九〇歳まで生きる人の数についてもかなり正確に算出できる。また、現時点でそれなりに確かな自信を持って予測できるのは、一定の割合の高齢者が介護者——人間にせよ、ロボットにせよ——を必要とすることだ。後者の場合、そのロボットは様々な言語を多様なアクセントで話し、自分の意見は押し通さず、休みは取らず、高齢者の金融資産を騙し取ることもなく、精神的や身体的に虐待することもない。

本書で伝えたいのは、時計がチクタクと時を刻んでいることだ。二〇三〇年は先の見えない遠い未来ではない。すぐそこに迫っており、私たちはその好機と課題に備えておかなければならない。簡単に言えば、二〇三〇年には、私たちの知る今日の世界は消えている。人びとはお互い感慨深げにこう問いかけるだろう。「あの世界が終わりを迎えた時、あなたはどこにいましたか」

多くの人は今後直面する新たな動向に混乱するばかりか、ひどく動揺する。待ち構えるのは破滅か。それともそれは実際、凶運ではなく幸運か。本書では、多くの不確定要素の影響を理解するための指針を示そう。現在の不安に向き合う読者に、希望の持てる未来のメッセージを伝えよう。前途に待ち受ける大きな変化を乗りきるためのツールを提供し、その新しい、不案内な状況において為すべきことと、為すべきではないこととを提案する。

基本的にはこういうことだ。どんな世界を迎えても、それは好機に溢れた新たな現実の幕開けを意味する——そのためには、思いきって表面を深く掘り下げ、動向に先んじ、見ないふりをするのではなく積極的に関与して、あなた自身やあなたの子ども、パートナーや配偶者、将来の家族、会社や、そのほかいろいろなことのために、効果的な決断を下す方法を学ぶ必要がある。誰もがその影響を受けることになるのだ。

＊＊＊

役に立つのは、新たな時代へと向かう変化を、ゆっくりと進行するプロセスだと捉えることだ。一つひとつの小さな変化が私たちをパラダイムシフトへと近づけ、ある日とつぜん、何もかもを大きく変えてしまう。つい忘れがちだが、小さな変化は積み重なる。変化を、ゆっくりと容器を満たしていく一滴の水だと考えよう。ぽた、ぽた、ぽたと落ちるしずくの音が、チクタクと時を刻む時計の音を想起させ、時間の経過を伝える。容器の水がとつぜん溢れ出す時、私たちは驚き、警報が鳴り響く。

二〇三〇年になる頃には、南アジアとサハラ以南のアフリカが世界的な人口密集地域の首位を争っているだろう。二〇世紀末とは大きく様変わりし、中国、韓国、日本などが構成する東アジアは、もはや世界で最も人口が多い地域ではなくなる。ケニアやナイジェリアのようなサハラ以南の国でも、やがて生まれる子どもの数が減ることは間違いないが、それでも、ほとんどの国と比べて出生率ははるかに高いままだろう。そのうえ、それらの地域では平均寿命の著しい延びが見られる。

人口規模自体はたいした問題ではない、と思うかもしれない。だがもしそう思うのなら、増加する人口に、彼らのポケットのなかに今後入っていると思われる金額を掛けてみればいい。二〇三〇年になる頃のアジア市場は――日本を除外したとしても――非常に大きく、世界の消費の重心は東へと移動する。企業はアジア地域の市場動向に追随するほかなく、新商品やサービスの開発にあたっては、その地域の消費者の好みを反映させるほかない。

いったん、その点について考えてほしい。

そしてそのあと、関連する動向をいくつかつけ加えて、改めてその意味を考えてみよう。

ほとんどの地域で見られる出生率の低下は、世界が急速な高齢化の道を着実に歩んでいる証拠だ。その人口動態の変化のカギを握るのが女性だ。ますます多くの女性が学校教育を受け、家庭の外に活躍の場（仕事に限らない）を求める。そして産む子どもの数が減る。いつの間にか、男性より女性の富豪の数が上まわる。富はますます都市に集中する。都市人口は毎週一五〇万人規模で増加中だ。世界の陸地面積のうち、たった一パーセントを占めるだけの都市に、世界人口の五五パーセントが住み、エネルギー消費量全体の八〇パーセントを消費する（二酸化炭素排出量についても全体の八〇パーセントを排出する）。気候変動に取り組む最前線が都市であるのも、そういう理由からだ。

そのいっぽう、様々な世代が多様な願望や憧れを明らかにしている。大きな注目を集めるミレニアル世代——一九八〇～二〇〇〇年生まれ——だが、（モノを所有しない）共有経済の先頭に立つ彼らは不相応な注目を浴びている。一〇年もしないうちに最も大きな世代となるのは六〇歳以上だ。今日、その世代がアメリカの富の八〇パーセントを所有し、「高齢者市場（グレー）」が生まれつつある。彼らこそ最大の消費者層だ。改めて高齢者にも焦点を合わせておかなければ、大企業も中小企業も時代に取り残されてしまう。

図1は、連鎖状につながる小さな変化の流れを描いたものだ。それぞれ単独では、本当に世界的な規模の変化をもたらすことはない。一つひとつを切り離した問題にしておけるのなら、変化にも完璧に対処できるかもしれない。人間は頭のなかで、ものごとを〝コンパートメント化〟して、それぞれを別個のものとして見なすのがうまい。防衛機制と呼ばれる無意識の心の働きだ。その心理的メカニズムを用いて、私たちは認知的不協和を——すなわち相矛盾する動向や出来事、知覚、感情から生じる不快感や不安を——追い払おうとする。頭のなかでものごとをコンパートメント化して区分する時のポイントは、一つひとつの要素を切り離しておき、相互作用に引きずられないようにすることだ。

アメリカと西欧において、高齢化は日常の事実になりつつある。そのいっぽう、ほとんどの新興市

図1

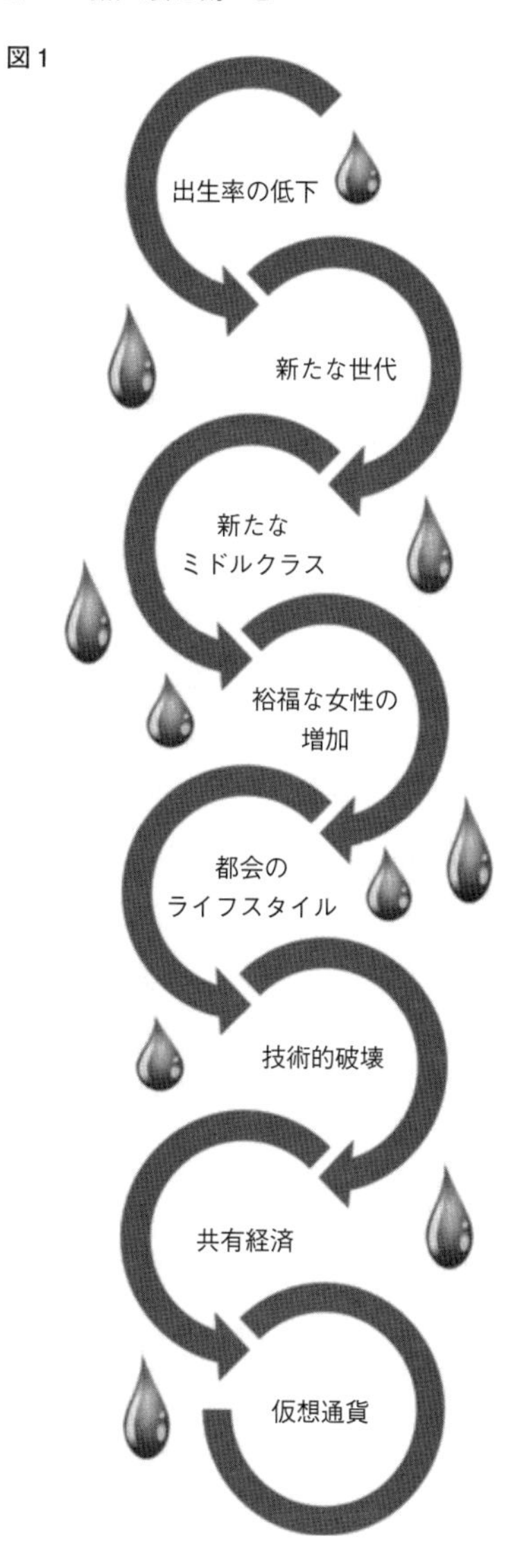
出生率の低下
新たな世代
新たな
ミドルクラス
裕福な女性の
増加
都会の
ライフスタイル
技術的破壊
共有経済
仮想通貨

場国では、隆盛を極めるミドルクラスを若い世代が牽引している。彼らはこれまでの世代とはまったく違うタイプの消費者だ。たとえば、消費や生活様式に対する強い憧れを抱く。ミドルクラスの拡大に伴い、ますます多くの女性がかつてないほど多くの富を蓄え、男女を問わず都会のライフスタイルを享受し、これまで以上にたくさんの移住者が世界中の都市へと流入する。そして都市は無視できない数の創案者や起業家を生み出し、イノベーションと技術によって現状を破壊しようとする。彼らにとって、技術とは古い習慣やライフスタイルを破壊するものだ。家やオフィスから車や個人の持ち物まで、あらゆるものに対する考え方を変え、それらと関わる新たな方法をつくり出すものだ。さらにはそこから、より分散型で分権的で使いやすい、まったく新しい概念の通貨が生まれる。そのような動向はすでに一部が進行中だが、二〇三〇年頃まで本格化することはないだろう。

私たちの周囲で起きている変化をそのように「直線的に」描けば、本書でもすっきりと都合のいい章立てが組める。だが、実際の世界はそのようには動いていない。

人類学者や社会学者が明らかにして久しいのは、複雑な世界をカテゴリー化することで、私たちがものごとを整理し、戦略を立て、意思決定を行ない、生活してきたことだ。カテゴリーは思考や判断の基準や枠組みとなり、時として不透明な周囲の状況を乗りきる役に立つ。自分はまだコントロールを失ってはいない、と安心させてくれるのだ。

企業や組織もやはり同じ考え方をする。何もかも区分けする。顧客を「先端消費者」「初期採用者」「遅滞者」などの小さなボックスに分類し、それぞれの目立つ特徴を捉えて「衝動型」「価格重視型」「忠実型」などのレッテルを貼る。同じように製品についても、現在の市場占有率と今後見込まれる市場成長に応じて「花形」「ドル箱」「負け犬」「問題児」に分類する。従業員についても態度や行動パターン、将来性をもとに「花形」「チームプレイヤー」「出世第一主義者」「打算的」「文句ばかりの不適合者」、時にはもっとひどい呼び方をする。だが人やモノを区分けすると、新たな可能性が見えなくなってしまう。

こんな例をあげよう。電球や電話、自動車に加えて一九世紀後半の偉大な発明のひとつは、定年退職後という概念だった。趣味に没頭でき、家族孝行ができ、来し方をじっくりと振り返ることのできる時期である。私たちが一九世紀から引き継いだのは、人生を三つの明確なステージ――子ども時代、就労期、定年退職後――の連続と捉え、願わくは、それぞれのステージを楽しむという考え方だった。

出生率が低下し、世代間の新たな力学が生まれるのに伴い、未来の社会では、伝統的な暮らし方の前提について少なからず考え直さざるを得ないだろう。高齢者も消費者だ。特有のライフスタイルを送り、ミレニアルより流行に敏感とは言わないまでも、彼らと同じくらい新技術の恩恵にあずかる「初期採用者」かもしれない。VRやAI、ロボット工学が人生最後の時期を変える革命的な方法について考えてみよう。古い習慣を捨て去る必要があるかもしれない。昔と違って、人生が終わる日まで何度も学校に入り直して、新たなスキルを学び直すこともあるだろう。二〇一九年に《ニューヨーク・タイムズ》紙をこんな見出しが飾った。「入学児童の消えた韓国の学校、読み書きできない祖母たちを新入生に」

ものごとを直線的に捉える、図1のような「垂直」思考はやめよう。そのかわりに私が提案するのは、問題に「水平」にアプローチする方法だ。発明家でコンサルタントのエドワード・デボノが編み出した水平思考では、「既存の発想をいじくりまわすのではなく、発想そのものを変えようとする」[4]。基本的には問題を新たな視点で捉え直し、横方向からアプローチする。既存のパラダイムのなかで取り組むのではなく、古い前提を捨て、ルールを無視し、創造力を思う存分発揮する時、ブレークスルーが生まれる。パブロ・ピカソやジョルジュ・ブラックは、美術界で正しいとされていた比率や遠近法の前提やルールを逸脱することで、キュビズムの分野を切り拓いた。建築家のル・コルビュジエもそうだ。壁を取り払って広いオープンスペースをつくり出し、建物のファサードいっぱいに窓を配し、スチール、ガラス、コンクリートを余計な装飾で覆い隠さずに、材質そのものが持つ美しさを剝き出しにすることで、モダニズム建築の礎を築いた。作家のマルセル・プルーストは書いている。「真の発見の旅とは、新たな風景を探すことにではなく、新たな視点を持つことにある」[5]

実際、水平思考の優れた効果は「周辺視野」によってさらに高まるのかもしれない。これは、ウォートン・スクールの私の同僚であるジョージ・デイとポール・シューマーカーが提唱した概念である[6]。人間の視界と同じように、企業やいろいろなタイプの組織も効果的に機能するためには、中心視野の周辺から入ってくるかすかなシグナルを察知し、解釈し、それに基づいて行動しなければならない。コダックは一八八八年の創業から二〇世紀末まで、写真フィルムと関連商品の販売で莫大な利益を上げた。一九九〇年代初め、コダックの技術者は、デジタル写真が持つとてつもない可能性にはっきりと気づいていたが、経営陣は近視眼的な考えに囚われ、消費者が引き続き、写真プリントを好むと信じて疑わなかった。その結果、どうなったか。コダックは二〇一二年に破産申請。ハーパー・リー著『アラバマ物語』のなかでテイラー判事が述べたように、「人はたいてい見たいものを見て、聞きた

図2

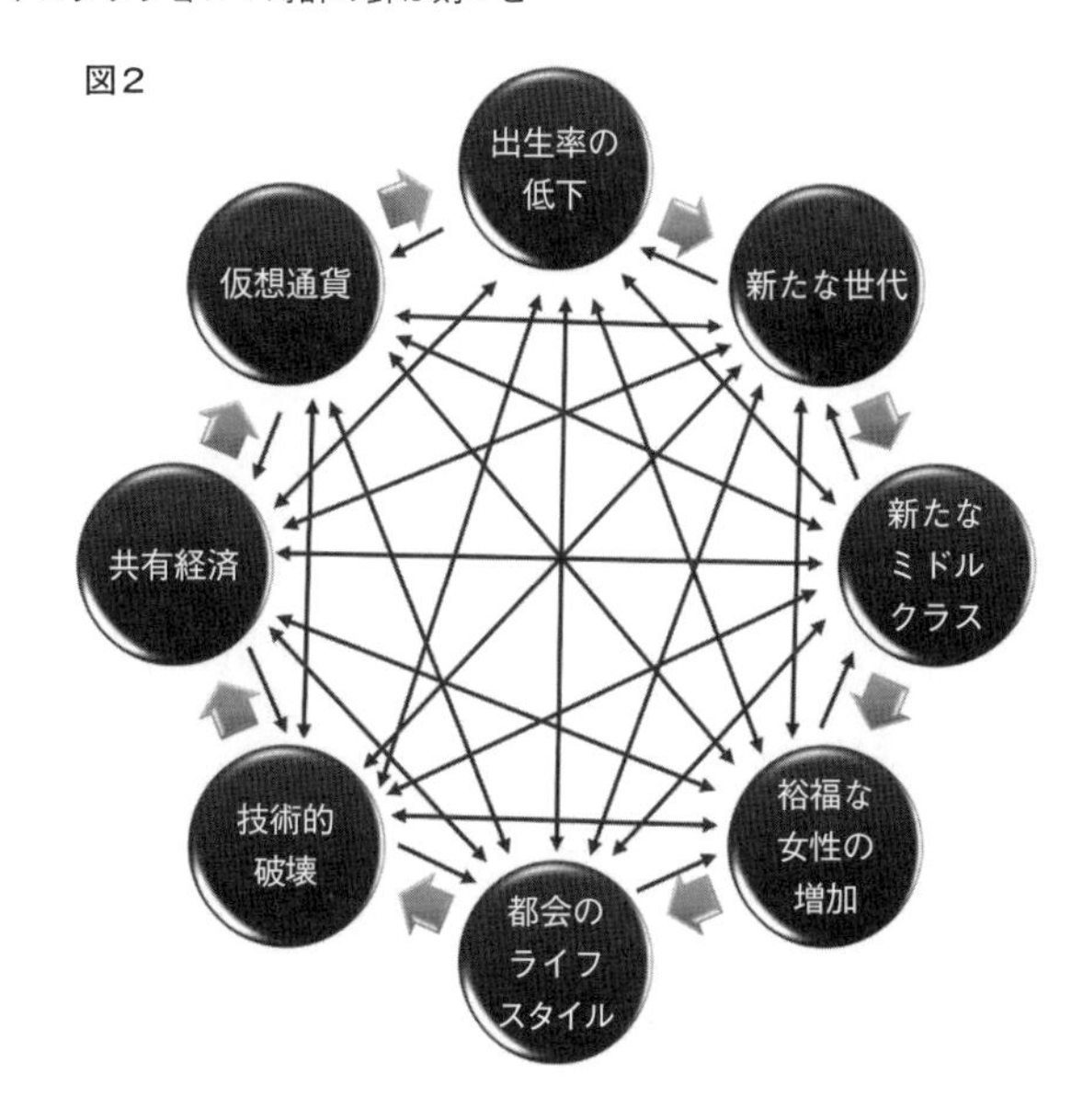

いことを聞く」。予期しないことや見慣れないものは目に入らないのだ。

図2を見てほしい。内容は図1と同じだが、世界で起きていることを違うかたちで図式化したものだ。

上の図の時計まわりの太い矢印は、連鎖状につながる動向の直線的な流れを示している。基本的には図1と同じだが、サークル状に配している。だが、周りを取り囲む直線的なつながりだけに注目していたのでは、全体像を捉えきれない。八つの円で表したどの動向も、他の七つの動向と相互作用の関係にある。本書では水平思考で見た八つのつながりについて探り、関連する動向を紹介し、それらの動向が世界のあちこちで進展している状況について示そう――とりわけ、八つの相互作用がどのように収斂（しゅうれん）して二〇三〇年の世界をかたちづくっていくか、について明らかにしたい。

現在進行中の水平思考の例をあげよう。エアビーアンドビーはホテルと競合関係にある。だが、銀行からも顧客を奪おうとしている。だが、それはどうやって？　いつかの時点で多くの高齢者が、貯蓄だけでは充分に暮らしていけないことに気づく。とはいえ、彼らには非常に貴重な資産がある。持ち家である。自宅を売らずに収益化する従来の方法はふたつ。そのうちのひとつ、昔ながらの方法は正味価格部分を担保にするホーム・エクイティ・ローンである。だがその場合、銀行から借り入れているという不名誉を伴ううえ、月々の返済は重荷だ。ふたつ目の方法はリバース・モーゲージ（資産の最終処分）だが、その場合、子どもは親の家を相続できない。

そこで、エアビーアンドビーという選択肢が浮上する。子どもが巣立ち、もはや使わなくなった部屋を、その土地を訪れる旅行者にほんの少しのあいだだけ貸し出すのならば、貸し出すほうも借りるほうも柔軟に対応できる。あるいは、子どもが巣立った中高年の夫婦が、頻繁に旅行に出かけるか子どもを訪ねるか、しょっちゅう留守にするのならば、持ち家を短いあいだ、丸ごと貸し出すことも可能だろう。どちらにせよ、収入は得られ、家は手放さずに済む。エアビーアンドビーがこれほど成功したのは、次のような動向が重なったからだ。出生率の低下。平均寿命の延び。公的年金制度は存続できるのかという疑問。スマートフォンとアプリ使用の普及。所有から共有への関心の高まり。本書ではそのような動向の相互関係を紹介する。それらがどう展開し、二〇三〇年にはどう本格化しているかを示そう。新たな世界は好機と脅威に満ちている。個人、企業、組織にはそれぞれ、その好機と脅威に向き合うための強みと弱みがあるだろう。それでも私たちはみな、新たな世界に対して、過去とは違う方法でアプローチしなければならない。本書の「結論」では、新たな現実を理解するための——そして、その現実がつくり出す好機と繁栄を手に入れるための——七つの原則を提案しよう。

忘れないでほしい。すべては私たちの生きているあいだに展開する。そしてその時は、もうすぐそこまで迫っているのだ。

第一章：出生率の動向を追う

人口不足、アフリカのベビーブーム、来たる産業革命

赤ん坊は口と胃だけでなく、両手を持って生まれてくる。
――英国の経済学者、人口統計学者、エドウィン・キャナン[1]

人口増加のペースを考えると恐ろしい気がする。一八二〇年、地球上の人口は一〇億人だった。その一世紀後には二〇億人を突破する。大恐慌と第二次世界大戦の影響でしばらく停滞したものの、その後、人口は爆発的なスピードで増え続けた。一九六〇年には三〇億人。一九七五年には四〇億人。一九八七年には五〇億人。二〇〇〇年には六〇億人。そして、二〇一〇年になる頃には七〇億人に達した。「人口抑制か、さもなくば人類は忘れ去られる運命か」――これは、スタンフォード大学の生物学者であるポールとアンのエーリック夫妻が一九六八年に著し、世界に衝撃を与えた『人口爆弾』（河出書房新社）の表紙を飾ったキャッチコピーである[2]。それ以来、世界中の政府も多くの国民も、不可避と思える事態を真剣に恐れてきた。地球上に人が溢れて、その過程で人類を（そして莫大な数

の動植物種を）滅ぼしてしまうのではないか、というわけである。

実のところ、二〇三〇年になる頃には人類は〝赤ん坊不足〟に直面する。今後二〇～三〇年のあいだ、世界人口の増加は、一九六〇～九〇年に体験した増加スピードの半分以下に落ち込む。それどころか、（移民の受け入れ率が低く）人口減少に転じる国まで出てくる。たとえば一九七〇年代初め以降、ひとりのアメリカ人女性が出産可能年齢のあいだに産む子どもの数は、平均してふたりを下まわってきた。その数字では、次の世代が維持できずに（人口置換水準を下まわり）、人口減少が起きてしまう。同じ現象は世界のあちこちで起きている。ブラジル、カナダ、スウェーデン、中国、日本などで、誰が高齢者の面倒を見て、誰が彼らの年金を払うのかという問題が深刻化しつつある。

東アジアや欧州、アメリカで出生率が低下するいっぽう、アフリカや中東、南アジアでは出生率の低下がもっと緩慢なペースで進むため、世界の経済的、地政学的な勢力均衡はシフトする。考えてみればいい。今日、先進国でひとりの子どもが生まれるたびに、新興市場国と開発途上国で九人以上の子どもが生まれているのだ。もっと具体的に言えば、アメリカで子どもがひとり生まれるたびに、中国で四・四人、インドで六・五人、アフリカでは一〇・二人の子どもが生まれる。さらには、世界の最貧地域において栄養不足が改善されたうえ、疾病予防も進んだことから、ますます多くの子どもが成人して、彼ら自身が親になって子どもを持つことができるようになった。いまから半世紀前、ケニアやガーナなどのアフリカ諸国では四人にひとりが一四歳未満で亡くなったが、今日、その数字は一〇人にひとりを下まわる。そのような人口比例の急激な変化を世界各地で引き起こしている要因は、誰がたくさん産んでいるかだけではない。誰の平均寿命が急速に延びているか、にもある。たとえば一九五〇年代、後発開発途上国で生まれた人は、最先進国で生まれた人よりも平均寿命が三〇年も短かった。今日、その差は一七年に縮まっている。一九五〇〜二〇一五年のあいだに、欧州では年間死亡率がわずか三パーセントしか低下しなかったのに対して、アフリカでは実に六五パーセントも低下した。すべての年齢層で死亡率が低下したために、貧しい国の平均寿命も先進国の数字に追いついてきた。

そのような人口動態の変化が世界に及ぼす影響を評価するために、図3を見てほしい。一九五〇〜二〇一七年の世界人口に占める地域別人口比率と、国連が算出した二一〇〇年までの人口予測を表したものだ。

二〇三〇年に焦点を合わせよう。その年になる頃には、南・中央アジア（インドを含む）は人口規模で世界一位を確実にしているだろう。二位はアフリカ。僅差で東アジア（中国を含む）が三位に後退する。東南アジア（カンボジア、インドネシア、フィリピン、タイなど）が四位、ラテンアメリカが五位と続いて、一九五〇年に世界第二位を誇った欧州は六位に転落することになる。

そのような大きな変化がいくらかでも緩和するとすれば、それは国境をまたいだ移住によってかもしれない。つまり、子どもの数が余剰の地域から不足の地域へと移動して、人口の再分配が起きるという意味だ。実際、同じようなことは過去に何度も起きている。一九五〇年代と六〇年代には、欧州の南部から北部へとおおぜいが移住した。だが今回、移住では図3の人口予測は緩和されないだろう。私がそう言う理由は、あちこちの政府が壁を築くことに熱心に見えるためだ。古い方法（物理的な壁

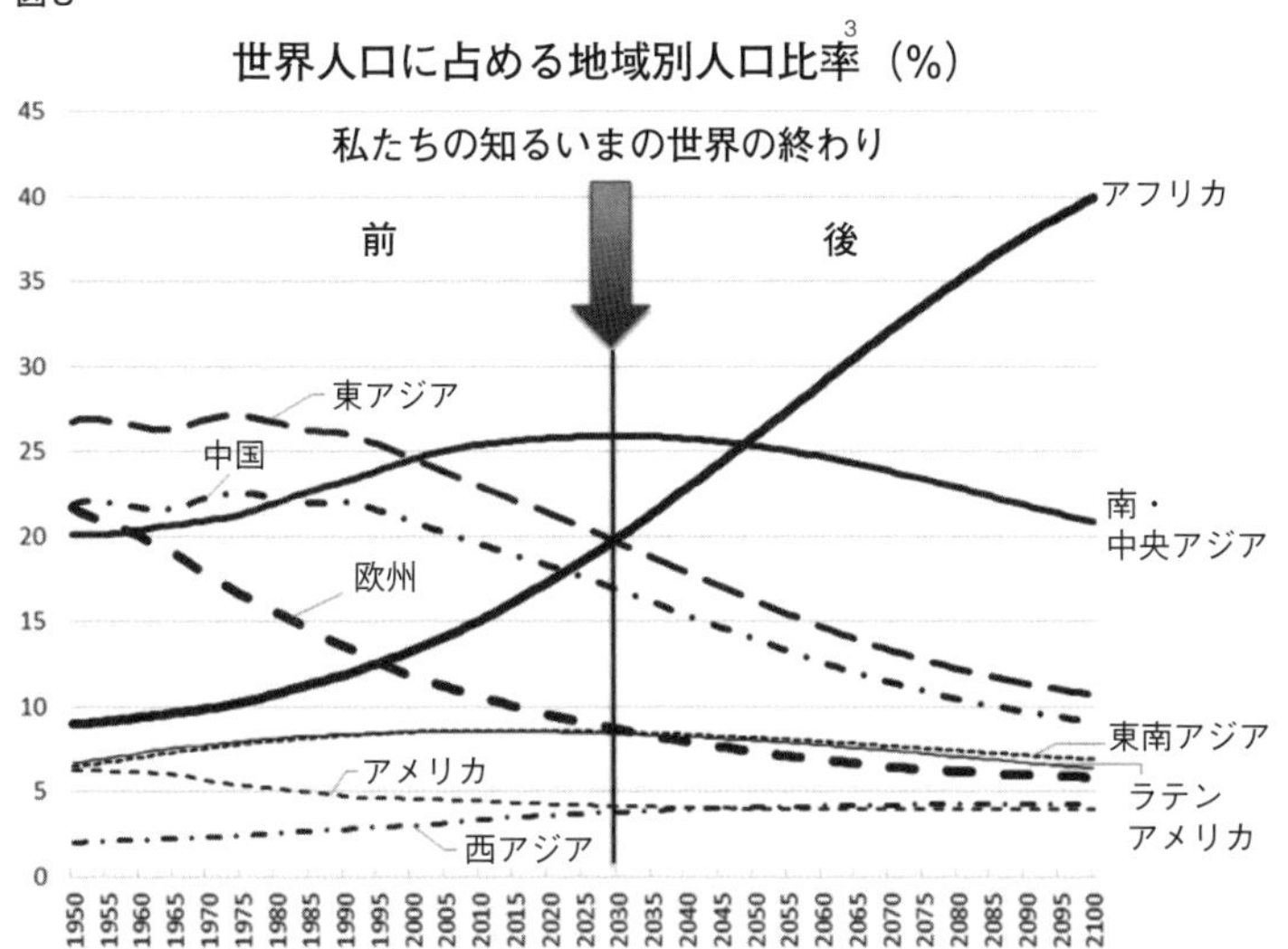

を建設する）か、レーザーや化学物質検出器のような技術を使ってか、あるいはその両方によって国境通過を厳しく監視することになりそうだからだ。

　だがたとえ、壁が建設されないか、建てられたところで何らかの理由で機能しないとしても、移住は人口動向にあまり影響を与えないというのが私の考えだ。現在の移住と人口増加のレベルを考えれば、サハラ以南のアフリカ――アフリカ大陸の、地中海に面していない五〇カ国――は、二〇三〇年には世界で二番目に人口の多い地域になる。今後二〇年のあいだに移住者の数が倍加するとしよう。だが二倍に増えたところで、サハラ以南のアフリカが、人口の多い世界第二位の地域になる時期が、二〇三三年に延びるだけである。ただ三年ほどの猶予を与えるだけにすぎず、人口動向の大きな流れを妨げることはなく、私たちが知るいまの世界が終わることに変わりはない。

女性と子どもが世界の動向を左右する

それでは、世界的な出生率低下の理由は何だろうか。これは、ちょっとばかり答えにくい質問だ。何といっても、子どもを授かるためには、誰でも知っていて、著しく人気のある方法があるからだ。だが、その問いの答えとして、まずは私のご先祖さまの話をしよう。スペインに住んでいた私の高祖母——ひいひいおばあちゃん——は、二一回も妊娠して一九人の子どもを産んだ。最初に出産したのは二一歳で、最後が四二歳。だが、国が発展して女性が学校教育を受けやすくなると、家族の単位は小さくなり、ひとりの女性が産む子どもの数もひとりかふたりに減った。

ここで理解しておかなければならないのは、アフリカ、中東、南アジアなどの地域において、生涯に五人、一〇人、あるいはそれ以上の子どもを産む女性は、今日でもまだ何百万人もいることだ。しかしながら開発途上国においても、時とともに、ひとりの女性が産む子どもの数は平均して減少傾向にある。その理由も、二世代前に先進国で出生数が急落し始めた時と同じだ。今日の女性は、家庭の外の好機をより多く享受している。そしてその好機を摑むために、学校をやめたりせず、多くの場合、より高い教育を受けようとする。それが、出産時期の先延ばしにつながる。経済のみならず広く社会において女性の役割が変化したことが、世界的な出生率低下の背後にある最も重要な要因だ。女性はますます世界の出来事を左右するようになってきている。

アメリカで、女性にとっての優先順位が急激に変化した状況を見てみよう。一九五〇年、アメリカ女性の平均初婚年齢は二〇歳だった。男性は二二歳。今日ではそれぞれ二七歳と二九歳である。第一子の平均出産年齢も二八歳に跳ね上がった。そのような変化の大きな原因は、学校に通う期間が延びたことにある。今日、高校を卒業する女性の数も、大学に進学する女性の数も増えた。一九五〇年、二五〜二九歳の女性のうち、大学卒業者の割合は七パーセントだった。これは男性の半分の数字である。ところが今日、大学卒業者が女性全体のほぼ四〇パーセントを占めるのに対し、男性は三二パーセントにとどまっている。

セックスに対する興味の低下

人口増加の歩みには様々な要因が絡んでいる。何千年ものあいだ、人口増加の行方を決めてきたのは、食料供給力、戦争の勃発、疫病の蔓延、自然災害の影響だった。哲学者、神学者、科学者は何世紀にもわたって、地球の資源でどれだけの人口が養えるかという問題に取り組んできた。一七九八年、経済学者で人口統計学者であり、聖公会の牧師でもあった英国人のトマス・ロバート・マルサスは、のちに「マルサスの罠」と呼ばれる現象に警鐘を鳴らした。[4] 過剰人口によって食料不足を招く傾向である。マルサスが生きていた時代、世界人口は一〇億人に満たなかった（現在は七五億人）。マルサスの考えによると、人類はみずからの旺盛な性衝動のせいで、我が身を滅ぼすというわけだ。すなわち、人口増加に食料供給が追いつかず、歯止めの利かない人口急増が飢餓と疫病をもたらすと考えたのである。マルサスをはじめとする当時の多くの人間が、過剰に増えすぎた人口のせいで、人類が絶滅の危機にあることを恐れた。マルサスは書いている。「地球が人間に必要な食料を産み出す力より、人口が増える力のほうがずっと強い。そのため、人類は何らかのかたちで早死にするに違いない」いまとなって言えるのは、農業生産高を飛躍的に向上させた発明とイノベーションの可能性を、マルサスが過小評価していたことだ。彼はまた、迅速で安価な海上輸送のおかげで国際貿易が食料供給を拡大させる、莫大な可能性も低く見積もっていた。しかしながら、人口と食料が表裏一体の問題であると強調した点で、マルサスは正しかった。

　食料生産と流通のイノベーションがもたらす潜在的な影響を、マルサスが過小評価していたことは間違いない。だが彼は、現代の技術がいかに性欲を減退させるか、という点については完全に見落としていた。技術と性欲の関係は驚くほど単純だ。娯楽の種類が増えれば増えるほど、セックスの回数は減る。現代社会は多様な娯楽の選択肢を提供する。ラジオやテレビからビデオゲーム、ソーシャルメディアまで様々だ。アメリカなどの先進国では、この二〇〜三〇年のあいだに性行為の回数が減少してきた。[5]学術誌《性行動のアーカイブ》に掲載された包括的調査によれば、「アメリカの成人が一年間にセックスした回数は、一九九〇年代後半よりも二〇一〇年代初めのほうが九回少なかった」といい、既婚者と、決まったパートナーのいるカップルのあいだで、その傾向が目立った。世代別では「一九三〇年代生まれ（サイレント・ジェネレーション）が最もセックスの回数が多く、一九九〇年代生まれ（ミレニアル世代とi世代）が最も少なかった」（ミレニアル世代に続くi世代は、スマホ世代とも呼ばれる）。調査は次のように締めくくっている。「アメリカ人が以前ほどセックスをしなくなった理由は……決まった相手か配偶者を持たない人が増えたことと、パートナーのいる人のあいだでセックスの回数が減ったことにある」

ほかのかたちの娯楽が性欲に与える効果を実証した、停電が絡む面白い例がある。[6] 二〇〇八年、アフリカ東部のインド洋上に浮かぶザンジバル島で、まる一カ月間、深刻な停電が発生した。電力系統に接続していた地域の家庭は被害を受けたが、残りの家は普段通りディーゼル発電機を使った。自然に生じたその状況を利用して、研究者はユニークな〝実験〟を行ない、停電が出生率に与える効果を調査した。なぜなら電力系統利用者の「実験群」は一カ月間電気のない生活だったが、発電機のある「対照群」は夜も電気が使えたからだ。九カ月後、実験群には通常と比べて二〇パーセントも多くの子どもが生まれたが、対照群にそのような変化は見られなかった。

世界はお金を中心にまわる

驚くことでもないが、お金もまた、子どもを持つか持たないかを決める重要な要素だ。二〇一八年、《ニューヨーク・タイムズ》紙が委託した調査で、アメリカ人があまり、あるいはまったく子どもを持たない理由を探ったところ、上位五つのうちの四つがお金と関係があった。[7] 「賃金は上がらないのに生活費は上がる。そのうえ学生ローンの支払いもある。たとえ大学を出て会社で働き、共働きだとしても、経済基盤を固めるのは本当に大変だよ」そう漏らすのは、結婚して妻も働いているという二九歳のデイヴィッド・カールソンだ。所得の低い家庭で育った若者もやはり、子どもを育てることに不安を抱く。子どもを持つか、それともそのお金をほかのことにまわすか、選択を迫られる。たとえば、ルイジアナ州バトン・ルージュ生まれのブリタニー・バトラーは、家族で初めて大学を卒業する。

二二歳の彼女の優先順位は、ソーシャルワークで大学院の学位を取り、学生ローンを返済して、治安のいい地区で暮らすことだ。子どもはあとまわしになる。

一九六〇年代、シカゴ大学の経済学者ゲアリー・ベッカーは、人が子どもを持つか持たないかを決断する際の先駆的な考え方を提唱した。[8] 親は自分が持ちたい子どもの数と質のトレードオフを計算するというのだ。次の例で説明しよう。世帯収入が上がると、二台目、三台目の自動車を買うかもしれない。だが、たとえ収入が永遠に上がり続けたとしても、一〇台も二〇台も車を買うことはない。あるいは、冷蔵庫や洗濯機を十数台も買ったりしない。ベッカーはそれを、収入が上がれば人は数を増やすのではなく、質の高さを求めるようになるからだと考えた。つまりポンコツの車を、もっと大型かもっと豪華な新車のセダンかＳＵＶに買い替える。それを子どもに当てはめると、より少ない数の子どもにより多くの愛情を注ぎ、持てる資源を投入することになる。「子どもの数と質の相互関係は、収入の上昇とともに子どもの実効価格が上がる最も重要な理由だ」とベッカーは書いている。収入が上がると、親は子どもひとりに対する投資を増やし、人生のよりよいチャンスを与えようとする。

一九九二年、人間行動に関する理論が認められて、ベッカーはノーベル経済学賞を受賞した。出生率のような複雑なテーマを、個人の価値観や文化的規範、文化的価値観の役割を考慮せずに論じたとはいえ、ベッカーが重要な社会動向を指摘したことに変わりない。今日、たくさんの親が、より多くの時間と資源をより少ない数の子どもに投入し、我が子の成功を願って、望みうる最高のチャンスを与えようとする。それは、大学費用を積み立てることかも、塾やお稽古ごとに通わせることかもしれない。メリーランド大学の社会学者フィリップ・コーエンは説明する。「私たちが一人ひとりの子どもに対する投資を増やすのは、不平等が拡大する環境で競争できる最善の好機を与えたいからだ」その観点からすると、子どもは正味現在価値（将来のキャッシュフローを資本コストで割り引いた現在価値から、投資額の現在価値を引いたもの）と利益率を持つ投資計画である。

持つ子どもの数について、親が決める方法を理解するためには、それぞれの子どもに費やす総額を計算してみるといい。二〇一五年の連邦政府の見積もりによれば、アメリカの平均的な家庭が、ひとりの子どもを一七歳まで育てるために費やす総額は、二三万三六一〇ドルにものぼったという。[9] 大学の授業料を含めれば、数字は優に倍になる。私は自分のラップトップに、毎年の世帯収入と出費をリスト化したスプレッドシートをつくっている。ふたりの娘が学費の高い大学に進学すると仮定したところ、驚くことに、私と妻は娘ひとりにつき五〇万ドルを優に超える金額を費やすことになりそうだ。次に二枚目のスプレッドシートを作成し、娘ふたりのデータをすべて削除した。すると、スプレッドシートのいちばん下のセルに現れたのは、高学歴の娘ふたりではなく、ランボルギーニとニュージャージー州の海岸沿いに建つ別荘だった。

〝ビッグブラザー〟の政府は、子どもを持つか持たないかの決断に影響を与えられるか

数年前、シンガポール政府は「子どもを持つか持たないかの決断に、政府は影響を与えられるか」という問いの答えを確かめるべく、ある実験に踏み切った。小さいが裕福で、人口の四分の三が華僑というその島国のカップルたちが、「五つのC」を優先して子どもを持とうとしないことを政府は憂慮していた。「五つのC」とは、キャッシュ、カー、クレジットカード、コンドミニアム、カントリ

ークラブの五つである。子どものいない夫婦を抽出して当局が送った書面では、急成長を遂げるシンガポール経済の勢いを維持するために、若い人口が必要だと伝えていた。その信書にはちょっと変わった提案が書き添えてあった。バリ島の休暇に無料で招待する、というのである。そうすれば若いカップルが〝その気〟になるのではないか、と政府は考えたのだ。美しいビーチで過ごせるチャンスとばかりに、若者たちはその提案に飛びついた。確かに彼らは休暇を過ごしたが、政府の望みは叶わなかった——子どもは生まれなかったのだ。少なくとも政府の担当者を満足させるほどには。この試験的プログラムは九カ月後には、あえなく打ち切りとなった。

中国もまた、厳格な一人っ子政策で人口動向に変化をもたらそうとした。一九七〇年代末、ビジョナリーの鄧小平率いる中国の改革派は、時代遅れでずさんな集産主義経済を目の前にし、このまま人口が急増し続ければ、中国は貧困から抜け出せなくなると危ぶんだ。そして、中国の歴史をつぶさに研究した。一五〇〇〜一七〇〇年のあいだ、中国の人口は西欧とほぼ同じペースで増加していたが、一七〇〇年代に加速していた。この時期、平和と繁栄が長く続き、農業生産高がかつてないほど拡大していた。米と小麦の収穫高が二倍、三倍にも増加し、アメリカ大陸からトウモロコシやサツマイモのような新しい作物が伝わり、生産性の向上に一役買った。これにより、中国のあちこちで生活水準が上がり、その速度は産業革命が始まったイングランドをしのぐほどだった。一八〇〇〜一九五〇年、揚子江下流域において、今度は人口増加が鈍化した。その理由は過耕作、政変、内戦に加えて諸外国からの干渉と侵攻にもあった。

だが続く一九五〇年代の大躍進政策による悲惨な飢餓と、一九六〇年代の文化大革命による混乱にもかかわらず、一九五〇～一九七九年に、中国の人口は一〇年ごとに一億二〇〇〇万～一億五〇〇〇万人ずつ増加した。そして、まもなく一〇億人を突破する最初の国になろうとした。鄧小平とその改革派は、このまま手をこまねいていれば中国は経済破綻に陥ると考え、一九七九年に強制的な一人っ子政策の導入に踏み切った。

だが、為政者が気づいていない現実があった。中国の出生率は一九六〇年以降、急激に落ち込んでいたのだ。減少のほとんどは、世界のあちこちの国と同じく次の三つの要因による。すなわち、都市化が進展し、女性が教育を受けて労働力に加わり、子どもをたくさん持つことよりも、少ない数の子どもに人生のすばらしいチャンスを与えるほうを優先する親が増えたのだ。為政者は中国の人口問題を水平思考では捉えなかった。次に示す数字を見てほしい。一九六五年、中国の都市部ではひとりの女性が約六人の子どもを産んだ[10]。一人っ子政策の効果が現れ始めた一九七九年には、その数字はすでに約一・三人にまで低下していた。ひとりの女性が最低ふたりの子どもを産まないと人口が維持できない水準（人口置換水準）を、大きく割り込んでいたのだ。対する農村部では一九六〇年代半ば、ひとりの女性が約七人の子どもを産んでいたが、一九七九年になる頃にはその数字は約三人にまで落ち込んでいた。一人っ子政策のあいだ、都市部の出生率は一・三から一・〇に低下し、農村部では三・〇から一・五に低下した。《チャイナ・ジャーナル》誌に執筆した人口統計学者が指摘したように、「中国で出生率が低下した理由の大部分を、一人っ子政策にあるとみなすことはできない」。出生率が低下したのは、環境の変化を受けて国民が下した決断によるものであり、政府の役人の決定によるものではない。「一人っ子政策は必要性や、ましてや優れた人口統計学に基づいていたというよりは、政治と似非(えせ)科学に基づいていた」専門家はそう切り捨てている。

二〇一五年、中国は一人っ子政策を廃止した。となると、世界第二位のこの経済大国で再び人口が増え始めるのだろうか。ノーベル経済学賞を受賞したアマルティア・センは、「女性の社会進出が中国の一人っ子政策の効果に勝(まさ)った」と指摘する。[11] 中国の女性が教育を受け、仕事に就く機会は今後も拡大するため、子どもの数が増えるとは考えにくい。比較の意味でいえば、同様の政策が行なわれなかった台湾や韓国においても、出生率は一・一あたりで低迷し、最近の中国の一・六という数字を大きく下まわっている。結局、明らかになったのは「経済発展が最善の避妊薬」というよく耳にするスローガンが、中国でも世界のあちこちでも当てはまるということだ。

一人っ子政策の皮肉な点は、世代に大きな影響を与えたことだ。二〇三〇年になる頃には、一五〜三五歳が九〇〇〇万人も少なくなり、六〇歳以上が一億五〇〇〇万人も多くなる。中国は世界最大・最速のペースで高齢化の道をひた走っている。その桁外れの世代交代がもたらす影響については、次章で分析しよう。

中国の一人っ子政策が回りまわって

今日、紙面を大きく飾るのは、貿易赤字、技術の盗用、ビジネス関係者を装った中国人スパイのニュースである。「五社に一社が、中国に知的財産を盗まれたと証言」これは、二〇一九年の《フォーチュン》誌の見出しである。多くの人によれば、次代の超大国は躍起になって米国や西洋諸国を打ち負かそうとし、あらゆる手段を講じて西洋世界を追い抜く道を歩んでいるらしい。

次のように考える政治家やジャーナリストはまずいないが、実のところ、中国の一人っ子政策はアメリカの消費者に、莫大な棚ぼた式利益をもたらした。水平思考の興味深い例をあげれば、経済学者は出生率と貯蓄額とのあいだに、ちょっと意外な関係を発見したのである。一人っ子政策は男女比の不均衡を生み出し、若い層で男性の数が女性の数を約二〇パーセントも上まわった。中国の文化では男子を好む傾向が強いからだ。「中国で男女比の歪みが結婚を大混乱に陥れている」二〇一七年の《エコノミスト》紙には、そんな見出しが躍った。「中国では数百万人の男性が孤独なバレンタインデー」と、《ニューヨーク・タイムズ》紙も同調している。その状況に、親の世代がみずから問題の解決に立ち上がった。「結婚市場の熾烈な競争が、息子を持つ世帯の貯蓄率を上げた。息子が結婚できる可能性を少しでも高めるためだ」[12]経済学者のシャン・ジン・ウェイとシャオボー・チャンは大量のデータを徹底的に分析し、次のように結論づけた。「一九九〇〜二〇〇七年に中国で男女比が拡大したことが原因となって、同じ時期に家計貯蓄率が実質的に六〇パーセントも増加した」この現象が広まると、中国は幅広い製品だけでなく過剰な貯蓄までも輸出した。アメリカ人の貪欲な消費を支えたのは、そのほとんどが中国の家庭の貯蓄だった。中国の男女比の不均衡とそれが原因の高い貯蓄率なしには、アメリカ人はこの二〇年間、住宅ローンと消費者ローンでもっと高い金利を支払わなければならなかっただろう。たとえば三〇年の固定金利型住宅ローンで、過去二〇年間、金利が五パーセントではなく平均六パーセントだったならば、毎月の返済額は約二五パーセントも高くなり、ほかの購入にまわすお金が減っていたに違いない。だから、サンフランシスコの家の購入費用は実のところ、古めかしい表現を借りれば「中国のお茶の値段（プライス・オブ・ティー・イン・チャイナ）」と関係があるのだ（プライス・オブ・ティー・イン・

チャイナは、「何の関係もない話題」を皮肉った表現)。

中国の男女比の不均衡は、新しいデジタル経済の消費にも影響を与えてきた。各種の出会い系サイトに人びとがどのくらいお金をつぎ込んでいるか、考えてみればいい[13]。出会い系アプリやサイトの登録者は、いまや世界中で何億人にものぼり、年間五〇億ドルもつぎ込んでいる。そして結婚相手、恋愛相手、あるいは一夜限りの関係を求めてサイトに群がる。だが、国によってお金のつぎ込み方には明らかな違いが見られる。中国では、気軽な出会い系アプリにつぎ込む金額は出費総額の二パーセント。そのいっぽう、欧州やアメリカでは、同様の気軽な出会い系——アシュレイ・マディソン、Cデート、ファースト・アフェア、ヴィクトリア・ミラン、ティンダー——に、登録者がつぎ込む金額は出費総額の二一パーセントにも及ぶ。中国ではつぎ込む額の八五パーセントが「百合」や「世紀佳縁」といった婚活サイトに支払われるが、欧州やアメリカではその手のサイトに費やされる金額は全体の四〇パーセントだ。その差を説明するのはそう難しくない。中国の男性にとっては、(一夜限りのお相手ではなく)長くつきあうパートナーを見つけるほうが重要であり、男女比の不均衡はちょっとした国家的危機をつくり出してきた。当然ながら、中国の女性が男性を選ぶ目もずっと厳しくなった。中国最大規模の出会い系プラットフォームが、男女の嘘のプロフィールを交ぜて実験したところ、「どの年収レベルの男性も、幅広い年収レベルの女性プロフィールをほぼまんべんなくチェックしたが、どの年収レベルの女性も、年収の高い男性プロフィールをより頻繁にチェックした……年収が最高レベルの男性プロフィールのページは、最低レベルの男性のページよりも訪問数が一〇倍も多かった」[14]という。

不思議なことに、男女比の不均衡が中国とは正反対の国もある。ロシアでは若い男性の数が少ないのだ。たいてい過度の飲酒が原因で、多くの男性が早死にするためである。これはかなり深刻な問題らしく、シベリアの一部の地域では、結婚適齢期の男性が不足しているために、女性が一夫多妻制の合法化を求めて政府にロビー活動を行なう騒ぎになっている。ケンブリッジ大学の人類学者キャロライン・ハンフリーによると、シベリアの女性は「いい男を共有するほうが、誰とも結婚できないよりもマシ」という考えにますます同意するようになってきたという。[15]彼女たちはこう主張する。「一夫多妻制の合法化は天の賜物かもしれません。男性から財政的、物質的援助を受けられる権利や、子どもの父親だというお墨付き、国の給付金を受け取る権利も与えてくれますからね」もちろん理想的な解決策は、中国とロシアのあいだで男女を交換することだろう。中国では男性が余り、ロシアでは女性が余っているのだ。ところがあいにく、中国の男女比の不均衡はロシアの不均衡の七倍にも及ぶ。中国のほうが圧倒的に人口が多いからだ。そこで、婚活アプリが必要になるというわけだ。

新入り誕生（ニュー・キッズ・オン・ザ・ブロック）——アフリカのベビーブーム

欧州、南北中央アメリカ、東アジアでは人口置換水準を下まわるが、サハラ以南のアフリカでは人口は増加傾向にある。とはいえ、そのペースは以前と比べてはるかに鈍化している。そうであっても、サハラ以南のアフリカ人口は今日の一三億人から二〇三八年には二〇億人に、二〇六一年には三〇億人に達すると見られる。その勢いを止めるのは、大きな戦争か恐ろしい疫病だけだろうと考える者もいる。武力衝突として史上最大の犠牲者を出し、五〇〇〇万～八〇〇〇万人もの命を奪った第二次世界大戦も、アフリカには大きな被害をもたらさなかった。エイズの蔓延は世界中で三六〇〇万人もの死者を出し、そのうちの三分の二はアフリカで発生し、特に南アフリカ共和国、ナイジェリア、タンザニア、エチオピア、ケニア、モザンビーク、ウガンダ、ジンバブエで多くの犠牲者が出た。それでも、先の図3を見ればわかるように、エイズが猛威を振るった一九八〇～九〇年代にも、アフリカの人口曲線にほとんど影響はなかった。だからこそ、何億人もの命を奪う、よほど大きな戦争か疫病でもない限り、アフリカ大陸の人口増加に大きな変化は現れないだろう。

予測される人口増加を、アフリカはとても養いきれないと思うかもしれない。しかしながら、アフリカが実際、どのくらい大きいかを考えてみればいい。学校の教科書は、アフリカ大陸を地図で表す時、北半球ばかり目立たせて、アフリカのサイズを随分と小さく描いている。図4が示すように、アフリカ大陸は中国、インド、欧州全体、アメリカ、日本を合わせた面積と同じくらい大きい。

確かに、アフリカにはほとんど居住に適さない大きな砂漠がある。だがそれは、左の地図にはめ込んだ国や地域も同じだ（日本を除く）。欧州にも砂漠はある。映画「アラビアのロレンス」は大半がアラビア半島ではなく、南スペインで撮影された。だが、アフリカの広大な砂漠を考慮に入れたとしても、あの大陸には地球上で最も肥沃で農地開発に適した未開の土地が残されている。アフリカ大陸の規模を考えれば、人口過剰は起こりそうもない。現在のアフリカ大陸全体の人口は一三億人だ。図4の地図に配した国の人口を合計すると三五億人を超える。今日のアフリカにおいて、一平方マイル（約二・六平方キロメートル）あたりの人口密度はアジアのほうが三倍高く、欧州のほうが四倍高い。

アフリカの人口増加は厄介な問題をつくり出す。アフリカ大陸には、世界で最も解決の難しい宗教

図4

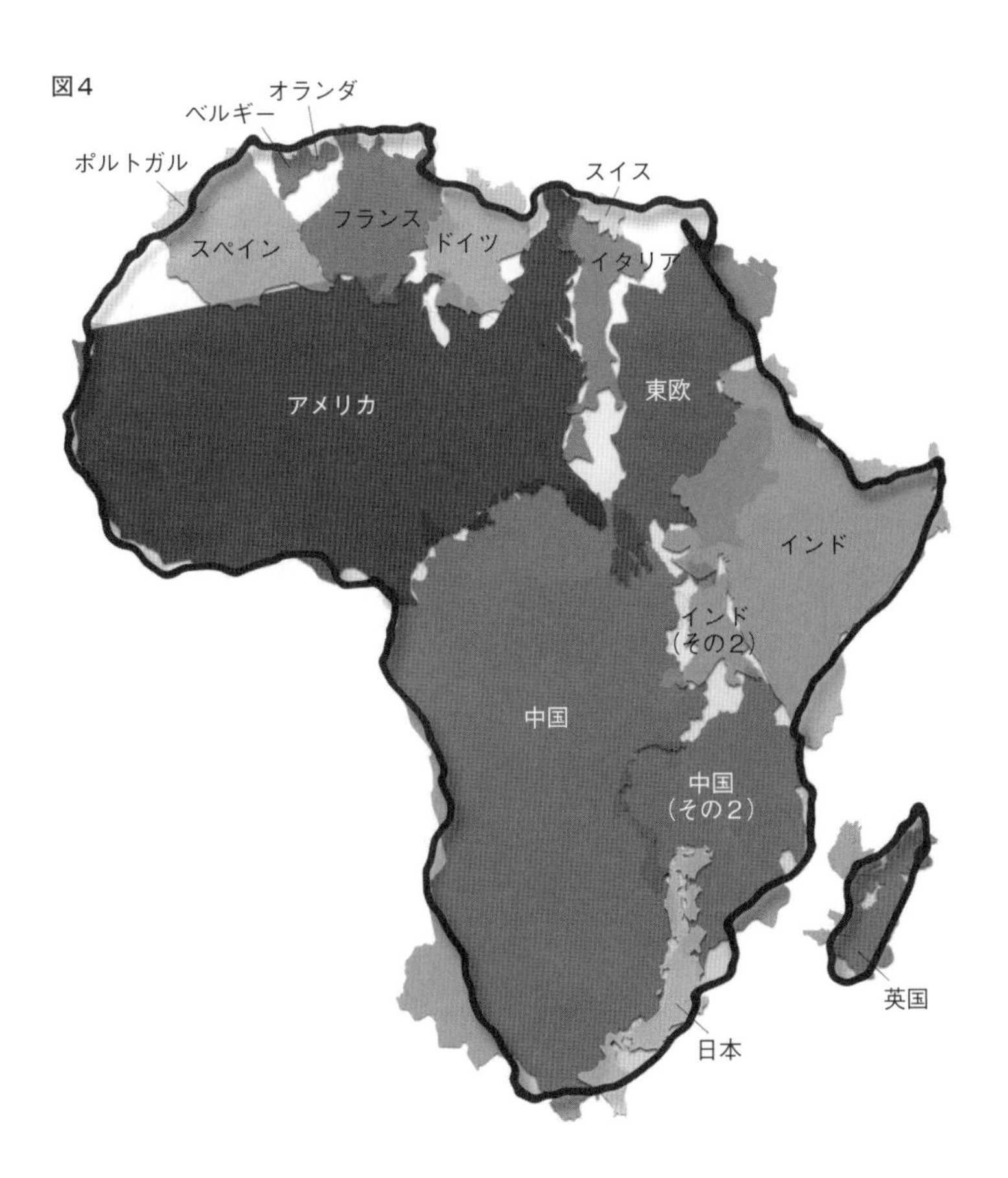
オランダ
ベルギー
ポルトガル
スイス
フランス
スペイン
ドイツ
イタリア
アメリカ
東欧
インド
インド
（その2）
中国
中国
（その2）
英国
日本

紛争や民族紛争の多発地帯が存在する。冷戦に刺激され、数十年にわたって断続的に発生してきた内戦は、この大陸のインフラをさんざん破壊した。とりわけ政治制度と社会制度――統治機構から司法制度、市民社会まで――がひどく損なわれるか、まったく整備されず、あちこちで「破綻国家」が生じた。アフリカに五四カ国存在する主権国家のうちの約半数が、政治的混乱、無政府状態、無法状態に陥っている。[16] 農村部の人間が都市部に移住する理由と、大半が欧州を目指す移民の原因のほとんどは紛争と暴力だ。危機に曝されているのは人命だけでない。経済発展もまた同じである。

このようにアフリカにリスクがないわけではないが、人口増加は莫大な潜在的利益をもたらす。大規模な人口増加を考えれば、もはやアフリカを無視するわけにはいかない。よくも悪くも、その命運は世界を左右する。もし明るい展望が開ければ、アフリカは世界全体の利益にダイナミズムをもたらす力強い源泉になる。だが事態が悪化すれば、負の影響は全世界に及ぶ。人口の増減は運命ではないが、人びとの人生の方向性を決めてしまう。

アフリカの人口を養うという大きな好機

たいていの人はこう考える。最大のビジネスチャンスはサービス部門にあり、技術を駆使したプラットフォームやアプリによってチャンスをモノにできる、と。ここで、アフリカの人口増加を水平思考で捉えてみよう。世界銀行によれば、アフリカの農業部門は二〇三〇年までに一兆ドル規模に達するという。本物のドル箱が誕生しつつあり、それは世界経済全体を一変させてしまうかもしれない。アフリカの子どもたちのほとんどは農村部で生まれるため、彼らの未来は農業部門の発展にかかっている。広漠たる土地と豊かな水に恵まれながら、この大陸はいまのところ純食料輸入国だ。長いあいだ、ココア生産、鉱物資源、石油などの採取産業が国家経済の基盤を支えてきたが、近い将来、その成長の大部分は、膨張する人口を養うための農業と、その関連製造・サービス業の拡大から生じるだろう。課題は次の二つ。「メキシコの面積に相当する最大二〇〇〇万平方キロメートルの土地の開墾」と、「生産性の大幅な向上」を図ることだ。

現在のアフリカが目撃しようとしているのは、欧州や南北中央アメリカ、東アジアが数世紀前に体験したのと同じような農業革命と産業革命だ。拡大する農業部門のまわりに、プラスの力学が生まれる利益を考えてみればいい。ひとりの農業従事者がよりよい原材料を、たとえば種子や肥料を求めると、それが生産性を高め、よりよい生活水準の享受につながる。その成功が、農業経営を支える村の雇用の創出を促す――トラクターや農機の修理などである。零細農業が高収量農業に発展すると、家族で消費する以外の余剰分を、拡大する都市部へ出荷することになり、食料の輸入量が減る。畑で採れた食材を、焼いた食品やフルーツの缶詰、インスタントフードなどに加工すれば、さらに雇用が生まれる。おそらくアフリカ大陸全体で数千万規模の雇用が期待でき、製造業の好況をもたらすだけでなく、都市人口に加工品を流通・販売するサービス部門の急成長も促すだろう。来たるべきアフリカの農業・産業革命を簡潔にいえば、そういうことになる。

その可能性を実現するために、様々な組織や企業がアフリカの農業に新たなアイデアや活動を持ち込んでいる。たとえばアフリカ農業技術財団は、自給農を営む農家に土壌検査や選種技術を教えてきた。財団の現地担当者は言う。「畑の準備を怠らず、よい種を播いて肥料を使えば一〇倍の収穫が見込めると言うと、笑って信じない農家の人もいました。そんな話は聞いたこともないからです」サミュエル・オウィティ・アウィノの体験を考えてみよう。[17] ケニアのヴィクトリア湖近くにある彼の農地は、いつ降るともわからない雨と、ストライガという雑草の被害に悩まされていた。切羽詰まったアウィノは考えうる限りの方法を試し、家族を養うだけの作物を生産して、余った分は地元の市場で売ろうとした。「気分が悪いが原因がわからない時に、どんな薬でも飲んで、そのどれかが治してくれるように願うけど」アウィノが言う。「そんな方法をかなり長いこと、農業で続けてきたんだ」そのひとつとして、アウィノは実験用の区画を試した。そして、その区画が彼の最も収穫高のいい土地の二倍のトウモロコシを生産した時には、ひどく驚いた。

「人口爆弾」という言葉で世間を不安に陥れる者もいるが、人口増加は実際、アフリカにとって農業部門を改善する動機になるのかもしれない。農業部門の改善は、雇用を創出し、関連する経済活動に刺激を与える。その影響は、アフリカだけでなく世界のあちこちにも及ぶだろう。土壌管理、灌漑、流通の改善は、莫大な利益を生み出す。

アフリカの未来へと続く道は、アウィノのような自給農を営む人びとを、洗練された農業経営者に変身させることにある。アフリカの人口急増を好機に変えるうまいやり方は、キャッサバ（タピオカでんぷんの原料）という驚異的な作物を栽培して収穫・加工することだ。[18] 南米原産のこの芋類は驚くほど干ばつに強い。植えつけたあと一八カ月のあいだ、いつでも収穫できるうえ、手作業で植えつける必要があるために地元民の収入源にもなる。あちこちの開発途上国で、キャッサバはすでにコメとトウモロコシに次ぐ第三の炭水化物だ。現在のところは、おもにキャッサバ粉やビールの生産に使われている。サハラ以南のアフリカでは、少なくとも三億人が一日の食事必要量をキャッサバで摂取している。さらにいえば、天然のグルテンフリーであり、小麦よりも糖質が少ないために、穀物に代わる健康的な食品として利用され、糖尿病患者にとっては理想的な炭水化物だ。アフリカ大陸でキャッサバの生産量が上がれば、その一部をより付加価値の高い様々な輸出品に転用することも可能だ。たとえばベニヤ板の材料、あるいは錠剤、丸薬、乳剤などの賦形剤として。バイオ燃料の原料にもなる。

キャッサバ生産の莫大な可能性を実現するためには、専門知識と設備の両方が必要だ。ザンビアの中心部では、キャッサバ農家のセレスティナ・ムンバが毎週、多くの時間を割いて仲間の農家に、種の選び方や植えつけ距離の取り方といった、収穫高を上げるシンプルな技術を伝授している。ムンバはいまではその分野の専門家であり、仲間の農家が最善の方法を試せるよう、ほとんどの時間を使ってアドバイスしている。そこから三二〇〇キロメートル以上離れたナイジェリアでは、牧師のフェリックス・アフォラビが、アフォラビ・アグロ・ディバイン・ベンチャーズを立ち上げ、若いキャッサバ農家の指南役を務め、鋤、まぐわ、液剤散布機、種播き機、根菜掘取機、トラクターやブルドーザーなど、ナイジェリア農業の機械化に必要な農機を買い集めている。ムンバやアフォラビのような農業関係の起業家は、アフリカの農業・産業革命の先駆者である。

サハラ以南のアフリカでキャッサバ生産の増大を図るために必要な人的、技術的、財政的資源の多くは地元で入手可能だが、国外の企業や非営利組織が果たす役割も重要だ。キャッサバは水分含量が高いため、収穫後二四〜四八時間以内に処理しなければならず、必要な設備を農地のすぐそばに揃えていなければならない。営利目的の社会的企業「オランダ農業開発・貿易会社（DADTCO）」は、あちこちの貧困コミュニティの改善を目指し、アフリカの小規模農家に加工処理、分離精製、乾燥用の装置を提供している。トラックにコンテナを搭載し、そのなかにそれらの装置を据えつけて村々を巡回する。移動式設備が到着すると、すぐに収穫が始まる。キャッサバ農家か地元の起業家が、それらの設備を使ってみずから加工品を生産する日もそう遠くないだろう。

近い将来、キャッサバの生産が拡大すれば、農村部の子どもたちに生計手段となる仕事を提供できるだろう。さらに、アフリカが世界のビール産業の一大拠点になったらどうだろうか。（旧）ＳＡＢミラーやディアジオはすでに、ビール醸造の原料をキャッサバ農家から仕入れている。そうすればビールの価格を抑えられ、アフリカも割高な輸入ものに依存せずに済むからだ。もしキャッサバを原料とするビールのコスト効率が高く、環境的にも持続可能であれば、地元のパブかバーで、アフリカのビールをお手頃価格で楽しめるかもしれない。現地のライバル会社がたくさん登場するかもしれず、アンハイザー・ブッシュも、うかうかしていられないぞ！（ＳＡＢミラーは二〇一六年にアンハイザー・ブッシュ・インベブに買収された）

シリコン・サバンナ

来たるべき農業・産業革命はさておき、アフリカにはどこよりも早く二一世紀入りした分野がある。モバイル通信技術だ。そしてその変化は、すでにアフリカ大陸の人びとの生活を変えつつある。ナオミ・ワンジル・ンガンガが《アイリッシュ・タイムズ》紙に語った話を考えてみよう。[19] 彼女は、コロゴチョというナイロビのスラム街で暮らす三四歳だ。病気がちのため定職に就けず、捨てられた段ボール箱を拾い集め、地元の市場で売って、四人の子どもを育てている。彼女にとって唯一のデジタル機器は、基本的な機能の携帯電話だけだ。そしてそれを使って通話や連絡はもちろん、決済を行ない、支払いを受ける。彼女はアイルランドの慈善団体から毎月の給付金を受け取り、モバイルネットワークの急速な発達から直接的な恩恵を被っている。一〇年前、ケニアはモバイル決済で最先端を行く国のひとつとなり、世界を驚かせた。人口の四分の三が頻繁にモバイル決済を利用しているのだ。首都のナイロビが「シリコン・サバンナ」の異名を取るのも、無理はない。だからこそ、私は思うのだ。二〇三〇年の世界を覗き見したければアフリカを訪れるべきだ、と。

モバイル技術はその有用性を、特に医療部門で証明してきた。たとえばケニアでは、農村人口のほとんどが、いちばん近い医師か医療施設までバスで最低一時間かかる場所に住んでいる。その医療アクセスの問題を解決するために、多くのモバイルサービスが開始された。医療ホットラインや早期診断ツールから、教育、薬の飲み忘れを注意するアプリ、治療後の経過観察サービスまで様々だ。今日のケニアでは人口の九〇パーセントが携帯電話を所有し、その通信記録は国勢調査以上に網羅的だ。政府機関が医療政策や福祉支援活動の計画を立てる際には、給与支払い名簿や学校の卒業名簿ではなく、携帯電話のデータを用いる[20]。

富裕国か貧困国かを問わず、ほかの多くの国と同じように、ケニアも正規の医療従事者不足、コスト高騰、需要の増大に悩まされている。そして増え続ける農村部の居住者向けに、たくさんの電子医療計画やプログラムが利益をもたらしている。ケニアの例で見たように、医療にモバイル通信技術を活用するモデルは、医療アクセスの問題に技術的な解決策を提供するかもしれない。効果的で包括的なその方法は、ほかの国でも真似できるだろう。医療が長年にわたって政治議題であり、医療コストが年々上がり続けているアメリカのような国にとっても、学ぶことはあるはずだ。

移民に向かう不安と怒り

二〇三〇年になる頃には世界の人口分布は大きく様変わりし、アフリカと南アジアの人口がほかの地域と比べてはるかに多くなっているだろう。そして、たとえ国境を越える移住者の数が変わっても、その理由は変わらない。出生率の高い地域と低い地域が混在する時、あるいは内戦や政情不安、飢饉、経済恐慌、自然災害などの危機が発生したあとでは、移住者が増えて、世間の注目が集まりやすい。このところ、国境をまたぐ移住は、封じ込めの必要な〝洪水〟とみなされている。政治世界のリーダーたちは、壁を建設せよと叫ぶ。貿易協定やEUのような政治・経済同盟から離脱する国も現れる。反移民のプラカードを掲げた市民が通りを練り歩く。だがもし、移民が仕事を横取りし、政府の資源を枯渇させている、という主張が完全な間違いであり、近視眼的な思い込みだとしたら?[21]

世間一般の考えによれば、移住者はブルーカラー労働者を押しのけ、安定した製造業の仕事を横取りしているという。だが実際は、移民の大半は移住先の国の労働者と雇用を奪い合っているわけではない。全米科学・技術・医学アカデミーも、多くの重要な報告書で同じ結論を導いている。その理由はこうだ。移民の大半はほとんどスキルがないか、非常に高いスキルを持つか、そのどちらかであり、母国でよい職に就ける見込みがない。それに対して、スキルレベルが中程度——たとえば便利屋や機械工——であれば、母国の地域社会で働き口に困らないため、そもそも移住しない。アメリカや日本、欧州のような先進経済国では、高度なスキルを持つ労働者の需要は大きいが、高度なスキルを必要としない――特に農業やサービス部門の――仕事もまだまだたくさんある。いっぽう、先進国で生じる失業の大半は製造業部門で、とりわけ中程度のスキルを持つ労働者のあいだで起きてきた。自動化を図りやすく、しかも自動化したほうが経済的でもあるからだ。裕福な国では、中程度のスキルが必要な仕事を技術に肩代わりさせることは、経済的に非常に理にかなっている。人件費が高いために自動化にはメリットがあり、またタスクは比較的簡単に自動化できるだからだ（第六章で詳しく述べよう）。そうであれば、失業に伴う不安と怒りは移民ではなく、技術の進歩に向けられるべきだ。ウォートン・スクールの私の同僚であるブリッタ・グレノンの調査によれば、科学者や技術者のビザの発行数を制限すれば、アメリカは仕事が立ちゆかなくなるという[22]。なぜなら豊富な人材を活用するために、企業が研究開発拠点を海外に移転するからだ。アメリカが移民を取り締まると、大きな恩恵を受けるのはどこの国か。中国、インド、カナダである。アメリカの企業がこれらの国に研究開発拠点を移転してしまうのだ。

アメリカで雇用されている外国生まれの労働者数の統計を、教育レベル別に分析すると、移民がアメリカ人から雇用を奪っていないことが明らかになる[23]。高校中退者、博士号取得者の労働者のうち、移民はそれぞれおよそ四二パーセントと二九パーセントだった。それに対して高卒、大学中退者、大学卒業者の労働者のうち、移民はそれぞれ一五パーセント、一〇パーセント、一四パーセントにすぎなかった。そしてまた、アメリカ商務省国勢調査局の報告によれば、高度なスキルを持つ管理職や技術職の数は増えているが、スキルが中程度とされるブルーカラーや事務の仕事は急減しているという。

原因は自動化にある。

特定の職業のデータを詳しく調べれば、ほとんどの移民が、移住先の国の労働者と雇用を奪い合っているわけではない証拠がもっと見つかる。シンクタンクのアーバン・インスティチュートによれば、高校中退者の移民がアメリカで就く上位三つの職業はメイド・家政婦、料理人、農業従事者だという。いっぽう、アメリカ生まれの高校中退者に多い職業は、レジ係、トラックなどの運転手、清掃作業員・用務員だ。移民とアメリカ生まれの労働者が直接仕事を奪い合うケースは、むしろ限られている。

移民は高齢化に伴う課題の解決に貢献する。国連はそれを「人口置換移民」（人口減少と高齢化の問題に対処するために、受け入れる必要のある移民）と呼ぶ。アメリカ労働省労働統計局のデータが示すように、ベビーブーム世代が定年退職すると、アメリカ経済はいま以上に大量の移民を必要とする。そうでなければ、准看護師や在宅介護助手から建設作業員、料理人、ソフトウェア開発者までの数十の職種で人手不足が生じる。二〇三〇年頃にはアメリカで、これらをはじめとする仕事の半数以上を、外国生まれの労働者が担っていることだろう。

移民が移住先の国の住民の経済状態を悪化させているかどうかを判断する別の方法は、賃金を調べることだ。移民と雇用を奪い合っているというのなら、その国の住民の賃金は下がっていなければならない。慎重な精査の結果、全米科学・技術・医学アカデミーは次のような結論に達した。「移民がその国の住民の全般的な賃金に与える影響は、小さいかゼロに近いと考えられる」もっと重要なことに、ほとんどの調査が明らかにしたように、「より大きな負の影響を被っていたのは地元住民全体ではなく、不利な条件にあるグループ［少数民族など］と移住時期の早かった移民だった」。そう聞けば、欧州やアメリカで最近の移民のかなりの割合が、移民を悪者扱いする候補者に投票するというパラドックスにも頷けるかもしれない。さらには、アメリカ生まれの住民のうち、移民の影響を最も強く受けていたのは高校中退者のグループであり、彼らはまた、今日の選挙の大きな争点である入国管理の厳格化を望む傾向にある。

雇用を奪い取っていないという証拠があるいっぽう、もし移民が行政の福祉事業から不均衡に利益を得ているとしたら、移住先の国にとって移民はやはり純損失になってしまう可能性がある。実際、欧州とアメリカで移民に対する国民の怒りのほとんどは、彼らが財政負担を引き起こしているという非難に基づいている。つまり、労働者として貢献する以上に、社会事業の受給者として利益を得ているという理屈だ。だがやはり証拠は、そのような世間の非難を否定する。世界人口に占める現役世代の割合が五八パーセントであるのに対して、世界の移民に占める現役世代の割合は約七二パーセントだからだ。経済協力開発機構（OECD）のような権威ある国際機関が行なった調査では、一九九〇年以降、アメリカと欧州で増加した労働人口のうち、移民はそれぞれ四七パーセントと七〇パーセントを占め、彼らは政府のプログラムから得る給付金以上に多くの税金を支払っている。全米科学・技術・医学アカデミーは指摘する。「どの年代で見ても［移民の］第二世代の成人は概して、第一世代か第三世代以降の成人よりも、あらゆる行政レベルにおいて、より大きなプラスの純財政的影響を与えてきた」。一九九四〜二〇一三年のあいだに、給付金に対する税金の比率が「第一、第二世代の両方で増加した」ことは、時の経過とともに、移民が政府プログラムから受け取る給付金以上に、仕事と所得税を通じて財政的に貢献している証拠だ。注目に値するのは――移民の大半が現役世代である点を考慮すれば——、移民が財政に及ぼす影響が連邦レベルにおいて、より明らかなことだ。州レベルや地域レベルでは、移民の子どもの教育支援に予算を割かなければならないからだ。全米科学・技術・医学アカデミーは次のような結論を導く。「同じような特徴［年齢、教育レベル、所得など］を持つ場合、移民とこの国で生まれた人間による財政的影響はほとんど変わらないだろう」

移民は雇用を奪わない：雇用を創出する

グーグル、インテル、イーベイ、フェイスブック、リンクトイン、テスラには、共通点がふたつある。ひとつは、アメリカ経済を一変させたこと。もうひとつは、創業者か共同創業者が移民であることだ[24]。彼らがいなければ、グローバル経済はいまとは大きく違っていただろう。アメリカのテック系ベンチャーの約二三パーセントは移民が創業した。しかも、その割合は特定の州でかなり高い。カウフマン財団とベイエリア・カウンシル・エコノミック・インスティチュートによれば、カリフォルニア州で四〇パーセント、マサチューセッツ州で四二パーセント、ニュージャージー州では四五パーセントにのぼるという。超党派のシンクタンクである米国政策財団の報告によれば、二〇一六年時点でアメリカの「ユニコーン企業」——企業価値が一〇億ドルを超える未上場のスタートアップ——八七社のうちの四四社が、移民による創業だった。その四四社を創業した起業家のうちの二三人が、そもそも大学か大学院で教育を受けるためにアメリカに留学してきていた。インド、カナダ、英国、ドイツ、イスラエルの出身者が多い。たとえばデイヴィッド・ヒンダウィは、一九四四年にバグダッドでユダヤ系イラク人の家庭に生まれた。両親に連れられ、一九五一年にイスラエルに移住。イスラエル空軍で軍務に就いたこともある。一九七〇年、カリフォルニア大学バークレー校で博士号を取得するために渡米。二〇〇七年に、息子のオリオンとタニウムを創業した。このサイバーセキュリティ企業は、現在では五〇〇人の従業員を抱えるまでに成長した。

経済にとって移民は恩恵だ。なぜなら、移民は起業する傾向が強いからだ。全米科学・技術・医学アカデミーの包括的な報告書は「移民は移住先の人間よりも革新的だ」と述べており、たとえばその傾向は特許数からも明らかだ。「移民が移住先の人間よりも革新的に見えるのは、先天的に優秀だというよりも、彼らの専門が科学や工学分野に集中しているからだ」調査はそう結論づけている。「移民という行為は純粋な起業家精神だ」と、二〇一三年にリンクトインの共同創業者のリード・ホフマンは《ワシントン・ポスト》紙の論説に書いている。「慣れ親しんだものをすべてあとに残して、新たな土地で新たに始める。成功を摑むためには協力関係を築く必要がある。スキルを獲得しなければならない。即興で対処しなければならない時もあるだろう。移民とは大胆な計画だ」

起業家精神のほかにも、移民がアメリカの医療分野に果たす貢献について考えてみよう。[25]二〇一六年にジョージ・メイソン大学が行なった調査によれば、移民はアメリカの総人口の約一三パーセントを占めるが、医師と執刀医全体の二八パーセントを、准看護師、精神科助手、在宅介護助手の二二パーセントを、看護師の一五パーセントを占めるという。バイオ技術分野で働く医学者の半数以上が移民である。これらの数字が高い背景には、彼らのような移民の大半が、それぞれの出身国で医療サービス提供者としての教育を受けてきた、という重要な側面がある。母国で学位を取得した者のなかにも、アメリカで働くためにはより高度なスキルを身につけ、より高い職業訓練の基準をクリアしなければならない人たちもいるが、現状として、アメリカはいまだ充分な数の医療サービス提供者を自前で生み出していない。移民の医療従事者は明らかに、アメリカ人と雇用を奪い合ってはいない。

科学分野のノーベル賞受賞者の数も有効な指標だろう。二〇〇〇年以降、化学、物理学、生理学・医学分野でノーベル賞に輝いたアメリカ市民は八五人だが、そのうちの三三人、すなわち四〇パーセント近くがアメリカ国外の生まれだ。世界一革新的な国という地位を、今後もアメリカが維持し続けるためには、移民の活躍が是非とも必要だ——特に知識集約型経済が成長し続ける世界においては。

全米科学・技術・医学アカデミーはすでに一九九七年の報告書で、移民はアメリカ経済に正味のプラス効果を与えるという結論を出していた。二〇一七年の報告書では次のように述べている。移民のいないアメリカは「明らかにGDPがはるかに低く、ひとり当たりGDPも同じように低かっただろう。その理由として無視できないのは、アメリカでは積極的に働く老年人口の割合がかなり低いと思われることだ」。移民の流入は「保育、調理、ハウスクリーニングや住宅の修繕、建設」の料金を引き下げる傾向にある。アメリカ経済にとって不動産市場が非常に重要であることを考えれば、報告書はまた、移民の流入と彼らの子孫が新たな住宅需要を生み出すという、歓迎すべき点も指摘している。移民の労働力なしに子どもを育てられる共働きのミドルクラスの家庭が、アメリカにどれほどあるかも想像しにくい。二〇三〇年になる頃には、移民の創造的なダイナミズムが、今日以上にアメリカ経済を動かしているに違いない。壁を建設せよと叫ぶ人間がその目的を果たさなければ、の話だが。

移民に対する認知バイアス

移民が物議を醸すのは、人間にはものごとの良い面より悪い面に焦点を合わせる傾向があるからだ。心理学者のエイモス・トベルスキーとダニエル・カーネマンは、私たちが人生の様々な場面で間違った決断を下すのは、「損失回避バイアス」によって判断が曇るからだと述べた。[26] ふたりはいろいろな実験を繰り返した末、人間には利益を確定するよりも、同じ額の損失を回避したがる傾向があるという結論に達した。意外に思うかもしれないが、ほとんどの人は一〇ドルを手に入れることよりも、一〇ドルを失わないようにするほうに心動かされる。

行動経済学者のテア・ウィグは、ノルウェーのベルゲン大学で修士論文を書くために実験を行ない、移民の雇用に関する統計（社会が移民から得る潜在的利益）と、移民が国の福祉政策に与える影響に関する統計（社会が移民から被る潜在的損失）を、被験者に見せたところ、被験者の頭のなかで「利益より損失の占める割合が大きく膨らみ」、移民に対する否定的な態度につながった。[27] 「人間は、移民にかかる費用を強調するネガティブなフレーミングの影響を受けやすい」と、ウィグは書いている。具体的に言えば、「ノルウェーで移民の就業率が六〇パーセントだという行動情報を知ると、被験者は移民政策に対する態度がよりはっきりする」。この実験の意味するところはこうだ。移民をどう思うか、それゆえ妥当な移民政策の範囲をどう捉えるかについて、その方向性を決め、さらには操作することは可能だ。「人間は、移民にかかる費用を負担しようとするよりも、移民がもたらす利益はなくてもいいと思いたがる」という点を踏まえておけばいい。二〇三〇年が近づくにつれ、次のふたつを理解しておく必要がある。移民に対するネガティブなフレーミングがいかに巧妙で、大きな影響を及ぼしてきたか。そしてそれはまた、移民による利益を訴えてきた人たちの力を、いかに効果的に削いできたか。ジャーナリストのジェイムズ・スロウィッキーは《ザ・ニューヨーカー》誌で次のように論じている。[28]「我々の国が奪われつつある」というレトリックが説得力を持つのは、それが人間の損失回避バイアスに訴えかけるからであり、しかもそのバイアスは、反移民を叫ぶ候補者にとって選挙戦で有利に働いてきた、と。

移民自身の行動に光を当てた、損失回避バイアスの調査もある。[29]三つのグループ――移住先の国の人間、海外移住を決めた人間、母国にとどまった人間――を対象に、行動の違いを分析したところ、リスクに対する許容度がいちばん高いのは移民だった。そう聞けば、多くの移民が起業するのも納得できるかもしれない。だが同じように重要なのは、将来的に移民を考えている人であっても、ほかの人たちと同じように、将来の経済状態に関する良いニュースよりも悪いニュースに強く反応することだ。さらには、移民の決意を促す要因が、移住先の国が差し出す好機よりも、生まれ育った国の経済的困難であることも、移民経済学者のマティアス・チャイカの別の調査で明らかになった。[30]その調査が示すのは、ほとんどの移民が母国での生活水準をただ改善しようとしているのではなく、過酷で、さらには希望の持てない経済状況から脱出しようとしていることだ。

財産（またはその欠如）も、移民にとって重要な要素である。財産はリスクに対する態度に影響を与えるからだ。《米国科学アカデミー紀要》に掲載した論文のなかで、ウィリアム・クラークとウィリアム・リソフスキーは、国境をまたぐ移住を決断する際の損益を、移民が慎重に天秤にかけていることを指摘した。[31]自宅をはじめ何らかの財産を所有していると、国内でのあるいは海外への移住を思いとどまりやすい。だからこそ、貧困国において土地の再分配は、国境の壁よりも移住率を減らす効果が高いのだろう。

もちろん、移民の良い面に注目する理由はたくさんある。二〇一八年、アメリカ社会保障局の理事は報告書でこう警告した。二〇三〇年には、社会保障年金信託基金の「短期的な財政妥当性」は、最低水準も満たさなくなっているだろう。なぜなら、政府が制度の長期的な存続を保証するどころか、積立金を取り崩して給付金を支払い続けているからだ、と。《USAトゥデイ》紙は、次のような見出しで報告書に応じた。「社会保障とメディケア（医療保険）はゆっくりと死にかけている。だがワシントンでは誰も何もしない」[32]

年金制度の存続を図るうえで、移民は明らかに脅威ではなく好機だ。だが、そのためには水平思考を働かせる必要がある。移民が毎年支払う百億ドル以上もの給与税は、社会保障制度の財源である。たとえ彼らが密入国者で、嘘の社会保障番号を使用していたとしても、その支払いを免れることはできない。シンクタンクのニュー・アメリカン・エコノミーの見積もりによれば、二〇一六年、八〇〇万人の不法就労者が支払った給与税は約一三〇億ドルにのぼる。だが、彼らは概して社会保障の給付を請求できない。そのうえ、低賃金の移民ほど貢献度が高い。なぜなら所得が一二万八四〇〇ドル以下の労働者は、給与の六・二パーセントの社会保障税を一律で負担しなければならないからだ。「密入国者の強制送還は社会保障制度の基金に、短期と長期の両方で負の影響をもたらすでしょう。人口増加と基金の存続性とのあいだには直接的な関係があるからです」そう説明するのは経済政策研究所のエコノミストを務めるモニーク・モリッシーだ。社会保障局の理事は先の報告書で、移民増加の波が潜在的にプラスの効果をもたらす理由を述べている。「純移民数の増加は原価率を引き下げる。なぜなら、彼らは比較的若いうちに移民するため、受給者の数よりも税金を支払う労働者のほうが早く増加するからだ」

つまり、フレーミングが重要だということだ。水平思考を働かせれば、課題も大きな好機に変えられる。好機に焦点を合わせれば合わせるほど、二〇三〇年の難しい状況にうまく適応できる可能性が高くなる。

頭脳流出は根拠のない俗説か

筋金入りの移民排斥論者でも、異を唱えない点がある。すなわち、アメリカ経済の不足分を埋めるためには、高度なスキルを持つ外国人が必要だという点だ。だがそれは、貧しい国の事情につけ込み、アメリカが彼らの国の最高の頭脳を奪っているという意味だろうか。一九五〇年代、英国は「頭脳流出（ブレイン・ドレイン）」という言葉をつくって、アメリカやカナダが英国の人的資源を奪っていると非難した。流出先のアメリカやカナダでは、医師や技術者をはじめとする高い技能を持つ人材が、英国よりも高給の仕事を見つけた。この三〇〜四〇年間、有能な人材が同じように移住し、バングラディシュ、ナイジェリア、フィリピンなどの開発途上国から、極めて貴重な人的資源が失われた。カリフォルニア大学バークレー校の地理学者で政治学者でもあるアナリー・サクセニアンは、頭脳流出が招く貧困化サイクルは、「頭脳循環（ブレイン・サーキュレーション）」という好循環に転換でき、母国と移住先の国の両方に利益をつくり出すことができると述べている。[33]

たとえば台湾生まれのミン・ウー（呉敏求）は、スタンフォード大学で電気工学の博士号を取得するためにアメリカに渡った。[34] 一九七六年に大学を卒業し、伝説的な企業のシリコニクスとインテルで働いた。その後、集積回路の設計と製造を専門に行なうシリコンバレーのＶＬＳＩテクノロジーで管理職を経験する。一九八〇年代後半になる頃には、台湾は集積回路製造の一大中心地となっていたため、ウーはアメリカで築いたコネを使って、母国にマクロニクスを創業することにした。彼の先駆的な半導体メモリ専業メーカーは、台湾の企業としてナスダックに初めて上場した。ウーは、太平洋を頻繁に行き来する人生を送ることになり、その起業家精神は故郷と第二の祖国の両方に基盤を置き、双方に利益をもたらしている。

ウーと同じようにジェイムズ・ジョジン・キム（金柱津）も、一九六〇年代に韓国からアメリカに留学した。[35] ウォートン・スクールに入学した当時、「朝鮮半島の南北は戦火で荒廃し、我が民族の誰にとっても、将来の見通しは想像もつかないほど厳しいものでした。絶望的なほど貧しく、国は破滅状態にありました」。そして、博士号を取得して教鞭を執ったあと、一九六八年にアムコー・テクノロジーを創業した。半導体パッケージの組み立てと信頼性試験を専門とするその会社は、二〇一八年に四二億ドルの売上高を記録している。さらに、東アジア各地とポルトガルの製造拠点に加えて、アメリカにも本社と営業拠点を多く構え、いまでは三万人近い従業員を抱える。企業名がすべてを物語っている。アムコーという名前は、「アメリカ」と「コリア」の語頭を組み合わせた混成語なのだ。韓国が今日のような技術拠点になるために、アムコーは大きく貢献してきた。「私たちは生き延びました。耐え抜き、そして繁栄を手にしたのです」キムはそう振り返る。

ウーやキムのようなビジョナリーの起業家は、多くの国に影響を及ぼす移民の力を、身をもって証明している。輸送費が安くなり、デジタルを使って簡単にコミュニケーションが図れるようになったおかげで、起業家はインドとアメリカ、中国とアメリカのように遠く離れたふたつの国にまたがって事業を行なうことができ、それぞれの国の資源をうまく補い合いながら活用できる。ルーティンにしろ、複雑なタスクにしろ、いまの時代は大陸を越えたリアルタイムでの共同作業が可能だ。その結果、母国と移住先の国の両方で雇用を創出する。つい最近までそのような共同作業が行なえる市場はおもにアメリカに限られていたが、将来、中国とインドの消費者市場が成長すれば、とてつもない好機が生み出され、このタイプの多国籍の起業家や企業が躍進するだろう。

サクセニアンの描く世界を舞台にした頭脳循環には、さらに多面的な利益がある。頻繁に労働力不足に悩まされるアメリカのような経済国に、高い技能を持つ移民を引き寄せ、将来有望な産業分野でアメリカ人のための雇用を創出するのだ。だが、頭脳循環において最も重要なのは、世界最大規模の新興市場とアメリカとのあいだに架け橋を築くことだ。そしてその架け橋は、経済活動と消費の重心が北大西洋の西岸からアジアへ、さらにはアフリカへとシフトするのに伴い、莫大な利益を生み出すだろう。

世界銀行は、アメリカに留学した起業家と技術者の、いわゆる離散（ディアスポラ）ネットワークを通じた国際協調の巨大な規模を見積もった。すると、それぞれの母国にもよるが、彼らの半数から四分の三が生まれ育った国へ戻り、その多くがスタートアップを立ち上げていた。アメリカに残ったうちの半数が、少なくとも年に一度は仕事で母国を訪れていた。高いスキルを持つ移民の離散ネットワークがもたらすプラス効果は、イスラエル、台湾、インドで特に大きかった。国境を越えたこの種の事業展開にとって、情報技術はうってつけの経済部門だろう。資本要件が低いためかもしれない。

移民に伴う好機は大きい。そのいっぽう、移住先の国民が移民のせいで自分たちが割りを食っていると考える時には、潜在的な落とし穴も大きい。移民の数、受け入れ時期、移民構成を決定する最善策について、冷静な議論が切実に求められている。母国と移住先の国の両方にとって好機を最大化するためであり、人が職を失ったり地域社会が衰退したりせず、グローバリゼーションによって数百万人の人たちが置き去りにされないためでもある。調査によれば、その目標を達成するためには割当制度（国や地域によって移民の数を割り当てる方法）はどうやら最善の選択肢とは言えず、労働需要と資格要件に基づく制度のほうがうまくいきそうだ。最大の成功例はカナダだろう。高いスキルを持つ移民をカナダがうまく引き寄せたのは、母国の大学を卒業すると同時に、就労ビザを取得できる道を移民に開いたからだ。二〇一八年、経営者協会のカナダ協議委員会は、もし移民数が削減されたら、今後二〇年間の経済成長率は三分の二に鈍化すると見積もった。[36]「移民の受け入れを中止すれば、カナダの労働力は縮小し、経済成長は鈍化し、医療などの社会保障制度の基金はさらなる困難に直面する」という。二〇三〇年に最も活力ある経済国は、移民のダイナミックな貢献をうまく活用するいっぽう、目まぐるしく変化する経済で傷を負った人びとに手を差し伸べる国だろう。

子ども、移住、好機

本章では出生率の動向を追うことで、二〇三〇年の世界の姿について詳しく論じてきた。近い将来の若い消費者はすでにこの世に生まれており、また世界の一部で急速に進行している高齢化を、国境をまたぐ移住はある程度までは相殺するだろう。そのいっぽう、取り残された人たちが新たな現実に適応するためのコストがかさむと、懸念が——さらには怒りが——高まる。そのように相反する要素がどのような結果を生むのかは、現在の不安をどう未来の好機に変えるのかにかかっている。

アメリカをはじめとする多くの国にとって、解決策は様々な世代のニーズと願望とのバランスのなかにある。当然ながら、若者層と年配層はこれから先の問題をまったく違う視点で捉える。片方が価値を見出すことも、もう片方にとっては損失に見えてしまう。次章では、大きな人口変化に伴う好機を摑む方法について見ていこう。

第二章：グレーは新しいブラック

ハイテク高齢者、定年退職を延期、「年寄り」と「若者」の定義を見直す

私の世代は、宗教的信念か実存的絶望かという選択肢を抱えて大人になり、マリファナを選んだ。いまの私たちは、カベルネワインの段階ね。

——アメリカのジャーナリスト、著述家、ペギー・ヌーナン[1]

今日、二三億人にのぼるミレニアル世代——一九八〇〜二〇〇〇年生まれ——は、世界中から熱い視線を浴びている。企業も政治家も彼らの心、財布、投票はもちろん、彼らのすべてを手に入れたい。モルガン・スタンレーによれば、ミレニアル世代はこのところ「経済活動にとって最も重要な年齢層」だという。[2]なぜなら、そろそろ結婚して子どもを持ち始め、落ち着いた生活を送るためにお金を使うからだ。

これは誤解である。

まず、これまでの世代と同じように、ミレニアル世代も決してみながみな同じではない。様々な特徴の人たちで成り立っている。高学歴の者もいれば、そうでない者もいる。裕福な者もいれば、ぎりぎりの生活を送っている者もいる。買い物で自己愛を満たす者がいるかと思えば、商業主義を毛嫌いしている者もいる。メディアは彼らの態度や行動を、時にセンセーショナルな表現で十把一絡げにしたがる。

ミレニアルがディナーデートを過去の遺物に
ミレニアルはブランチを正式に葬った
ミレニアルはロゼに夢中で、ビール産業を瀬戸際に追いやっている
ミレニアルのせいでテーブルナプキン産業は絶滅寸前
ミレニアルが映画ビジネスにとどめを刺す
ミレニアルは持ち家にまったく興味なし?
ミレニアルはなぜセックスしないのか[3]

だが、ミレニアル世代についてのそんな騒ぎも吹き飛ばすような、はるかに根本的な理由がある。世間はミレニアル世代を、世界で最も急速に成長しているマーケットセグメントだと考えるが、それは完全な間違いだ。実際、最も成長著しい年齢層を知れば驚くかもしれない。その年齢層は、企業にはほとんど相手にされてこなかったが、政治家には絶大な人気がある(投票所に足を運ぶ可能性が高

いからだ）。しかも、世界の純資産の少なくとも半分を――アメリカでは約八〇パーセントを――所有する。[4] その年齢層とは六〇歳以上であり、二〇三〇年までに欧州、北米、中国を中心に、世界で三億五〇〇〇万人の増加が見込まれている。アメリカでこの年齢層に相当するのが、ベビーブーム世代とそのひとつ前のサイレント・ジェネレーションだ（後者は大恐慌のあいだに子ども時代を過ごし、第二次世界大戦を生き延びるか実際に戦った世代。ニュースキャスターのトム・ブロコウは一九九八年の著書で、この世代を「史上最高の世代（グレイテスト・ジェネレーション）」と呼んだ）。アメリカの歴史家ニール・ハウは《フォーブス》誌でこう指摘する。「今日の年配層が比較的裕福なのは、歴史的に見て前例がない」[5] ハウはこの手のテーマに詳しい。なぜなら、「ミレニアル」という言葉をつくったのはハウだからだ。

　連邦準備制度理事会（FRB）のデータが示すように、「サイレント［ジェネレーション］」はブーマー（ベビーブーム世代）のおよそ一・三倍の富を所有している。これは［ジェネレーション］Xの二倍、ミレニアルの二三倍にあたる」（ジェネレーションXは、ベビーブーム世代とミレニアル世代の中間の世代）。ハウによれば、「マーケターは新たに見つけ出した六十代、七十代の購買力に熱い視線を注ぎ、その魅力的な消費者を取りこもうと広告費をつぎ込んでいる」という。「ナイキやポーランド・スプリング（ミネラルウォーター）といった世界的ブランドは、八十代に狙いを定めたキャンペーン」を展開しており、広告・マーケティング業界の一流誌《アドバタイジング・エイジ》も「その動向に光を当てたほどだ」。アメリカで高齢者の医療費が増大しているという話も根拠がない。[6] それどころか、二〇〇二年以降、医療費の増加の大半は一八～六四歳のあいだで起きている。

世代をどう捉えるか

私たちはかつてない歴史の岐路に立っている。規模のあまり変わらない複数の世代が同じ舞台を共有し、影響力を競い合っているのだ。世代は重要だ。なぜなら、各世代はその世代特有の方法で行動し、それは彼らがいつ成人し、いまどんな状況にあるのか、という二点と深く結びついているからだ。「世界観の構築は世代の仕事であって、個人の仕事ではない」作家のジョン・ドス・パソスは書いている。[7]「だがその一大建造物にレンガを積み上げるのは、よくも悪くも我々一人ひとりなのだ」

今日、企業は二層の問題に直面している。ひとつは、ミレニアル世代の消費者の行動が読みきれないこと。もうひとつは、今日までのどの世代よりも長く生き、消費してきた年配層にどうアプローチすればいいのかわからないことだ（六五歳で悠々自適の引退生活に入るという、これまでの基準はもはや通用しないだろう）。問題をさらに複雑にするのが、このふたつのグループに果たして共通項はあるのかという点だ。「ブーマー叩きは大流行だ」二〇一六年、ジャーナリストのリンダ・バーンスタインは《フォーブス》誌の記事で指摘した。[8]若者の多くはベビーブーム世代に怒りをぶつけている。金融危機や気候変動から先行き不透明な経済まで、何もかも彼らの責任だと非難する。政治的な亀裂も存在する。概して進歩的といえる若年層が、親や祖父母の世代に見出すのは、ポピュリストの政治家、新たなかたちのナショナリズム、招かれざる移民を排除する壁の建設に対する幅広い支持である。さらにいえば、二〇〇八年の世界金融危機は、どの世代も親の世代より裕福になるはずだという古い考えに疑問を投げかけた。だが、相手を名指しで非難するとブーメランが起きる。ミレニアル世代とベビーブーム世代はお互い、「おいしいとこだけ持っていきやがって」「若いヤツらは何でも自分のことばっかり」などと非難し合っている。

これらの世代間力学において根本的に新しいのは、二〇三〇年が近づくにつれ、従来の「若者」と「年寄り」の定義が時代に合わなくなっていることだ。活力が「若者」の同義語で、衰えが「年寄り」だけに当てはまる、などという前提はもはや成り立たない。新しい技術の発展は、定年退職後の生活や高齢者ケアのあり方を一変させてしまうだろう。ここでちょっと、こんな世界を思い描いてみよう。地球上で最も活動的で生産的な世代が、親や祖父母の世代だという世界だ。その世界では、ハイテクな世の中で育ったミレニアルたちが、六〇歳以上の人たちに役立つ事業に乗り出す。年齢は大きな要素ではなくなり、どんな年齢でも雇用される。七〇歳の新入社員はさほど珍しくないかもしれない。年一五兆ドルと試算される、六〇歳以上の財布の紐はどうやったら緩むだろうか。

グレーはニュー・ブラックか（グレーは「高齢者」、ニュー・ブラックは「流行の」「トレンド」という意味。すなわち「高齢者は時代の最先端か」）。

世代の重要性を初めて指摘したのは、ドイツの社会学者カール・マンハイムだった。[9] 一世紀ほど前、マンハイムは世代をこう定義した――時間と空間によって結びつき、生涯に*わたって*続く特有の方法で行動し、特定の体験に結びついた一種の集団的な意味を形成する人たちのグループ。特定の体験とは大恐慌や第二次世界大戦、公民権運動、インターネットの登場、ソーシャルメディアの普及などを指す。世代は「年齢コホート」とは違う。年齢コホートとは、期間を任意に、たとえば一〇年単位で区切って、単純にその一定期間内に生まれた集団を指す。そこに帰属する統一的な特徴はない。

特定の世代に属するメンバーは共通の意識を発達させるが、たとえば社会経済的地位や文化的価値観は同じではない。マンハイムは、そのような下位集団を「世代ユニット」と呼んだ。一例をあげれば「公民権運動世代」というくくりのなかにも、社会観、公民権運動に対する切迫感、政治的関与の度合いによって、そのような下位集団が存在する。

だが世代には別の側面もあり、一九七〇年代にその側面を最初に概念化したのは、フランスの人類学者で社会学者のピエール・ブルデュだった。[10] 彼が焦点を合わせたのは、歴史的出来事ではなく「心的諸傾向」だった。ブルデュの考えによれば、どの世代も「ほか「の世代」にとっては考えられないか不面目だが、本人たちにとっては自然で理にかなった習慣か願望」を発達させるという。言い換えれば、それぞれの世代を分けるのは、身につけたルーティン（ブルデュは「ハビトゥス」と呼んだ）と社会化の要素である。

アイデンティティのその要素は、世代が経済に与える影響を――特に貯蓄と消費の観点で――理解するうえで欠かせない。様々な世代がそれぞれの経済的、政治的議題を推し進めようと競い合う影響について考えてみよう。そして次にこう考えてみる。各世代には、特有の関心やニーズを抱えた多様な小集団が存在するのだ、と。

またある特定の世代のなかで歳を重ねることが、時の経過とともに、態度や行動にどのような影響を与えるのかについても考えてみよう。出生時の違いがどうあれ、ある世代に属する人びとは、歳をとるのに伴い、同じ価値観を持つようになるのだろうか。

グレー消費者に誇大広告は通用しない

「やがて訪れる危機に、私は戦々恐々としている。髪は白くなるだろうし、体力は衰え始める」英国人ジャーナリストで編集者でもあるステファノ・ハットフィールドは書いている。[11]「私はまた、広告主が話しかけてくれることも待っている。熱い眼差しと口調で私をターゲットにしてほしいのだ」意識調査が指摘するのは、五〇歳以上の英国人の実に九六パーセントが、自分は広告主に相手にされていないと感じていることだ。「ベビーブーム世代はお金を持っているが、広告主は彼らには無関心のようだ」と、ＡＡＲＰ（五〇歳以上の会員が集う世界最大の年配者非営利団体）は最近の記事で書いている。[12]それが五〇歳になった人間の実感であれば、六〇歳や七〇歳以上の人たちの気持ちを想像してみればいい。若者の人口増加には波があるが、六〇歳以上の人口は世界中で増え続けている。

詳しい数字を見てみよう。

中国では、毎日およそ五万四〇〇〇人が六〇歳の誕生日を祝う。アメリカでは一万二〇〇〇人。世界全体では実に二一万人。この数字に魅力を感じない企業や起業家はほとんどいない。二〇三〇年になる頃には、六〇歳以上は現在の一〇億人から世界中で一四億人に達する。アメリカでは一四〇〇万人増える（全土で九〇〇〇万人に達する）。メキシコで六〇〇〇万人、英国で三〇〇〇万人、インドで五〇〇〇万人増加する。中国では驚くことに一億一三〇〇万人も増える。開発途上国においてさえ、相対的にいえば、莫大な増加を目撃することになる。たとえばバングラディシュでは、六〇歳以上の人口は現在の一三〇〇万人から二一〇〇万人に急増する見込みだ。

人口動態的変化がもたらす社会的影響を分析するアナリストにとって重要な統計は、総人口に対する六〇歳以上の比率である。二〇三〇年には、その比率は日本で三八パーセント、ドイツで三四パーセント、英国で二八パーセント、アメリカで二六パーセント、中国で二五パーセントを占める。年金制度と医療保険制度は果たして維持できるのだろうか。

そう心配になるのも当然だ。だが今度はその数字を、水平思考という好機のレンズで見てみよう。二〇一八年、《フォーブス》誌は人口の高齢化を「ビジネスにとって天の恵み」と呼んだ。[13] それについて、《エコノミスト》紙は先頃、「年配の消費者がビジネス状況を一新する」という論を展開した。私たちは「グレー市場」時代の幕開けにあり、その市場の購買力はとりわけ新興経済国で高まっている。ところがボストン・コンサルティング・グループの試算によれば、その準備ができている企業は七社に一社だという。既存企業もスタートアップも、ほとんどの技術、マーケティング、セールス部門が若者だらけであることは周知の事実だ。だが、若者だけに任せるのは大きな間違いである。驚くことでもないが、グレー市場に商機を見出すことについて、彼らには見えていない点がある。現在のグレー市場は数世代前と比べて健康なだけではない。一部の見積もりによれば、二〇三〇年になる頃には、グレー消費者の購買力は二〇兆ドルにも達するという。

グレー消費者のニーズやウォンツに取り組むのは簡単ではない。南カリフォルニア大学老年学大学院の上級副学部長を務めるマリア・ヘンケは指摘する。[14]「高齢者は一筋縄ではいきません。誇大広告は通用しませんね。広告のこととなると、彼らは百戦錬磨ですから」結局のところ、一九四四〜六四年に生まれたベビーブーム世代なら、ラジオのジングルからバイラル・マーケティングまで、これまでに体験してきた広告革命をすべて思い浮かべてみればいい。疲労感に襲われるだろう。「そんな商品、とても必要とは思えないよ」

だが難しいのは、適切なコミュニケーション・広告戦略を見つけ出すことだけではない。老け込むのが早い人もいる。ニーズや好みもそれぞれ違う。しかも、自分のことを必ずしも「年寄り」だと感じたり考えたりするわけではない。先述したステファノ・ハットフィールドは鋭く指摘する。「ほとんどの広告業界は特に、そしてメディア全般は、今日の五〇歳が、親の世代の五〇歳とは違うことに気づいてこなかった」と。問題は、年齢が定義するカテゴリーにみながぴたりと当てはまるという思い込みにある。ココ・シャネルは、こんな有名な言葉を残している。[15]「四〇歳を過ぎれば誰でも若くない。でも、人はいくつになっても魅力的でありうる」それなのに「年配の消費者に向けた広告は、よくても上から目線で、最悪の場合、侮辱的だ」そう述べるのは、ビジネス誌《ファストカンパニー》の編集者ジェフ・ビアである。[16]広告代理店ＴＢＷＡで文化戦略グローバルディレクターを務めるサラ・ラビアは、その難しい問題を的確に要約する。「ひとつは、年齢で定義せず、ターゲットをもっと広く設定して、彼らの価値観や類似点に注目することです。なぜなら、ベビーブーム世代とミレニアル世代には共通点がたくさんあるからです。もうひとつの方法は、年配層にレーザービームのように焦点を合わせますが、全体的に陽気でイマっぽく、進歩的な調子を心がけることです」

包括的な調査のなかで、国際的広告代理店マッキャンのリサーチ担当チームのシニア・バイスプレジデントであるナディア・トゥーマはこう指摘している。「いい歳の取り方をするとは、自分より年下と年上の両方の人たちと時間をともに過ごすことだ、と圧倒的多数の人が考えています」さらには「大切なのは世代を越えたつながりです。肌にいい乳液を見つけることよりもずっと強力なものです」。重要なポイントをあげよう。二〇三〇年には、過去のカテゴリーはもはや役に立たない。「これまでの人口動態は、消費者をもっと深いレベルで理解するには、私たちにとって障害になってしまうようです」トゥーマはそう結論づけている。

グレー消費者を理解する難しさをよく表している例を、もうひとつあげよう。電気製品や器具、自動車などの耐久消費財は、特有の問題をもたらす。耐久消費財とはその名の通り、理想的には五年、一〇年、あるいは二〇年の使用に耐えるよう設計・製造された消費財を指す。その長い使用期間にユーザーが歳をとり、ニーズや能力が変化すれば、そのタイプのユーザーには消費財が使いづらくなってしまうかもしれない。忘れないでほしい。グレー消費者は若い人たちのように耐久消費財を頻繁に買い替えたりしない。老後資金の目減りを防ぎたい人にとっては、なおさらだ。六〇歳にとって理想的な洗濯機がどんなものか考えてみよう[17]。前面に扉のある横型がまだ使いやすく、ほかのタイプよりも力が要らない。ところが七〇歳か八〇歳になる頃には、上面を開閉できる縦型のほうがずっと使いやすいかもしれない（電気代は少々割高だが）。ノブを摑みやすくして、アイコンや文字表記も読みやすくする必要がある。「手の指が使いにくい高齢者にとってカギとなるのは、［縦型洗濯機の蓋の］取っ手を摑みやすくすることだ」グレー・フレンドリーな洗濯機を紹介する、ある記事はそう指摘する。「そしてもうひとつ。視力の弱った高齢者には、深くて幅広い取っ手のほうが見つけやすく探し出しやすい」

高齢者に安心してニーズに合った製品を使ってもらう方法にはふたつある。最初のアプローチは、（購入ではなく）リースを提案すること。そうすれば、数年ごとに新しい製品に換えられるうえ、製品より自分の寿命のほうが短いかもしれない高齢者にとっては経済的に魅力的だ。二番目のアプローーチは、健康状態、身体能力、認知能力の低下を見越して、その機能を補うように設計した製品を取り揃えることだ。洗濯機の場合にも、様々な世代の幅広い要望に応えることは完全に可能であり、いろいろなタイプのデジタル表示やコントロールパネルを揃えることもそのひとつだろう。

グレー消費者の優先順位

グレー市場に新商品やサービスを投入する好機は、とてつもなく大きい。カギは年配者のお金の使い方を理解することにある。彼らにとって最も優先順位が高いのは生活の質（クオリティ・オブ・ライフ）だと聞いても、誰も驚かないだろう。[18] AARPによれば、ほとんどの高齢者は全般的な生活の質、たとえば充分な老後資金、心身の健康、レジャーや余暇、家庭生活について楽観的だという。四人に三人近くが生活の質が改善するか、同じレベルが維持できると考えている（とはいえ、その楽観主義も七〇歳をすぎると薄れる）。生活の質は最近ますます、「自立心があって自分で身のまわりのことができ、移動ができ、人とつながっている状態」と定義されるようになってきた。しかも、体力や認知能力の衰えがもたらす影響に対処するだけでなく、孤独と向き合い、人生の喜びを見出し続けることも大切だ。その難しさを極めてうまく描き出したのが、スウェーデンの映画監督イングマール・ベルイマンの映画「野いちご」（一九五七年）だろう。主人公である七八歳の怒りっぽい医師が、それまでの功績を認められて名誉博士号の授与式へ向かう。六五〇キロメートル離れた街へみずから車を走らせるが、旅の途中で出会う人たちによって、厄介な出来事やいまも抱えている不満を思い出す。旅に同行する人たちとの触れ合いによって、老医師は人生を見つめ直し、新たな自分を発見する。旅は彼の深い孤独を描き出す。

グレー市場が勢いを増すのに伴い、二〇三〇年には医療、在宅ケア、生活介護などのサービス産業が活況を呈しているだろう。レジャーとエンターテインメント産業も大きく発展しているに違いない。だが、最も刺激的な好機は生活の質の分野にあり、創造的で革新的な解決策がその分野に利益をもたらすはずだ。

シューズを例に取ろう。デザイン、品質、価格、そしてもちろんセンスや好みの面でも選択肢はたくさんある。シューズ業界には企業もブランドもごまんとあるが、ナイキを除けば大きな市場シェアを誇る企業はない。そこへ新たにグレー市場のニーズが加わる。膝や腰の痛みを和らげるシューズはすでに需要が高い。シューズをデザインするうえで、スタイリッシュで履きやすいことは基本中の基本だ。健康な消費者には考えも及ばないかもしれないが、個人のニーズに合わせて左右の靴を調整するという需要もある。そのような消費者中心の細やかな対応は重要だ。そして、ブランド戦略のなかで人口動態上の変化に積極的に対応する企業は、数百万人の潜在的顧客を振り向かせることができる。それなら、リアル店舗での顧客体験はどうだろうか。小売店は次のような対応ができるだろう。たとえば高齢者は一般に早起きのため、朝早く店を開け、朝早い来店客にはディスカウント価格を提供する。あるいはポイントサービスを充実させる。店内に座れる場所を多めに用意する。グレー市場のニーズや高齢者の不安を理解するよう研修を受けたスタッフを雇用する。

それ以外にも好機が見込めるのは健康・フィットネス部門だ。（若い人たちが働く）職場の近くには、ジムやヨガスタジオが急増している。たとえば、国際アクティブ・エイジング会議のオンライン施設検索で、高齢者フレンドリーな――活動的とはいえ年配の利用者にとって、いろいろとアクセスしやすい――フィットネス施設を検索したところ、テキサス州ケイティで郵便番号77494の人口一〇万五〇〇〇人圏内には、わずか五軒しかなかった。[19] ペンシルベニア州フィラデルフィアのダウンタウンで、私と同じ郵便番号の人口二万人圏内には二軒。バージニア州レキシントンの、アメリカで最も人口構成が若いことで知られる、ある郵便番号の圏内には一軒のみ。年齢の中央値が最も高く、一二万五〇〇〇人が暮らすフロリダ州サムター郡でさえ、高齢者フレンドリーなジムはたった七軒だけ。高齢者が暮らす（あるいは暮らしたがる）地域には、そのような施設をもっとたくさんつくることを考える時期ではないか。

それでは、オンラインショッピングはどうだろうか。より便利な買い物方法として、特に運動機能を失い、移動が難しくなった高齢者にとっては便利なはずだが、高齢者のあいだでオンラインショップの利用が増えるのかどうかについては、大きく意見が分かれる。市場調査会社のイーマーケターによれば、六〇歳以上のアメリカ人でアマゾンプライムの利用者は、ほかの世代と比べてほんの数パーセント少ないだけであり、彼らは商品をオンラインで調査してからリアル店舗で、あるいはオンラインのマーケットプレイスで購入する。[20] だが、スマートフォンを使って実際に買い物をしたり、ソーシャルメディアを使って商品の評判を確かめたりすることは少ないようだ。グレー消費者は決してデジタル〝遅滞者〟ではないが、コミュニティでの買い物を好むという証拠もある。地元の小さな店には、相談に乗ってくれる親切な店員もいる。消費者調査会社のニールセンのデータからわかるのは、高齢者はいろいろな種類の店を訪れるが、ほかの年齢層と比べて食料雑貨店を訪れる頻度が高いことだ。

だが、彼らがひとつのチャネルにこだわり、ほかのチャネルを排除するわけではない。それどころか、オンラインショップとリアル店舗での買い物は、補完的に行なわれているのかもしれない。とはいえ、忘れてはならないが、貯蓄の目減りを防ぐために、高齢者のほとんどは価格に敏感になっている。

裁量支出、すなわち住居費や食費、光熱費、医療費、交通費、教育費などの欠かせない分を除いて比較的自由に使える支出も、グレー消費のもうひとつの成長分野だ。[21] アメリカで裁量支出の比率がピークを迎えるのは三十代半ば〜五十代半ばであり、総支出のおよそ四〇パーセントを占める。高齢者は、必要不可欠ではない支出を徐々に減らす。移動が減り、医療サービスの必要性が高まるからだ。七五歳を超えると、裁量支出の割合は総支出の三三パーセント以下にまで落ち込む。

高齢者の裁量支出を世界的な視点で捉えると、隠れた問題が浮かび上がる。欧州、カナダ、日本で、裁量支出の割合がアメリカより一二パーセントも大きいのは、高い医療費を自腹で負担する必要が少ないからだ。言い換えれば、医療保険が裁量支出を圧迫している。たとえば、アメリカの平均的な六五歳以上は、支出の一四パーセントを医療費にあてるが、英国では三パーセント未満だ。英国の高齢者がアメリカの高齢者の二倍に及ぶ割合の支出を、衣服や外食、旅行にあてられるのもそういうわけだからだ。

レジャーについて言えば、高齢者は時間がたっぷりあり、ほかの年齢層よりもレジャーにお金を使っているというのは、よく聞く誤解だ。実際、グレー消費者はほかの年齢層と比べて、旅行やエンターテインメントに必ずしも気前よくお金を使っているわけではない。また健康で体調がいいと感じる時間が多ければ多いほど、高齢者は働きに出たり（少なくともパートタイムで）、単発の仕事を請け負ったり、ボランティア活動に精を出したりする。そのうえ〝レジャー〟も様々であり、実際、そこには重要な動向が隠れている。彼らが〝レジャー〟の時間に何をしているのか、探ってみよう。高齢者は四十代や五十代よりもテレビを見て、読書をし、リラックスし、考えごとをして過ごす時間が長い。お金を使うレジャー活動となると、今日の高齢者はより健康的で体力があるため、前の世代よりも旅行に積極的にお金を使う。高齢者が観光旅行に使う全支出は、アメリカより欧州、中国、日本のほうが多い。つまり、ほかの地域と比べてアメリカでは将来、その分野での成長が見込まれる。とはいえ、医療費が上がらないと仮定した場合だが。また、高齢者の多くが近場の旅行を好むことから、グレー消費者が求める観光旅行はおもに国内での雇用創出につながるだろう。

年齢ピラミッドの頂上に君臨する富

グレー市場に焦点を合わせることで成功の秘訣を見出した企業は多い。衰退の危機にありながら、企業イメージを一新することで破綻を免れた企業もある。フィリップスの例を考えてみよう。長い歴史を持つ、世界でも最も由緒正しい大手多国籍企業である[22]。フィリップスは一八九一年、オランダでヘラルド・フィリップスと父のフレデリックが創業した。だが、その四年後にはすでに倒産寸前だった。そこでヘラルドは、工学の学位を取得した弟のアントンを事業に引っ張り込んだ。その後、フィリップスは方向転換を図り、優れたプロダクトデザインに科学的な厳密さを加えた。イノベーション精神は彼らのお手のものだった。というのも、オランダは一六〇〇年代に科学革命の先陣を切った国だからだ。フィリップスは次々と画期的な製品を世に送り出した。タングステン・フィラメント電球

（一九〇七年）、電気かみそり（一九三九年）、コンパクトカセット（一九六三年）、VCR（一九七二年）。CD（一九八三年）、移動通信のGSM方式（一九八三年）。DVDプレイヤー（一九九八年）など。

だが一九八〇年代と九〇年代、フィリップスは日本、韓国、中国という競合の低価格競争に曝され、依然として経営難に陥っていた。数十億ドル規模に膨れ上がった赤字が、フィリップスを呑み込んだ。黒字転換を目指して、経営陣はありとあらゆる措置を講じる。最高のコンサルタントを雇った。製造工場の改革を断行し、世界中の物流システムも見直した。マーケティングを練り直した。マトリックスマネジメントにより所属部署とは別に、機能横断型チームを採用して組織形態を新たにし、技術者とマーケティング部門が一緒に働き、顧客が本当に求める製品を提供しようとした。だが、何をしても効果はないかに思われた。

フィリップスはその三〇年間で六人のCEOが指揮を執った（創業後一〇〇年間のCEOが、たった五人だったこととは対照的だ）。そして、二〇一一年にCEOに就任したのがフランス・ファン・ホーテンだった。彼は生え抜きだ。ほかの企業に勤めたことはなく、父もまた同社の取締役を務めたことがある。だが、ファン・ホーテンは前任者の轍を踏まなかった。世界経済と人口動態動向の変わりゆく潮流に逆らおうとせず、その波に乗ることにしたのだ。電球やテレビといったフィリップスのおもな収入源は、年を追うごとに採算が合わなくなっていた。フィリップスのような世界的ブランドはどうすべきだったのか。ファン・ホーテンは方向転換を提案した。ヘルスケア分野の電子機器に焦点を合わせ、研究集約的で顧客のカスタマイズに応じる製品に力を入れた。世界的な人口の高齢化に伴い、スキャナーや画像検査装置などに対する需要が高まっていたのだ。今日、フィリップスの医療部門は企業収益の三分の二以上を占め、利益は急増した。

「老齢」という概念を新たにする

「先日、定年退職したばかりの私の母は、かなりハイテクに詳しい」と《USAトゥデイ》紙の寄稿者ジェニファー・ジョリーは書いている。[23]「母は神ゲーのワーズ・ウィズ・フレンズ〔単語対戦ゲーム〕を楽しみ、フェイスブックに写真を投稿する方法も知っている……時々、わりとイケてるセルフィーも撮っている」ジョリーは続ける。「結局のところ、お年寄りと彼らを大切に思う人たちにとって、いまに必要になるのは、こんなふうに何でもないように思える毎日のちょっとしたデジタル行為かもしれない」《ジャーナル・オブ・ジェロントロジー（老年学）》に掲載された、ミシガン州立大学のシーラ・コットン教授の調査によれば、インターネットを利用するアメリカの高齢者は、抑うつ症状を訴える割合が低いという。[24]その結果に高齢者は驚かない。アニーナ・マクレスキーは七〇歳で人工股関節置換手術を受け、ただいま療養中だ。[25]「孤立したくはありません。友だちやいろんなことから、引き離されたくないんです」マクレスキーは打ち明ける。インターネットは「わたしに家族を、友だちを、ゲームを与えてくれました」。

「技術がすべてを変える」というマントラは、加齢について言えば事実に違いない。第一に医学、栄養学、バイオ技術をはじめとする様々な分野のブレークスルーは、より多くの人がより長い人生を楽しむために役立っている。二〇三〇年には、平均的な七〇歳は今日の平均的な五〇歳のような人生を送っているだろう。

世間の人たちは、VR、AI、ナノ技術などの新興分野を最前線に立って導いているのは、若者のウォンツとニーズだと考えている。だが、今日の刺激的なブレークスルーや技術的進歩の大半を動かしているのは、実のところ、六〇歳以上のニーズなのだ。

アメリカのスタートアップ、レンデバーを紹介しよう。[26] レンデバーが焦点を絞っているのは、高齢者が社会的孤立を克服できるVRのアプリ開発だ。「我が社が開発しているのは、高齢者介護施設の入居者に特化したVR体験です。彼らはもはやひとりで外出したり、世界を探検したりできません」CEOで共同創業者のカイル・ランドは説明する。「VRを利用して、このヘッドセットを装着すれば世界中のどこへでも行けます……ビンゴやものづくり体験も楽しめ、気がついたらエッフェル塔のてっぺんに登っていることだってできるんですよ」社会的孤立は、とりわけ認知機能の低下を早め、高血圧のリスクを高める。だが秘訣は、VRを利用して社会的状況をつくり出し、遊びや娯楽を体験してもらうことにある。「高齢者が暮らす施設で、六人の入居者に同時にヘッドセットを着けてもらい、同じ体験をしてもらいます」ランドは続ける。「ネットワーク技術を使えば、そのようなグループ体験が一緒に楽しめるんです」また「回想法」を利用して、高齢者のストレスレベルを下げる。「若い頃に訪れた、彼らにとって思い出深い場所にVRで連れて行って、その環境にどっぷり没入してもらう」と、高齢者の気持ちをリラックスさせる効果がある。

高齢者の生活の質を改善しそうな興味深い方法は、ほかにもある。パワードスーツの開発もそのひとつだ（映画「アイアンマン」で主人公が装着しているスーツの〝おじいちゃんおばあちゃん版〟だと思えばいい）。[27]階段をのぼる、買い物袋を持ち上げる、ベッドを整える、股関節部損傷のリハビリを行なうなど、特定のニーズに合わせて設計する。高齢者が生活の質や自力、自活にこだわることを思い出してほしい。日本のスタートアップであるイノフィスは、マッスルスーツ（外骨格型アシストスーツ）の初期モデルを一千台も出荷してきた。買い物袋やスーツケースのような、重いものを持ち上げる人の腰を補助する装着型ロボットである。安価なもので約六〇〇〇ドル。「アシストスーツで重要なのはコントロールです。この装置は人が動作を始めるタイミングを理解しなければなりません」そう説明するのは、ＣＥＯの藤本隆だ。ほかにも、神経系の電気信号を感知して、筋肉の動きを読み取るセンサーを開発する企業もある。

日本は、高齢者用のロボット開発で世界をリードしている。なぜなら、絶対的な意味でも相対的に見ても、世界最大のグレー市場のひとつだからだ。日本では、手頃な料金の介護者を見つけることが難しくなってきている。この問題に拍車をかけるのが移民不足だ（アメリカを含めてほとんどの国では、有料の高齢者介護の約九〇パーセントを移民が担っている）。二〇二五年には、日本は不足する一〇〇万人の看護師を新たに必要とするだろう。日本はその不足分をロボットで解消するのだろうか。トヨタのような企業は「生活支援ロボット」のプロトタイプを開発してきた。音声指示に従って薬を取りに行き、水の入ったグラスを運び、カーテンを開け閉めする。あるいは、寝たきりの患者を癒やすアザラシ型ロボットのパロもある。パロには大きなセラピー効果がある。患者は、不安や抑うつ症状が改善したと報告しただけではない。パロと交流した認知症の患者は、監視エリアの外へ徘徊しなくなったという。現在、パロは三〇を超える国で採用されている。デンマークでは、国営老人ホームの八〇パーセントで導入している。でもなぜ、犬や猫ではなくアザラシなのか、不思議に思うかもしれない。その理由はとても人間らしいものだ。最初に考えつくのはもちろん犬型や猫型だろう。ところが開発者の柴田崇徳（たかのり）によれば、患者はロボットを本物の犬や猫と比較して「非常に高いレベルの出来を期待します」。しかも「犬好きは猫型ロボットを、猫好きは犬型ロボットをほしがりません」。だが、アザラシであればほとんどの人は本物と比べようがない。

　高齢者用ロボット工学全般では日本に後れを取るアメリカも、技術イノベーションの活用には積極的に取り組んできた。ブルックデール・シニア・リビングは高齢者向けの生活コミュニティを全米最大規模で展開し、一〇万人を超える居住者を抱えている。同社が大きな力を入れているのが、音声指示のデジタル端末を使った生活支援だ。特に関節炎や、黄斑変性という目の病気を患った高齢者にとっては利便性が高い。ブルックデールの施設では、エリキューという名前のコンパニオンロボットを導入し、オンラインゲーム、ビデオチャット、TEDトークとの接続、あるいは幅広い社交活動を通して、高齢者に社会参加を呼びかけている。ロボットと交流する高齢者は抑うつを発症しにくく、より意欲的に社会に参加しているように見える。ブルックデールでは、この新しい取り組みを「おもてなしロボット」と呼んでいる。

　日本人はロボット技術をほかの年齢層にも応用しようとしている。小型ヒューマノイドロボットのナオ・エボルーション・VS（第五世代）は、長期入院の子どもと交流したり、糖尿病患者に血糖値の確認と管理を指導したり、理学療法のやり方を教えたり、患者ごとにいろいろな授業を教えたりする。子どもたちはロボットとの交流を非常に喜び、ひょっとしたら人間の介護者とのやりとり以上に楽しんでいるようだ。

ロボットが高齢者や子どもの世話をする未来を、異様に感じる人もいるだろう。率直にいって、私たちにはほかに選択肢がない。それは次のふたつの理由からだ。ひとつは、今日の出生率では、将来必要になる介護の仕事をとてもこなしきれないからであり、ふたつ目は、世界中のあちこちの国の政府が、移民の流入を阻止しようとしているからだ。すでに述べたように、介護の仕事はたいてい移民が担ってきた。

そして、高齢者は熱心に勉強して起業する。[28] マイケル・テイラーは六十代にして、新たな地平を目指すことにした。「自分にこう訊いたんだよ。歳をとったら何がやりたいか、って」そして彼は大学と大学院でインテリアデザインを学び、会社を立ち上げた。「一九九七年、急増する起業家のうち、五五〜六四歳の割合はたったの一五パーセントだった」《アントレプレナー》誌の記事は指摘する。「カウフマン起業指数によれば、二〇一六年にはその数字は二四パーセントに達した」将来の高齢者人口の規模と平均寿命の延びを考えれば、二〇三〇年には起業家の半数を五五〜六四歳が占めているかもしれない。

グレーの財布

医療、小売、ロボット工学のほかにも、人口の高齢化によって最速のスピードで変化しているグローバル経済の分野がある。金融だ。簡単にいえば、お金に関するニーズや好み、態度は年齢とともに変化する。サンフランシスコ連邦準備銀行のふたりのエコノミストが実施した最近の調査は、その力学を例証している。アメリカの株式市場において、上場株の株価収益率（ＰＥＲ）と人口の高齢化とのあいだに、明白な相関関係が認められたのだ。[29] 株価収益率とは、株価を一株あたりの当期純利益（ＥＰＳ）で割った倍率を指す。株価収益率が高い時、投資家は気前よく支払って、企業収益の一部を手に入れようとする。つまり、投資家はその株に対して強気だ。なぜなら、今後もその企業は業績が良好だと考えるからだ。一九五〇年代〜二〇一〇年代初めまで、アメリカの上場企業の平均的な株価収益率にはひとつのパターンがあった。人口が高齢化すると株価収益率は下がり、若齢化すると上がったのだ。

それはなぜだろうか。人口の高齢化と株価とのあいだにはどんな関係があるのだろうか。

そのような相関関係が長期にわたって現れる理由はふたつ。第一に、投資する側の視点で見れば、歳をとると人はリスクを回避したがる。若いうちは、リスクは高くても将来の値上がりを約束する資産クラスに、貯蓄をつぎ込む傾向がある。株もその種の資産クラスのひとつだ。そして、歳をとって五〇歳か六〇歳になると、ポートフォリオを見直し、よりリスクの低い債券の購入に切り替える。そして定年退職が近づくと、証券を売却するか確定年金（固定金額が一定期間支払われるタイプ）を購入し始める。

第二の理由として、高齢化と消費とのあいだにも相関関係がある。歳をとると、購買行動は変わる。車や家電を買い替えたりしないし、家も買わなくなる。それどころか、生活をダウンサイジングする。年齢に応じて投資行動と購買行動が変わることを考えれば、株式市場の評価が人口動態を反映していたところで驚くほどでもない。二〇三〇年について考える時、おそらく確実なことがひとつある。それは、世界中で人口が高齢化すると、かつてのようには企業収益に比して株価が高くならないことだ。だがそれまでのあいだ、私たちが考えるような高齢化に伴う変化を目撃したとしても、そしてまたその変化に伴う好機に乗じるならば、株式市場と高齢化との関係はよい効果を生むのかもしれない。

銀行業務について言えば、高齢化の影響はかなり広範囲に及ぶだろう。まず、住宅ローンと消費者信用の需要が減少する。そのいっぽう、投資リスクを減らし、貯蓄の目減りを防ぐ金融商品を望む声が高まる。さらに高齢者のあいだで需要が伸びるのは、持ち家から収入を得る方法だ。第七章でも詳しく述べるが、エアビーアンドビーはそのひとつである。世界のあちこちの銀行が提案するのは「リバースモーゲージ」だ。家の所有者が自分の死後、家を銀行に売却することに同意する代わりに、契約開始時にまとまったお金を受け取るか、毎月の支払いとして受け取る。家の所有者は持ち家に住み続け、お金も手に入る。

今日、旧来の銀行は、信頼を取り戻し、技術を導入し、革新的な商品を提供するという大きな重圧に曝されている。高齢化はさらに別の問題ももたらす。貯蓄率の低下である。一定の年齢を超えると、人は貯蓄する側ではなく使う側にまわってしまい、そのため銀行はもはや以前のようには、資金源を顧客の預金に頼れなくなる。その結果、お金を借りたい顧客は、より高い金利を支払わなければならないかもしれない。

よい面に目を向ければ、人口の高齢化は、特に投資顧問サービス、資産運用、各種年金保険の需要を刺激する。問題は、これらの利益率の高い商品やサービスを提供するのが銀行だけではないことだ。あらゆるタイプの金融仲介機関と「フィンテック」のスタートアップが、グレー市場を奪い合っている。フィンテック業界に求められるのは、「一八〜三五歳をターゲットとした技術的ソリューションの創出だけでなく、高齢化に伴い、あらゆる世代のニーズに応えるソリューションに焦点を合わせることです」。そう述べるのは、かつてAARPで市場革新ディレクターを務め、その後、アンコンベンショナル・ベンチャーズを創業したセオドラ・ラウである[30]。フィンテックは、幅広い世代のサービスを統合するすばらしい好機を創出する。ラウは言う。「戦略の中心を成すのは、ご高齢の方々をサポートするエコシステムの支援です。そのなかには、彼らを介護する人たちも含まれます」

フィンテックによる取り組みが期待される、厄介な問題はほかにもある。家計を管理していた配偶者が、その能力を失うか亡くなった時にどうするか、という問題だ。《アメリカンバンカー》紙もその点を強く主張する。配偶者がもはや家計を管理できなくなった時、残されたほうの、家計に疎い四〇〇〇万人のアメリカ人はどうすればいいのか。父を亡くした時、ブラッド・コタンスキーも同じ問題に直面した。「パズルのピースを合わせるために、三年はかかりましたね……八〇年分の溜まった書類や何やらがすごくて……最初のステップは母と話すことでした」彼の母は家計を夫に任せきりにしていた。その時の体験をもとに、コタンスキーは二〇一七年にオニスト・テクノロジーズを共同創業する。そのアプリを使えば、家族のメンバーや利害をともにする人は、資産状況のデータや遺言書、委任状、財産所有権などの書類を共有でき、親族の死後に持ち上がりかねない家計の問題を解決できる。オニストはそのソフトウェアを銀行などの金融機関に販売している。

あるいは、頻繁に起こりうる別の状況について考えてみよう。老後資金の準備もできていないうちに、年配の労働者がとつぜん仕事を失ってしまうケースだ。社会保障やメディケアが提案する選択肢に従うことには大変な労力を要し、現実的な財務計画を無理やり立てることは難しい。さらに状況を厄介にするのが、仕事を失ったことによる自尊心の喪失だ。父の失業を機に、ラムヤ・ジョセフはペフィンを創業した。同社では五〇〇〇人に及ぶ顧客に対して、ＡＩとビッグデータを使って顧客一人ひとりを個別にモデル化し、資金計画、アドバイス、投資の選択肢を自動的に提供する。「お金は目的達成の手段ですが、最終的に我が社にとって大切なのは、顧客が人生で最も重要と考える目標を達成することであり、次が継続的なコーチングとアドバイスです」ＣＥＯのキャサリン・フラックスは続ける。「お金が臨時に入ってきた時に、貯蓄にまわすか債務の返済にあてるか、あるいは４０１（ｋ）（確定拠出年金）のプランを最適化するか、というわけです」ペフィンもソフトウェアを大手年金基金に納入している。

将来に向けて頭に入れておきたい重要な点のひとつは、金融資産の搾取だろう。[31] 近年、この問題は増加傾向にあり、高齢者が狙われるケースが圧倒的に多い。この手の犯罪の加害者で最も多いのは、驚くことに親戚、友人、隣人、介護者、弁護士、銀行員、宗教団体のリーダーなどのごく身近な人間だ。法外な金利の貸付や、なりすまし詐欺も横行している。全米成人保護サービス協会によれば、高齢者の二〇人にひとりがそのような被害に遭うが、実際に報告されるのは四四件に一件のみだという。全米高齢化連合の試算では、金融資産の搾取と詐欺の被害額は、アメリカだけで最低でも年間三〇億ドル、ひょっとすると三六〇億ドルにのぼる。数字にそれだけの差があるということは、この手の犯罪がほとんど表沙汰になっていない証拠だ。ＡＡＲＰの報告では、ひとり当たりの被害額は平均して一二万ドルだ。この問題も、技術によって解決できるかもしれない。アプリを使えば、あらゆる年齢層の収入、支出、貯蓄、資産の流れを監視できるいっぽう、問題の悪化を招く恐れもある。金融資産を狙うネット犯罪の阻止は難しく、それゆえ解決策を見つけ出した時には莫大な報酬が手に入る。高齢者が必要とする介護は提供するが、資産は搾取しないロボットをプログラムすることは可能だろう。

フィンテックはまた、無防備な高齢者が詐欺に引っかかるのを防ぐこともできる。「私の母は会計士でしたが、だからと言って騙されないというわけではありませんでした」そう打ち明けるのは、エバーセーフの共同創業者でCEOを務めるハワード・ティシュラーだ。[32] 視覚障碍者の母は「相手を家のなかに招き入れ、毎週、その相手に小切手を書いてもらい、いろいろな料金を支払っていました。そして結局、老後の蓄えをすべて失ってしまったんです。私が気づいた時には、すでに記憶力が衰えていました」「アルツハイマーと診断された」。母がいいカモになっていたなんて、考えもしませんでした」共同創業者のリズ・ローウィは、かつてマンハッタン検察局で高齢者虐待捜査班を率いていた際に、富豪のアンソニー・D・マーシャルを起訴したことがある。マーシャルは、社交界の花形で慈善家のブルック・アスターのひとり息子である。マーシャルは、母親のブルックから数百万ドルもの財産を騙し取った件で、大いに世間を騒がせ、結局、二カ月間服役した。理由は何だったのか。一億ドルにのぼる母の財産のうち、自分の相続分が半分に減らされ、たったの一四五〇万ドルしか手に入らないとわかったからだ。すでにアルツハイマーに冒されていた母のブルックには、身を守るすべがなかったのだ。

エバーセーフはまた、第三者による搾取が疑われる金融行動の不審な変化を、機械学習によって検出する。「個人による疑わしい行動の報告を、本人とその家族か専門家に報告し、進行中の悪事に―

—手遅れになる前に——注意を促す、というのが基本的な考えでした」ティシュラーは説明する。「高齢者の金融資産搾取の訴追でローウィが目撃したパターンを念頭に、機械学習のアルゴリズムによる観察を加えて、消えた預金などに目を光らせます——社会保障や年金が不正に引き出されていないか。支出に変化はないか。普段と違う投資活動や権限のない人間による口座開設の形跡はないか、といったことです」

グレーの労働市場

二〇一五年公開の映画「マイ・インターン」で、七〇歳のベン・ウィテカー（ロバート・デ・ニーロ）が呟く。「残りの日々をどうやり過ごせばいい？　いろいろ試した。ゴルフに読書。映画。トランプ。ヨガも試したし、料理も習い、植物も育ててみた。中国語クラスにも通ってみた。（中国語で）ああ、本当だ。（英語に戻って）何もかもやってみた」結局、ブルックリンにある、ファッション通販サイトを運営するスタートアップに再就職する。高齢者のインターンを採用する新しい制度に応募したのだ。創業者でCEOを務めるのは、まだ三〇歳のジュールズ・オースティン（アン・ハサウェイ）だ。紆余曲折を経て、ウィテカーはオースティンの最も近しいアドバイザーで、気を許せる友人になる。

グレー世代が増え続けるいっぽう、彼らのノウハウや体験を充分に活用せず、社会がどれほど多くの人材を無駄にしているか、考えてほしい。そして今度は、まったく新しい世界を想像してみよう。私たちの祖父母の世代が、社会のメンバーとして最も活動的に、生産的に働いている世界だ。

プロイセンの政治家オットー・フォン・ビスマルクは、全国の老齢者を対象にした世界初の社会保障制度を制定した。ビスマルクの狙いは、労働者階級が楽しみにして待つものを用意することで、彼らを〝手なずける〟ことにあった。電話、内燃機関、化学繊維などの一九世紀末の優れた発明とともに、ビスマルクが考え出したその発明は、近代性に革命をもたらすことになる。一九世紀のもうひとつのイノベーションである普通教育と合わせて、定年退職プログラムは、国民の人生を大胆に区分して明確なステージに分けた——学ぶ段階、働く段階、休む段階の三つである。もはや個人の選択の問題ではなかった。一国の政府が国民に、年齢に応じて何をすべきかを告げ、社会規範によってその厳格な人生モデルを確固たる制度にしたのである。

政府や法律が、そして主流の文化までもが、一定の年齢を超えた人間はもはや社会や経済に本当には貢献できないと、長きにわたって告げてきたことには驚く。六五歳以上（あるいはほかの年齢でもよいが）の人間は、与える側でも受け取る側でもなく〝休止中の〟人口に属するとみなされたのだ。

だが平均寿命の延びを考えると、二〇三〇年になる頃には、平均的な六〇歳の人間にはさらに二二年の人生が待っている。先進国であれば、その数字は二五年に延びる。そのいわゆる、言わずもがなの事実について、そろそろ考え直す時期ではないだろうか。「働きたいという気持ちのひとつは、金銭的な理由から生じますが」トランスアメリカ退職研究センターのCEOキャサリン・コリンソンは続ける。[33]「それ以上に、世の中と関わっていたいという気持ちからも生じます」同じように、ベテラン従業員の退職に伴う損失を企業も痛感し始めている。「ベビーブーム世代が退職すると、その貴重な専門知識や体験も彼らと一緒にドアから出て行ってしまいます」そう説明するのは、ＡＡＲＰのプロジェクト副リーダー、スーザン・ウェインストックだ。「年配の労働者は雇用主にとって非常に高い価値があります」ボーイング、ミシュラン、UPS（貨物運送最大手）は、商品やサービスの最需要期には、退職してまもない元従業員を呼び戻してきた。

潜在的な利益はほかにもある。男女がうまく交ざり合い、多様な民族が一緒のほうが、グループの結束力やパフォーマンスは下がってしまいがちだが、創造力や、ルーティン以外の問題解決力が高まるという調査があるのだ。在職期間との関係もあるため、年齢が及ぼす影響は一概に明らかになりにくいが、幅広い年齢層のグループのほうが創造力に富むことは、一部の報告からわかっている。たとえばBMWは、アイデアを生み、問題を解決する点で、幅広い世代が交ざり合った作業チームのほうが優れていたことを発見した。[34]「多世代のチームは、プロジェクトや課題を捉える方法が多様です」この問題の専門家であるヘレン・デニスは主張する。「いろいろな意見があればあるほど、目標を達成するうえで有利に働きます」映画「マイ・インターン」が鮮やかに描き出したのも、職場での世代間の交流からウィンウィンな状況が——そして笑顔が——生まれることだった。

だが、定年退職後も働き続けることに、予期せぬ影響はなかったのだろうか。

思いがけない影響のひとつとして、欧州とアメリカの政府は、〝お金の心配のない老後の暮らし〟に全面的な責任を取りたがらなくなった。裁量支出と「グレーはニュー・ブラック」の話も、高齢者は政府の年金なしにやっていけるという説を、政治家に説得させる効果を生んだ。たとえば政府は財政難であり、自立というイデオロギーは重要で、高齢者の大部分には裁量支出の余力がある、という話は、高齢者にとって国の年金は唯一の頼みの綱でないどころか、そうであってはならないという考えを、一部の人たちのあいだに植えつけた。数十年前とは違って高齢者も自分の運命にもっと大きな責任を持つべきだ、と考える政治家は多い。たとえば持ち家の空き部屋を貸し出したり、ウーバーの運転手として働いたりして、副収入を得てはどうか、というわけだ。詳しくは第七章で紹介しよう。世界中で六〇歳以上の人口が増大すると、この議論が白熱することは間違いない。特に若くてより数の少ない年齢コホートの納税者――ミレニアル世代とそれに続くZ世代――が、その政治論争に加わった時には。

やがてミレニアル世代も歳をとる

二〇四〇年には、最初のミレニアル世代が定年退職を迎える。当初、Y世代と呼ばれたミレニアル世代はよく、一九八〇～二〇〇〇年生まれの年齢コホートと定義されるが、さらに狭く限定して、一九八〇年代前半～九〇年代後半生まれを指す専門家もいる。情報・通信技術が飛躍的な進歩を遂げ、世界を一変させた時期に生まれたという意味において、彼らは単に年代で区切ったコホートではない。だが、ミレニアル世代全員が「デジタルネイティブ」ではない。今日の私たちが知るような、ネットワークでつながったデジタル時代に生まれたのは、その世代の後半だけである。ミレニアル世代はデジタル生まれとは呼べないまでも、デジタル育ちの世代と呼べるだろう。

カセットテープはもちろん、CDを買ったことのあるミレニアル世代はまずいない。写真フィルムを現像したこともなければ、タイプライターの打ち間違いを消す修正液を使ったことも、車の窓から道を訊ねたことも、アナログ放送を観たことも、ファックスを送信したことも、ダイヤル式電話を使ったこともない。3Gはおろか、1G以前の生活は想像もつかない。そのような状況で生まれ育った彼らは、子ども時代から地域や国境に関係なく友だちをつくり、その交友関係はソーシャルメディアや出会い系アプリを通して影響を受けてきた。二〇三〇年とその先の世界は、部分的に彼らの態度と行動がかたちづくる。だからこそ、いまから一〇年後の世界を予測するためには、この重要な世代を理解する必要がある。

ミレニアル世代をめぐる初期の分析のなかには、物議を醸し、少なからぬ波紋を呼んだものもあった。心理学者のジーン・トウェンギによる二〇〇六年の著書『ミー世代：なぜ今日のアメリカの若者は自信たっぷりで、自己主張が激しく、特権意識が強いのか。それなのに、なぜこれまでにないほど惨めなのか』（未邦訳）もそのひとつだろう。[35] トウェンギは、ミレニアル世代がこれまでの世代のなかで最も自己愛が強い原因は、その親の世代にあると論じた。「私たちは子どもたちに深刻な害を及ぼしている。私たち（親）にとって彼らが特別な存在だからという理由で、世界も彼らを同じように扱うものだと、子どもたちに信じ込ませているのだ」トウェンギは続ける。「子どもが親から受け取れる最善の心の準備は、自己愛ではなく自尊心ですらない。それは親の愛とサポートと、成功にとって重要なのは自分を信じることよりも勤勉と忍耐だ、という親からのメッセージである」別の専門家は、ミレニアル世代の違う特徴を指摘する。社会に貢献したい。新しいコトを体験したい。経済的な安定よりも、やりがいのある仕事に就きたいという願いだ。二〇一六年の調査によれば、自己愛性パーソナリティ傾向を測る尺度において、ミレニアル世代は確かに親の世代よりもスコアが高かったが、その比較はあまり公平ではない。とりわけ、人生に対する態度は年齢とともに変化すると考えられるからだ。

実際、ウィリアム・ストラウスやニール・ハウのような人口統計学者や歴史家――ミレニアル世代について初期の分析を著したあと、ふたりは政府や企業、大学に引っ張りだこの売れっ子コンサルタントになった――が主張したのは、ミレニアル世代がサイレントジェネレーションと同じくらい向社会的に見えることだった。[36] ふたりはアメリカのミレニアル世代を、温室育ちで自信たっぷり、チームプレイを大切にし、型にはまり、大きな重圧に曝され、成果志向だと定義した。政治活動家のデイヴィッド・バースティンのようにミレニアル世代を、一種の「プラグマティックな理想主義」に突き動かされていると考える者もいる。[37] その理想主義によって、彼らは実際的なツールを用いて、世界をよりよい場所にしようとするが、社会に変革をもたらすために急進的か革命的な手段にのめり込むわけではない。ウォール街占拠運動が比較的小さな規模のまま短命に終わったのも、そういう訳だからかもしれない。

褒めちぎるにしろ、けなすにしろ、ミレニアル世代の特徴を定義する際の問題は、それがおもに「郊外の裕福な白人家庭に育ち、大きな目標を達成した十代［と、もう少し上の若者］」という定義に当てはまるように思えることだ。ジャーナリストのエリック・フーバーもそう指摘する。[38] 彼らのような若者は「不安に怯えることもなく、とてつもなく競争率の高い大学に願書を出す。そして、複数のことを容易にこなす彼らの上空では、過保護な親（ヘリコプター・ペアレント）が絶えず待機して励ますように子どもを見守っている」。社会経済的にそこまで恵まれていない家庭出身のミレニアル世代の場合、態度も行動も間違いなく彼らとは異なる。全般的に言って、アメリカの「ミレニアル世代は親の世代よりも裕福になれる確率が半々しかない最初の世代」だ、と《ザ・ニューヨーカー》誌の専属ライター、ジア・トレンティーノは述べている。[39] 競争が激化するグローバル経済において、彼らの将来の安泰な暮らしは保証されていない。多くのマーケターは、ミレニアル世代の自尊心を膨らませることに余念がないようだが、かえってそれが、彼らの経済的な先行きを悪化させてしまう恐れがある。

オバマ政権時代の大統領経済諮問委員会がまとめた統計によれば、アメリカのミレニアル世代は平均して家や車の所有にあまり関心がなく、二十代をとうに過ぎても、場合によっては三十代になっても親と同居し、結婚を先延ばしにするか諦める。[40] 四人にひとりが運転免許を取ろうともしない。驚くようなその行動パターンについては、第七章で詳しく見ていこう。

アメリカのミレニアル世代が衝動的に転職を繰り返すジョブホッパーだというステレオタイプは、完全に間違っている。それどころか、ミレニアル世代は一世代前のX世代よりも、一つひとつの在職期間が長めの傾向がある。とはいえ、彼らはトップに上り詰める最速のキャリアパスを追求するよりも、意義ある仕事を選ぼうとする。ある調査によれば、彼らがチーム制の仕事を好むのは、ソーシャルメディアを集中的に使っているからであり、またそのために上の立場の人との頻繁なやりとりを望み、仕事と遊びとの健全なバランスを求めるという。

仕事に対するミレニアル世代の好みの背後には、ある事実が大きく浮かび上がる。それは、彼らの初期の労働体験が、二〇〇八年の世界金融危機とそれに続く景気後退によって、大きく損なわれてしまったことだ（とはいえ、その影響は世界のどの地域かによって異なる。大半の新興市場国では、そのあいだも経済成長は持続した）。そのため、世界のミレニアル世代の人口にはふたつの現実が存在する。ひとつは、裕福な国で育ったミレニアル世代。そのような国では、ミドルクラスの収入がこの二〇～三〇年間、伸び悩んできた。ふたつ目として、新興市場国や開発途上国で育ったミレニアル世代。こちらは親や祖父母の世代よりもはるかにいい経済的チャンスに恵まれた。さらに欧州とアメリカのミレニアルの世代ユニットには、ふたつのサブユニットが存在する。ひとつは裕福な家庭に生まれた。もうひとつは低所得の家庭に生まれるか、ミドルクラスの家庭に生まれたものの、グローバリゼーションと技術進歩の煽りを受けて、親の仕事が消滅した。それゆえ企業と起業家は、ミレニアル世代という消費者の行動について、そしてそれが将来に及ぼす影響について論じた、十把一絡げの分析を鵜呑みにしないことだ。

ミレニアル世代の意識調査が引き出す結論にも、同様の問題が潜んでいる。「世界価値観調査」は、国際的な文化的価値観を探るためには最善の情報源である[41]。その調査から明らかになったのは、ミレニアル世代が自己表現の価値観を非常に重視しており、その傾向が世界全体と地域別の両方において、ほとんどの世代よりも強いことだった。過去の世代よりもミレニアル世代が充実した物質的手段を備え、知的スキルが高く、より広い社会的つながりを持つためだろう。そしてそれが、より自主的に行動し、幅広い選択肢を持ち、より大きな機会を手に入れ、内なる可能性を実現することにつながる（本書で紹介する様々な調査と同じように、平均すれば大きな違いはどうしても隠れてしまう。この場合で言えば、裕福なミレニアルたちとあまり裕福ではない家庭で育ったミレニアルたちとの違いだ）。

もちろん価値観は重要だ――とりわけ経済的な意思決定を行なう時には。ところが、ミレニアル世代の経済行動の大半を決定づけてきたのは、高騰する住居費と高等教育費である。いっぽう、富のほとんど――そしてその富が生み出す収入――を手にするのは、親や祖父母の世代である。社会学者のキャスリン・シャプティスは、まさにそのような経済的問題にこそ、ミレニアル世代が結婚や子どもを持つという通過儀礼を先延ばしにする理由があると考える。[42] 著書『ぎゅうぎゅう詰めの巣症候群』（未邦訳）のなかで、シャプティスは「ピーターパン」あるいは「ブーメラン」世代について論じている（ピーターパン世代とは、大人になることを先延ばしにするミレニアル世代の特徴を捉えた呼び方。ブーメラン世代とは、親元を離れたあと、就職に失敗したなどの理由から、ブーメランのように実家に戻って親と同居するミレニアル世代の呼び方）。ティーンエイジャーから大人になるあいだに明確に存在する人生のそのステージを、シャプティスは「新興成人期」と名づける。

そういう状況であれば驚かないだろうが、ミレニアル世代の全体的な貯蓄率は最近の記憶に残る限り、最低水準である。[43] そして今日の貯蓄額を知ることほど、将来を覗き見する優れた窓はないだろう。二〇一四年、ムーディーズ・アナリティクスは警鐘を鳴らした。アメリカの成人のうち、三五歳以下の貯蓄率がマイナス一・八パーセントだったからだ。すなわち、将来に向けて貯蓄するどころか、借り入れによって消費を維持しているのだ。もちろん、二〇〇八年の世界金融危機に続く景気後退の影響がさらに薄れるにつれ、状況は改善するだろう。バンク・オブ・アメリカが二〇一八年に行なった調査によれば、アメリカの二三～三七歳のミレニアル世代のうち、六人にひとりが一〇万ドル以上を貯蓄しているという。なかなかすばらしい数字ではないか。ところが別の調査によると、一八～二四歳のうち一万ドル以上を貯蓄している人の割合はわずか一三パーセントにすぎず、二五～三四歳では多少上がるものの二〇パーセントにとどまる。七五パーセントが、自分たちはほかの世代よりもお金を使いすぎだと考え、家を買う余裕はないと答えた者も二〇パーセントいた。クレジットカードの借入額と学生ローンの額は過去最高水準に膨れ上がり、若いミレニアルたちが、とても貯蓄どころではないのも頷ける。二〇一七年、三五歳以下のアメリカ人が抱える教育ローンは、二〇〇一年に同じ年齢層が抱えていた額のほぼ二倍にのぼる。若いアメリカ人の純資産の中央値は、二〇〇一～一七年のあいだに一万五〇〇〇ドルから一万四〇〇〇ドルに激減した。

だが総合統計には注意が必要だ。もう一度言う。世界全体で見ても、アメリカのような特定の国だけを見ても、ミレニアル世代の特徴は均質ではない。消費者であるミレニアル世代の関心を惹くことに熱心な企業は、その基本的な事実を理解する必要があり、ミレニアル世代がみな同じだと決めつけないことが重要だ。二〇三〇年の世界をかたちづくるのは、みなが同じ特徴を持つ世代ではない。それは、教育、所得、民族性などが定義する、多様なサブユニットどうしの相互作用なのだ。

ミレニアル世代の次に来る世代

私がかねてから気に入っているのは、非常に興味深い統計を紹介することだ。一部の国では一五～三四歳の年齢層が減少する。中国、日本、欧州でその傾向が強い。だが対照的に南アジアや中東、アフリカ諸国では、少なくとも次の一、二世代はその同じ一五～三四歳の年齢層が増加する。それらの動向は単純に、今日生まれる子どもの数によって決まる。しかしながら、アメリカはどちらのカテゴリーにも含まれない。二〇一七年の時点で一五～三四歳は約八八〇〇万人を数え、二〇三〇年には九〇〇〇万人に達すると見られる。ほぼ増減なしの数字だが、その若者たちはこれまでとはまったく違う年齢コホートだろう。その理由を詳しく説明しよう。

私が伝えたいのは、移民の影響を正しく評価するということは、未来予測をするということだ。一九八〇年のアメリカでは、一五〜三四歳の七八パーセントが非ヒスパニック系の白人だった。だが、二〇三〇年にはその数字は半分を切るだろう。アメリカと欧州の若い年齢層で、民族的、言語的多様性がさらに進む。移民の家庭は平均してたくさん子どもを産む傾向があるため、若者の構成は急激に変化しやすく、その変化は人口全体の変化よりも速いスピードで進む。今日、私たちが「少数民族（マイノリティ）」と呼ぶ人たちは、一〇年後には「多数派（マジョリティ）」になっているだろう。

その動向は行動の重要な変化をもたらす。今日、結婚して家や車を持ちたいと切望するのは、アメリカ生まれの若者よりも、移民の子どもたちのほうではないか。結婚、家、車はアメリカンドリームの本質的な要素であり、移民の子どもたちは独自の世代ユニットを構成しているように思われる。移民のミレニアル世代の子どもたちが、親や祖父母の移民世代よりもはるかに速いペースで主流に同化しない限り、二〇三〇年のアメリカの若者の行動は、今日の若者の行動とはまったく違ったものになっているだろう。

ここでちょっと、民族的、言語的構成の変化が共有経済にもたらす影響について考えてみよう。共有経済はこのところ世界中で見られる極めて刺激的で新しい潮流のひとつだ。調査が明らかにしたのは、ヒスパニック系、アフリカ系、アジア系のアメリカ人が、主流派のアメリカ人よりも、配車サービスや宿泊仲介サービスを利用する傾向が強いことだ。購買力の違いを考えれば、その傾向にも納得がいく。
それ以外でいえば、起業家精神にも重要な動向がある。ヒスパニック系アメリカ人は、ほかのどのグループ——白人か非白人かを問わず——よりも、フリーランスになるか事業を起こす可能性が高い。加えて、ヒスパニック系の起業家はヒスパニック系全体よりも、英語中心か、英語を好んで話す傾向が強い。テック系スタートアップの起業率はまだ低いものの、大学や大学院に進む者が増えれば、その傾向にもやがて変化が現れるだろう。

ミレニアル（別名Ｙ世代）の次の世代である、Ｚ世代の数と多様性を見積もるのは難しくないが、彼らのアイデンティティと行動についてはどうだろうか。[44] そのテーマに関する世界的調査と報告書のなかで、ロンドンに本部を置く慈善団体のヴァーキー財団は次のように主張する。Ｚ世代のアイデンティティを定義するのは、あらゆる種類の不平等であり、それは教育機会、ジェンダーや人種の不均衡から、移住、拡大する富の格差にまで及ぶ。年金危機の尻拭いをさせられると感じるのも、この世代だ。親や祖父母が約束の年金を受け取れるよう、彼らは高い税金を支払わされる可能性が高い。冗談じゃない！

彼らはまた、ネットワークにつながったデジタル時代生まれの最初の世代になる。「コンピューティングとネットワーキングの力は、成長過程のＺ世代に無限の好機をもたらしてきた。彼らは国境をまたぐ旅に出かけた経験があり、地球の裏側に友だちがいて、親や祖父母とは違う宗教や文化のなかで育った知り合いがいる」ヴァーキー財団の報告は続く。「同性婚からトランスジェンダーの権利まで、様々な社会問題に対する世間の捉え方や法律は、Ｚ世代が生まれてからこれまでのあいだに、電光石火のスピードで変化してきたように見える。そのいっぽうで、ジェンダーと人種の問題は相変わらず軋轢を生み、論争を巻き起こしているようだ」

だが、これらの全体像は世界中のZ世代に、もれなく当てはまるものだろうか。二〇一六年、ヴァーキー財団は世界二〇カ国の一五～二一歳の二万人を対象に世論調査を行なった（ここで留意しておくべきは、回答者が全員、世界規模のオンライン調査サイトの会員だったことだ。そのため、サンプルは教育水準が比較的高い都会の若者に偏っている）。その結果、そのようなグローバルな価値観は、局地的ないし狭い地域の価値観とは違って、この集団のあいだで主流を占め、経済発展の様々なレベルにある国の回答者が、同じような考えを共有していた。Z世代は、移民や同性婚などの意見の分かれる問題や不平等、気候変動、言論の自由に対する進歩的な考えに寛容な傾向がある。世論調査はこう結論づけている。彼らを突き動かすのは「グローバル・シチズンシップ」という考えかもしれない。それは世界的な趨勢である国家主義や移民排斥主義とは対照的な考えだ。

中国の驚くべき世代

世代間の相互作用が世界一複雑な国は、中国をおいてほかにない。この広大で多様な国を、これほど興味をそそる社会的実験室にしているのは、欧州やアメリカが二、三世紀もかけて達成したことを、わずか三〇年で成し遂げたからだ。一七一二年、イングランド人発明家のトマス・ニューコメンが最初の蒸気機関を設計した（その後、スコットランド人発明家のジェイムズ・ワットが改良を加えて完成させた。馬力という動力の単位を考え出したのもワットであり、彼の名前はのちに、今日の私たちが知る「ワット」という電力や仕事率の単位になった)。産業革命は蒸気機関から始まった。その後、英国が今日のサービス経済に到達するまでには三〇〇年の年月を要し、少なからぬ混乱と激動をくぐり抜けなければならなかった。アメリカの場合はその半分の時間だった。ところが中国の場合、農業経済から技術・サービス中心の経済へと転換するまでに、二世代もかからなかったのである。

中国では経済の急速な発展と人口動態の急激な変化の結果、二〇三〇年になる頃には、一五〜三五歳の人口は二〇二〇年よりも約六〇〇〇万人減少し、六〇歳以上は一億一四〇〇万人近く増加すると見られる。[45]「西洋の先進国が、人口の高齢化にぶらぶらと近づいていると言うならば」天津市にある南開大学の人口統計学者、ユエン・シン(原新)は続ける。「中国は全速力で向かっている」

中国の高齢者は、アメリカの高齢者以上に厳しい未来に直面している。急増しているからというだけではない。多くの若者が農村部をあとにしたからだ。チャン・フーミンとリュー・シウインの七十代の夫婦は、龍王頭と呼ばれる小さな村に住んでいる。ふたりの息子は大学を卒業したあと、北京中心部に移り住んだ。人口統計学者は、フーミンたちのような年老いた親を「留守老人(あるいは空巣老人)」と呼ぶ。二〇一七年、初孫の男の子が生まれたのを機に、フーミンたちは一時的に次男の家に住んで孫の面倒を見ることになったが、ほんの二、三週間で村に帰るつもりだ。二〇一五年に二億一五〇〇万人だった六〇歳以上のうち、当局の見積もりでは、約五〇〇〇万人が子どもと遠く離れて暮らしている。二〇三〇年にはその数字は倍増する。「農村部の若い出稼ぎ労働者が大量に都市部へ移住し……成人した多くの子どもたちが年老いた親と離れて暮らす。そのような変化が、親を扶養するという伝統的なパターンに重大な課題を突きつけた」民族誌学者のジエユー・リュー(劉捷玉)は最近の調査でそう述べている。「これらの課題がますます悪化するのは、都市部の住民には権利がある、国の年金や福祉などの社会保障サービスを、農村部の高齢者が受けられないからだ」

都市部への移住が増えるいっぽう、中国の奥地に住むミレニアル世代の将来性はあまり明るくない。アメリカでミレニアル世代を分ける大きな要因は社会経済的環境だったが、中国で決定的亀裂を生むのは都市部か農村部かという違いだ。都市部に住むほとんどの若者はミドルクラスか正真正銘の富裕層だが、農村部に住むほとんどの若者は貧困層だ。ミレニアル世代をめぐる別の大きな相違は、デジタル活動の点では、購買力を調整したあとでも、中国の都市部のミレニアル世代がアメリカのミレニアル世代を上まわっていることだ。彼らは、はるかにデジタル化が進んでいる。買い物はせっせとオンラインで。一から十まで電子決済。個人情報がどう使われようとあまり気にする様子もない。中国の都市部に住むミレニアル世代の価値観や意識を調査した体系的なデータはあまりないが、こう言ってしまっても差し支えないだろう。彼らは自己表現価値（社会的寛容、人生の満足度、公的な表現、自由への願望）にどっぷり浸っており、近代化、富、発展を〝西洋のもの〟とは捉えない傾向にある、と。彼らはアメリカのミレニアル世代の三倍も貯蓄している。もっとも、中国ではほかの年齢層にも同じ傾向が見られる。中国の人口ピラミッドが歪（いびつ）になることを考えれば、貯蓄は悪い考えではない。二〇三〇年には、中国人の四人にひとりが六〇歳以上なのだ。

「年寄り」と「若者」の未来

世代間コラボの新たな機会を創出する、想像力溢れる方法をひとつ紹介しよう。水平思考を働かせた「老人ホーム学生寮」という興味深いアイデアである。[46] 毎月一定時間、目的意識を持ってボランティア活動を行なうことを条件に、大学生が高齢者向け長期介護施設に無料で部屋を借りられる仕組みだ。この実験が初めて行なわれたオランダでは、高齢者に適切な介護や世話を提供する人的資源を見つけ出す必要性に迫られている。「その時、私が思いついたのが違うグループの人たちでした。この場合でいえば学生のことですが、彼らにはあまり金銭的な余裕がありません」そう述べるのは、この先駆的な「老人ホーム学生寮」の寮長を務めるヘア・シプケスだ。学生は高齢者の日常生活を手伝い、デジタルスキルの向上にも一役買う。この種の施設がより多くの高齢者を惹きつけられるかどうかは、彼らの孤独感を緩和できるかどうかにある。調査は、認知力の急速な衰えや健康状態の悪化、死亡率の上昇と、孤独感との関係を指摘する。

お楽しみのためであろうと、金銭的な利益のためであろうと、世代を分析する際には慎重を期すべきだ。コロンビア大学教育学大学院の元学長で、ウッドロー・ウィルソン財団の理事長を務めたこともあるアーサー・E・レビンは、「世代のイメージはステレオタイプです」と述べる。[47] 彼の考えによれば、人間は常に違いを探そうとするせいで、類似点が目に入らないという。「目立つ違いもあります」レビンは続ける。「ですが、過去と現在の学生のあいだにはそれ以上の類似点があります。でも、類似点を指摘する本を書いたところで、あまり興味は惹きませんね」

過去のどの世代も、驚くほど多様な個人を含んできた。世代、世代ユニット、サブユニットの観点から捉える時は、厳密な分析を提供する。だが、本章の要点はもっと広い。今日のミレニアル世代を理解したからと言って、必ずしも未来の彼らをよりよく理解することにはならない。なぜなら、行動は間違いなく変化するからだ。世代のメンバーは様々なライフステージを体験し、それに応じて意識や行動を調整する。今日の六〇歳以上のグループは、将来の六〇歳以上とは、場合によってはかなり違うだろう。だがその理由のひとつは、今日、私たちが目にしている世代の特徴と関係があるというよりは、高齢期についての概念が変わりつつあることと関係が深い。

《ワイヤード》誌と大手製薬会社のファイザーは共同プロジェクトを行ない、将来において歳をとることの意味を探った。[48]「歳を重ねることの地平線には、不確かな点がまだたくさんありますが」ファイザーで常務取締役メディカル担当を務めるポール・ヴァンデンブルークは述べている。「老齢の意味が長く生きることではなく、よりよく生きることであるために、いまの時点で、私たちの多くにできることがあります」歳をとるのに伴い、薬やテクノロジーに頼って健康を保つこともできるが、心身の衰えを寄せつけないためにカギを握るのは行動だ。共同プロジェクトは、このような興味深い予測をした。「ミレニアル世代は、ベビーブーム世代ともX世代ともまったく異なる。ステレオタイプはさておき、彼らは重要な文化的変曲点を表している。ミレニアル世代は、物心ついた頃からインターネットに触れてきた最初の世代だ。常につながり、すぐに情報にアクセスするという傾向は、この世代を定義する特徴であり、その特徴によって、すでに彼らは高齢期にうまく対処するための準備を始めているのかもしれない」ミレニアルたちは、長寿に必要なのは生涯にわたって健康を保ち、活動的であることだと理解する世代だろう。常につながっている強い傾向のおかげで、彼らは高齢期の社会的孤独も克服できるのかもしれない。全米民生技術協会（ＣＴＡ）財団の事務局長スティーヴン・イーウェルは主張する。「ミレニアル世代は……より長く健康でいるための準備に強い関心を抱いています。私たちは、彼らのアイデアを組み込むだけではありません。彼らのアイデアを採用することで、ミレニアル世代は、私たちがより強いコミュニティを築くためのエコシステムの一部になるのです」

ミレニアル世代はこれまでの世代よりも長生きするため、〝グレーな生活様式〟をどう定義するかがますます重要になる。スタンフォード大学長寿センターのサイトラインズプロジェクトによれば、明るいニュースは「喫煙率が著しく下がり、エクササイズ率は上がる。過去の若者たちと比べて、ミレニアル世代にはつらい時に頼りにできる友だちが多い。これまでの世代よりも学位取得者が多い。しかも、高齢期にうまく機能できるかどうかを、教育ほど正確に占うものはない」という。だが悪いニュースもある。特に老後資金の点では楽観視できない。定年退職を迎える頃には、ミレニアル世代の多くが裕福だろうが――それ以上に多くの、とはいわないまでも――それと同じくらい多くのミレニアル世代は、成人期の大半を通して経済的苦境に見舞われるだろう。ミドルクラスのような、さらに広範な社会カテゴリーの富についても、世界各地で同様の二分化を目撃する。そして、それが次章のテーマである。

第三章：シン家やワン家に負けじと張り合う

古いミドルクラス、新しいミドルクラス、注目をめぐる戦い

ミドルクラスに属することは、所得レベルとともに意識の問題である。
――アメリカの作家、マーガレット・ホールジー[1]

二〇〇九年、インド経済は活況を呈していた。その年、一〇〇〇万人が貧困を脱することになり、ミドルクラス登場の兆しは誰の目にも明らかだった。一八七四年創業のインド最大の自動車メーカー、タタ・モーターズは、業界トップの座を守ろうと躍起になっていた。そしてそのために、グループ創業者のひ孫にあたるラタン・タタ会長は、最新モデルのタタ・ナノを市場に投入した。[2] 二〇〇〇ドル相当という低価格車である。余計な装備はすべて排除した。エアコンはなし。エンジンは六三四cc。「今日の物語の始まりは、数年前に、二輪車にまたがった一家を見かけた時でした。父親がスクーターを運転し、幼い子どもがその前に立ち乗りしています。夫の後ろには、赤ん坊を抱っこした妻が乗っていました」タタは記者に続けた。「私は自分にこう問いかけたんです。彼らのような家族にとっ

て安全で、手頃に買え、どんな天候でも移動できる手段はつくれないものだろうか、と。そんなことは夢にすぎないと言われてきました。実際、私の夢でありました」タタ会長のビジョンに突き動かされて、同社は巨額の投資を行ない、年間二五万台を量産可能な工場を建設した。納車を記念するセレモニーにタタ会長も出席し、最初の三台の購入者にみずからキーを手渡した。《エコノミック・タイムズ》紙も報じたように、最初の一台を受け取ったムンバイに住む五九歳の税関職員アショク・ラグナト・ビシャレは、「近くのヒンドゥー教寺院まで」運転して「この車を祝福してもらう」ことは「とても幸せ」だと答えた。二台目の購入者である二九歳の銀行員アシシュ・バラクリシュナンは、ムンバイに建設されたばかりの約五・五キロメートルの「バンドラ・ワーリ・シーリンク橋で、このクルマをぶっ飛ばす」のが待ちきれないと語った。「初めて買ったクルマなんです」バラクリシュナンが声を弾ませる。「価格が大きな決め手でした」その態度そのままに、インドの新興ミドルクラスが二輪車から四輪車に競って乗り換えることを、タタ・モーターズは願った。実際、八二歳になるムンバイ警察の元副総監も、スクーターをナノに乗り換えた。

だが、その願いはかなわなかった。それどころか、消費者はスズキやヒュンダイ、トヨタ、あるいはそのほかの海外ブランド車を購入した。「世界一安い車」を謳うナノの広告板を見た時、インドの消費者はナノを貧困層と結びつけた。タタが望んだ販売台数にはとても届かなかった。「ナノは世間でいちばん安価な車と呼ばれるようになり、そして残念なことに、私たちも——私ではありませんが——タタ・モーターズ自身も、ナノを市場に投入した時点でそう呼んだのです」ラタン・タタは認めた。「残念なことだと思います」

ナノは空前の大失敗として、ビジネス史にその名を刻むだろう。「僕が嫌なのは、世間がナノを見る目なんです。それがいちばん大事なんです」そう言うのは、二二歳のコンピュータ・オペレーターであるシュシャンク・シャルマだ。「会社にはバイクで行きます。でも友だちと遊びに行くか、結婚相手を探したい時には車にします。でも、もしナノに乗らなくちゃいけないんだったら、家のなかでじっとしていたほうがマシですよ」インドのような新興市場国の新しいミドルクラスは、本質的に消費意欲が強い。その強い願望を前向きに捉えず、後ろ向きに捉えてしまったタタ・モーターズは、人口動態の新しいクラスの意識にそぐわない車を発売して、刺激的なはずの市場機会を摑み損ねてしまった。アメリカのミドルクラスが、お隣のジョーンズ家に負けじと張り合ったように、インドでも新興ミドルクラスのシン家がお隣と張り合っている現状を、タタ・モーターズは理解していなかったのだ。

対照的に、インド市場の参入に大成功した企業の例を考えてみよう。アメリカのバーベキューグリルメーカーであるウェーバー・スティーブン・プロダクツＬＬＣだ。[3] そしてもうひとつ、彼らの前に立ちはだかった難問についても考えてほしい。牛肉も豚肉も食べず（ヒンドゥー教では牛肉を、イスラム教では豚肉を食べない）、男性が伝統的に料理しない国で、どうやってバーベキューグリルを販売するのか。

ウェーバー・スティーブンはもともと一八九三年に、ウェーバー・ブラザーズ・メタルワークスとして創業した。一九五〇年代初め、シカゴにある板金店の共同所有者だったジョージ・スティーブン・シニアは、アウトドアクッキングで長らく使ってきたコンロの改良方法を模索していた。彼が考えたのは、金属のふたつの半球で構成する、もっと実用的なバーベキューグリルだった。そして、下部の半球は炭を入れるボウルとし、上部の半球を蓋として使った。これは大ヒットした。スティーブンはさらに改良を加えるために、ウェーバー・ブラザーズと提携し、いまやその丸みを帯びたケトル型のグリルは、アメリカのあちこちの家庭の中庭や裏庭でおなじみの姿になった。同社は、アウトドアバーベキューの普及に重要な役割を果たし、バーベキューはすでにアメリカ文化の一部である。「炭火の上に肉を置き、弱火でじっくり炙る伝統の料理法は……時間をかけて広まりました」環境ジャーナリストのナターシャ・ジェリングは、スミソニアン協会の公式オンラインに書いている。「バーベキュー自体が一種のポップカルチャーの象徴であり、テレビ番組、史跡をめぐるドライブ旅行、バーベキュータコスのようなフュージョン料理まで生んできました」

失敗に終わったナノの市場投入から一年後の二〇一〇年、ウェーバー・スティーブンはインドのミドルクラス市場に参入することにした。アパレル関係の会社を経営していたシヴァクマール・〝シヴァ〟・カンダスワーミを、新たに市場投入の責任者として雇った。行く手に待ち構える難題を理解したカンダスワーミは、チームを集め、インドとアメリカの文化の違いに着目した。インドの新たなミドルクラスの消費者が、食べ物や調理をどう捉えているのかについて、学ぶべきことはすべて学んだ。だが、彼らはこうも考えた。多くの人が社会経済的なはしごをのぼり、海外の映画やテレビ番組を見るようになれば、彼らの伝統的な意識や習慣も変わるのではないか、と。数年のうちに、「インドの家庭の裏庭でバーベキューを楽しむ文化が根づきました」そう説明するのは、アトランタに本拠を置くトップ・ライト・パートナーズでコンサルタントを務めるデイヴ・サットンだ。「グリルが大流行

──インドはバーベキューに夢中」これは、二〇一一年の《タイムズ・オブ・インディア》紙を飾った見出しだ。「バーベキューはあまりにアメリカすぎてインド人の好みには合わないと思ったかもしれない。インド人はタンドリが大好きだから。だが、そんな心配はご無用だ」記事は続く。「実のところ、都会に住むインド人は、ますますグリルを楽しむようになっている。その傾向が特に強いのが、帰国したＮＲＩ系［離散した在外インド人］の多いバンガロール（現ベンガルール）、プネー、グルガオン（現グルグラム）、ムンバイの一部の地域である」ウェーバー・スティーブンは、インドの消費者にバーベキューの楽しさを味わってもらえるような工夫が必要だとわかっていた。そこで同社のパンフレットにもあるように、「消費者にちょっとした情報や道具、インド人向けのレシピを提供することで、実用的な利益とお楽しみをお届けする」ことにした。まもなくインドのミドルクラスの家庭ではグリルを囲んで、タンドリチキンから料理用バナナのケバブまで、様々なバーベキューを楽しむようになった。それも、ウェーバー・スティーブンが複雑なインド市場を敬遠しなかったからだ。それどころか、好機を積極的に捉えたのである。

***

ギリシャの哲学者アリストテレスは言った。「最も理想的な政治共同体は、中間層（ミドルクラス）が支配し、ほかのどちらの階層（上流階級と下層階級（ロウアークラス））をも数で上まわる政体だ」実際、ミドルクラスは近代の社会と経済の骨格を成す。二〇世紀初頭に、アメリカ進歩主義の賢明な改革者だったルイス・Ｄ・ブランダイスは次のように述べている。「この国で民主主義を実現することはできる。

あるいは少数の手に莫大な富を集中させることもできる。だが、同時にその両方はできない」グローバル経済が生み出した莫大な富が、アメリカと欧州のミドルクラスの手に入るよう、アメリカと西欧は長きにわたって微妙なバランスを取ってきた。

それはもはや過去の話だ。

アメリカと欧州のミドルクラスはいまでも世界で最も裕福にしろ、その経済的な運気は低迷し、地位にも陰りが見え始めている。対する新興市場国全体では、毎年一億を超える人びとがミドルクラスの仲間入りを果たし、すでにミドルクラス入りした者は所得の急速な増大を体験している。彼らは上昇気流に乗るいっぽう、先進国のミドルクラスは不振に喘いでいる。

図5は、世界のミドルクラスの購買力比率を表したものだ。[4] 世界的に一日一〇〜一〇〇ドルの収入がある個人をミドルクラスとする。四人家族に換算した場合、年収およそ一万五〇〇〇〜一五万ドルになる。

いまのところ、世界の大部分のミドルクラスを抱えるのはアメリカと欧州だが、二〇三〇年になる頃には、世界の消費購買力（インフレ調整後）の半分以上を、中国やインド、アジア全域（日本を除く）が占めるだろう。これは一九二〇年代と二〇一〇年代のあいだで起きた著しい変化である。一九二〇年代にはGMやシアーズ（小売業）が、拡大するミドルクラスのニーズに応えるかたちで巨大企業に成長した。二〇一〇年代に君臨しているのは、アルファベット（グーグル）やアマゾンのような企業である。

アジア・シフトを二〇三〇年まで待つ必要もない消費分野もある。中国が圧倒的な存在感を放つオ

図5

世界のミドルクラスの購買力比率（%）

私たちの知る世界の終わり

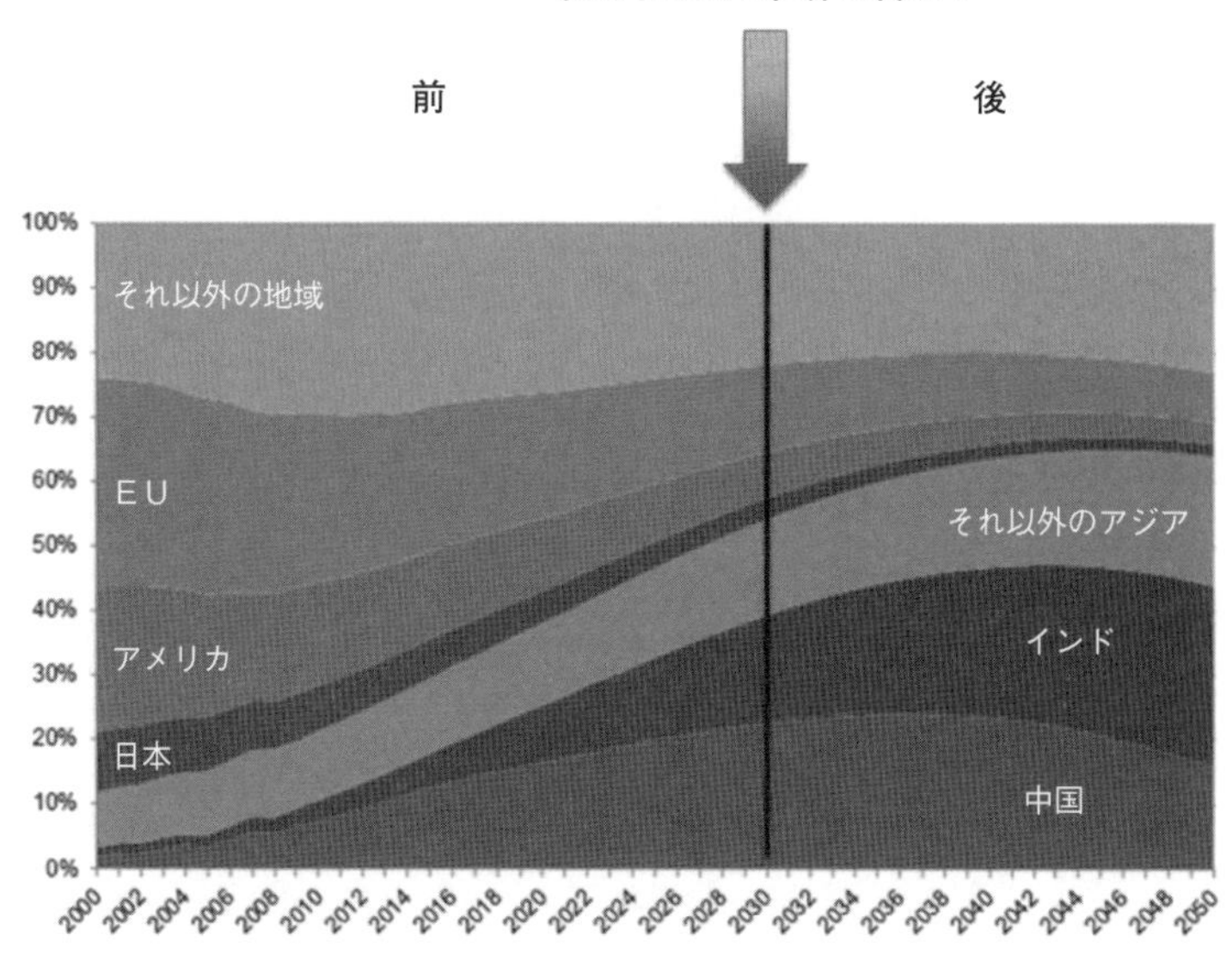

Homi Kharas, The Brookings Institution

ンラインショッピングを考えてみればいい。二〇一七年の「独身の日」（毎年一一月一一日）――ほとんどオンラインでのみ祝われる日だ――には二五〇億ドルの売り上げがあった。[5] アメリカのサイバーマンデー（感謝祭である一一月の第四木曜日の次の月曜日）の七〇億ドルという売り上げが霞んでしまう。あるいはギャンブルもそうだ。マカオはギャンブルで、年間三三〇億ドルもの総売り上げを叩き出す。いっぽうのラスベガスは年間七〇億ドルどまりだ。

ところが複数の動向が示すのは、中国のミドルクラス市場が購買力の点で世界最大を誇るのはあと一〇年か、せいぜい二〇年だということだ。二〇三〇年には、高学歴化の進むインドの若い人口が、その成長可能性ゆえ、最も魅力的な新興市場になっているだろう。

『ボヴァリー夫人』から「シンプソンズ」まで

欧州とアメリカの企業の経営陣や政治家はかつて、ミドルクラスをよく理解していた。積極的な取り組みによって、裕福でも貧困でもない大きなセグメントを生み出した。安価な商品を提供し、インフレを抑え、政治の安定を約束し、ミドルクラスのニーズをつくり出した。ミドルクラスは市場経済の原動力になった。ほとんどの経済活動を動かすのは、消費者向け商品とサービスの流通・販売であり、それなしにはどんな先進国も立ち行かない。それゆえ、「消費者マインド」「消費者物価指数」「消費者信用」といった用語が注目を浴びる。消費者がお金を使わなければ、経済全体がダメになり――選挙にも勝てない。

ミドルクラスに対する今日の私たちの理解は、一九一三年の英国政府の報告書に遡（さかのぼ）る。それはミドルクラスを、上流階級でも伝統的な労働者階級でもない人たちと定義していた。近年の西洋史は、この中間層を拡大するためのものだった。ところが北大西洋の両岸で不平等が拡大し、その大きなセグメントが縮小しつつある。

もうすこし古い別の視点では、ミドルクラスを、いつ転落してもおかしくない一時的な状態と捉えていた。一九世紀イングランドの生活を誰よりも熟知していた、チャールズ・ディケンズは書いている。[6]「我々は（ミドルクラスを）安全な場所だとひっきりなしに自慢しているが、それは上流階級の外套の粗末な裾にすぎないのだ」そしてもうひとり、英国の生活の鋭敏な観察者であるジョージ・オーウェルは、一九三七年のルポルタージュ『ウィガン波止場への道』でこう書き留めている。[7]「我々沈みゆくミドルクラス――私立学校の教師、飢えかかったフリーランスのジャーナリスト……事務員、公務員、訪問販売員、三度も破産した田舎の反物（たんもの）商――は、我々が属する労働者階級へと、これ以上もがくことなく沈むのかもしれない。そして沈み込んだ時には、恐れたほど怖くはないのだろう。何といっても、我々には失うものが何もないからだ」

経済的な視点で見れば、ミドルクラスには心地よい生活を送る余裕がある。「快適さはミドルクラスとともにやってくる」と書いているのは、英国の美術評論家クライブ・ベルだ。[8]経済学者の定義では、ミドルクラスに属することは最低限の食料、住処、教育を賄ったうえで、ある程度の裁量所得を享受することだ。ミドルクラスの消費者は住宅ローンで家を購入し、便利な家電をあれこれ買い、休暇に出かけ、我が子をいい学校へやり、定年退職後の計画を立てる。言い換えれば、ミドルクラスに属するとは安定した経済状態にあって、ぎりぎりの暮らしではないという意味だ。あるいは、かつてはそういう意味だった。

ミドルクラスを所得で定義するのは便利だが、たとえば看護師と配管工、中小企業の経営者と会計士との違いが見えなくなってしまう。彼らはみなミドルクラスかもしれないが、学歴も職歴もまったく違う。大学教育はミドルクラスへのパスポートだ、という考えが一般的だが、ミドルクラスのなかには大学教育を受けていない者も多い。

実際、「ミドルクラス」は単に経済か教育だけで決まるものではない。「ミドルクラスに属することは、所得レベルとともに意識の問題である」ウィットに富んだ作風のアメリカの作家マーガレット・ホールジーは言う。ミドルクラスの地位には、お金だけでなく社会心理学的な要素も重要なのだ。フランスの小説家ギュスターブ・フローベールは『ボヴァリー夫人』(一八五六年)で、ミドルクラスの地位のせいで身動きが取れなくなっていると感じる女性の姿を描き、そのクラスのマインドセット(考え方や思考パターン)を、これ以上ないほど巧みに描き出した。「ミドルクラスはとても滑稽ね」そう評するのは作家のJ・K・ローリングだ。[9]「私がいちばんよく知っている階級で、最も見せかけの多い階級。だからこそ、とても滑稽なの」このクラスにとって重要なのは、何かを手に入れることだけではない。彼らは見せびらかしにも必死だ。それはまた、一九一三年から三八年まで新聞に連載された、アーサー・R・〝ポップ〟・モーマンドの有名な漫画「ジョーンズ家に負けるな」のテーマでもあり、当時はまさに、アメリカのミドルクラスが好景気から一転、大恐慌の深刻な不況に見舞われた時期でもあった。同じ社会的地位どうしでステータスを張り合うことは、社会の組織化の歴史と同じだけ古いが、ミドルクラスが拡大した二〇世紀には、間違いなく新たな次元が加わった。

「スミス家は新しい芝居が気に入った。ジョーンズ家は同じ芝居を観に行き、スミス家の感想まで真似た」一九〇一年、マーク・トウェインはエッセイ「南部人の意見（コーンポーン・オピニオン）」でそう綴っている。

さて、時計の針を「ザ・シンプソンズ」まで一気に進めよう。このテレビアニメシリーズで、シンプソン一家は持ち家に住み、近所には中小企業の経営者や専門職の人たちがわんさか暮らしている。大黒柱のホーマーはいろいろなホワイトカラーの仕事に就き、妻は専業主婦だ。一家は休暇に出かけ、子どもたちの大学資金を貯め、ペットも飼っている。そしてシーズン6のエピソード23になって初めて、ホーマーは自分たち一家がミドルクラスだと認める。実際、その給与明細書から、二〇一六年の彼の年収が三万七〇〇〇ドル相当だったことがわかる。[10] つまり、シンプソン家は紛れもない平均所得層だ。

ミドルクラスの規模の大きさを考えれば、彼らが共有する価値観について、様々な意見があったとしても驚くほどでもない。歴史的に見て、ミドルクラスの価値観と聞いて思い浮かぶのは、礼儀正しい態度、バランス感覚、良識、見苦しくない世間体だ。その点を見事に言い表したのが、アメリカの作家で脚本家のガートルード・スタインの言葉だろう。[11]「愛情深くあれ、見苦しくない世間体を心がけよ、正直であれ、満足せよ、興奮を戒めよ、平静な心を養えと説くミドルクラスの理想は私の心に訴える。それはつまり、愛情に満ちた家庭生活や高潔なビジネス手法の理想なのだということを、私はひたすら強く主張したい」

ミドルクラスと順応性を結びつける傾向もある。調査結果が示すところでは、ミドルクラスの人間は、アッパークラスやロウアークラスの人間よりも地位に対する不安が大きい。コロンビア大学の社会学者デイモン・J・フィリップスとMITの経済社会学者エズラ・ザッカーマンによれば、「順応が高まるのは、自分があるグループに属することに価値を置きながら、その一員であることに不安を抱く時だ」という。[12]いっぽう、地位の高い人間はみずからの社会的身分に自信を持つ傾向があり、順応の必要性を感じない。いっぽう、地位の低い人間は「世間の慣例など知ったことかと考える。どうふるまおうが、社会から除外されているからだ」。そして、その中間に位置するミドルクラスは、順応しなければならないという重圧に曝される。社会的なはしごをのぼっていけるかもしれないという期待とともに、滑り落ちたくないという不安にも苛まれるからだ。

そうはいっても、ここで指摘しておくべきことがある。ミドルクラスの行動が、世間で言うほど高潔ではない傾向だ。ミドルクラスと労働者階級の価値観の重要な違いをひとつあげれば、前者が個人主義で、後者が共同体主義である点だ。ミドルクラスのしつけでは、個人の選択と独立心を重視する。だが、労働者階級の伝統的精神が重視するのは団結と相互依存だ。倫理にもとる行為がより一般的なのはミドルクラスのほうで、労働者階級でより一般的なのは向社会的で利他的な行為である。《米国科学アカデミー紀要》に発表された調査はこんな結論を導いている。「アッパークラスの人間は、労働者階級の人間と比べて運転中に法律違反を犯す確率が高く……反倫理的な決断をする傾向があり……貴重なものを人から取り上げ……交渉ごとで嘘をつき……ズルをしてでも賞を獲ろうとし……職場での反倫理的な行為にも目をつぶる[13]」

いまのところ、アメリカと欧州のミドルクラスは極めて不可解な存在だ。礼儀正しく正直で、世間体が見苦しくないという特徴を持つかと思えば、反倫理的な行為に対するハードルは低い。その理由は、個人主義精神と、見栄を張りたがり、順応しなければならないという重圧にある。そして、さらにそこに加わったのは、グローバル経済と国内経済の低迷を受けて地位を失ったことに対する不満や怒りである。

宇宙で私たちだけではない

内モンゴル自治区で生まれたチョウ・ユエンイェンは、北京六環路沿いの村に移住して、一時間半かけて北京市内に通勤し、ウェイトレスからやがて不動産業者に転職した。[14] 金銭的余裕ができたところで母親を呼び寄せ、いまでは新しい仕事、生活、地位がもたらすゆとりを母親ともども享受している。「不動産販売の手数料収入がかなり増えたおかげで……二度引っ越せました」チョウは《フィナンシャル・タイムズ》紙にそう答えている。中国では、二〇三〇年までに彼女のようなミドルクラスが新たに四億人増えることになる。

北京から遠く離れたアフリカの国や都市でも、ミドルクラスがゆっくりと登場し始めている。「いやあ、もうまったく、ものすごく興奮してますよ」そう言うのは、ガスタービンのオペレーターであるジョン・マンディだ。[15] この日、マンディはナイジェリアの石油産出地域にある新興都市のワリを訪れていた。そのショッピングモールに入るスーパーマーケットの前で、友だちに写真を撮ってもらっていた。《ニューヨーク・タイムズ》紙の記事にあるように、マンディは約三二〇キロメートル離れた村から、この新しいショッピングモールを見にやって来たのだ。「ミドルクラスの人はここのモールに来て、自分もその一員なんだという気持ちを味わうんです」ナイジェリアで五番目に大きい金融グループ、アクセス銀行の支店長たちは、二〇三〇年の展望を語る私のプレゼンテーションを聞いて、ナイジェリアのおよそ二億人の人口のうち、すでに一〇パーセント以上がミドルクラスだと見積もっている――しかも、その数がなんと毎年一五〇〇万人ずつ増えるのだ。

中国やインドの基準からすれば依然小さいが、アフリカのミドルクラスの消費者市場は拡大の一途をたどる。会計事務所のデロイト・トウシュ・トーマツは、そのおもな理由を人口増加、購買力、都市、技術活用にあると報告する。[16] 複数の調査において、アフリカで最大規模の四つの経済国――ナイジェリア、南アフリカ共和国、エジプト、ケニア――の四分の一から半数の消費者が、五年前と比べて物質的な生活が改善したと感じている。彼らは裁量所得があり、有名な消費者ブランドを買いたがり、最新のファッションやトレンドに乗り遅れないよう、ほんのちょっとだけ余分にお金を使う。価格より質を重視し、お気に入りは海外ブランドだ。アフリカ市場ではいまのところ、アメリカと欧州のブランドが人気だが、国内の企業や起業家がその地位を争うようになるのも、もうまもなくだろう。

アフリカのイメージを世界に発信する統合的な活動に取り組む非営利組織、ブランド・アフリカによれば、アフリカ大陸で評判のいい上位一〇〇ブランドは二八カ国から成るが、そのうちの八カ国をアフリカが占めるという。[17] 上位一〇〇ブランドのうち、アメリカのブランドが二四で、アフリカのブランドも一七にのぼる。アフリカ大陸の消費者市場が発達すると、アフリカのブランドはさらに躍進するだろう。

中国やナイジェリアなどの新興市場国の新しいミドルクラスの本質を摑みたければ、アメリカや欧州、日本の古いミドルクラスとの違いを理解することがカギになる。第一に〝古い〟ミドルクラスは、何世代にもわたってミドルクラスだった。だが新興市場国のミドルクラスは、全員がいわゆる〝新興成金〟だ。第二に、ひとり当たりの平均所得で見た場合、アメリカや欧州、日本のミドルクラスは、中国やインドといった新興市場国のミドルクラスの平均所得よりも約三倍高いが、停滞している。そのような世代と平均所得のふたつの違いによって、新興市場国のミドルクラスの消費者は、先進国のミドルクラスの消費者よりもはるかに、消費や新しいライフスタイルに対する願望が強い。

iPhoneがiPhoneらしく見える理由

iPhoneは、二一世紀初めの最もアイコニックなミドルクラス向け消費財だ。ただの電話ではない。カレンダーでありブラウザであり、カメラ、電卓、懐中電灯、音楽や動画の再生装置、電子書籍リーダーであり、ほかにもたくさんの用途が詰め込まれている。この極めて多才で使いやすいデバイスは、アポロ計画（一九六〇～七〇年代初めのNASAによる有人月探査計画）のミッションで使われたコンピュータや、映画「2001年宇宙の旅」に登場する、乗員と会話を交わすスーパーコンピュータHALの演算能力をもしのぐ。

私のiPhoneのタッチスクリーンは、本当にすばらしい。だが、外箱をよく見るとこんな表記がある（図6）。

「FCC」マークは、アメリカ政府の独立機関である連邦通信委員会の技術基準と安全基準を満たす製品である旨を、「CE」マークは、EU域内で販売される製品として同様の基準を満たす製品である旨を示す。だがなぜ、アメリカと欧州のみの言及であって、ほかの国や経済同盟の記述はないのだ

図6

ろうか。

その理由は、いまのところ、アメリカと欧州のふたつが最大の市場だからだ。一九八〇年代、欧州が今日のような（世界第二位の）単一市場になる前であれば、電子製品にはFCCマークだけが付いていただろう。言い換えれば、最大の市場がゲームのルールを書く。ただ単にアメリカ市場が大きく、影響力が強いからだ。パイの分け前を奪い合う企業は、何であれ、大きな市場の政府が策定した製品規制に従うよりほかに選択肢はない。

だが二〇三〇年になる頃には、中国とインドが最大の消費者市場になる。私は自分の年金基金をすべて賭けてもいいが、その頃にはスマートフォンにはFCCやCEマークと並んで、中国と、もしかするとインドの規制当局の認証マークも付されているかもしれない。

世界中で拡大するミドルクラス市場は、別の方法でも技術競争に変化をもたらしている。特許について見てみよう。

合衆国憲法は第一条第八節において、「著作者及び発明者に対して、それぞれの著作と発見にまつわる独占的な権利を一定期間保障することにより、科学及び技芸の進歩を促進する」権限を連邦議会に与えている。その独占権は特許のかたちで保障され、特許は新たな製薬、機械装置、複合材料などに適用できる。アメリカにおいて、特許は二〇年にわたって独占的な使用権を与える。この数十年というもの、発明の保護について言えば、米国特許商標庁が世界で最も重要な機関であり、今後しばらくはその状態が続くだろう。だが、二〇一六年にアメリカで提出された特許出願件数が一九九五年の三倍に増えていたのに対して、インドでは七倍、中国では何と七二倍に増えていたのだ。[18] 中国とインドが存在感を増すにつれ、彼らは新製品や新発明の特許文化でも存在感を増しているのである。

ミドルクラスの衝突？

フッカー・ファニチャー・コーポレーションは、ベッドフレームやドレッサーからソファー、アームチェアまで様々な家具を製造している。[19] 一九二五年、四歳のクライド・フッカー・Jr.は汽笛のひもを引っ張り、坊やにとって初仕事となる日を祝った。フッカーはその前年に、バージニア州マーティンズビルで創業されていた。のちにアメリカの家具製造業の中心地になるノースカロライナ州から、北へ一六キロメートルほど離れた町である。地元の家具産業は、何十年にもわたって成長を続けた。だが一九九〇年代になると、メキシコやあちこちの国から安い輸入家具が入ってきて、地元の家具メーカーを駆逐し始めた。「顧客はますます、国産家具を買おうとしなくなりました」フッカーの会長でCEOのポール・トムズは言う。フッカーは五カ所の工場閉鎖に追い込まれ、従業員の九割を解雇して二〇〇人にまで減らした。ノースカロライナ州の家具産業は、六〇パーセントの雇用を失った。「彼らは仕事熱心ですばらしい人たちです。私たちの要求に何でも応えてくれました。職を失ったのは彼らの責任ではありません。でも、そうするよりほかに仕方なかったんです。原価割れで家具を販売しました」そのいっぽう、中国の家具産業は活況を呈している。輸出が大きな理由ではない。おもに、中国国内で急増するミドルクラス需要のおかげだ。

先進諸国と新興市場国でミドルクラスの富が分岐する現象は、二〇三〇年以降の政治と経済を決定づける現実だ。アメリカのジョーンズ家は実際、いろいろな点で、インドのシン家や中国のワン家とはとても張り合えないだろう。「ミドルクラスが増加しているか縮小しているか、楽観的か不安か、豊かになっていくか貧しくなっていくか、政治活動に熱心か熱心でないかを決めるのは、どこの国の誰の話かによる」コラムニストで編集者のクライヴ・クルックはそう論じる。世界中のミドルクラスは、互いに雇用と繁栄を競い合うのか。もしそうであれば、そして不公正な競争が起きれば、その時に有権者の心を摑むのは、常軌を逸した――たとえば保護貿易主義のような――方法だろう。

二〇一五年、シンクタンクのピューリサーチセンターは、アメリカで貧困世帯と富裕世帯の合計数が、ミドルクラスの世帯数を初めて二世代続けて上まわったと報告した。[20] 一九七一年、ミドルクラスは八〇〇〇万世帯（アッパークラスとロウアークラスは合わせて五二〇〇万世帯）だった。ところが、二〇一五年にはミドルクラスが一億二〇八〇万世帯だったのに対して、その上下階級の合計が一億二一三〇万世帯にのぼったのだ。アリストテレスも墓のなかで嘆いているに違いない。アメリカのミドルクラスの低迷ぶりを映し出すように、シンプソン家の大黒柱ホーマーも、番組が始まって以来、この三〇年間に二〇〇近い職に就いてきたものの、キャリアアップした様子はまったくない。六〇〇話を数えるが、経済的地位が改善した様子も見られない。

アメリカと欧州のミドルクラスの生活水準が低下したとは言えないまでも、停滞している原因を、政治家や世の学識経験者たちは無頓着にも次の三つに求めてきた。「移民」「新興市場国との不公正な競争」「グローバリゼーションの負の側面に無関心なエリート層」である。そして英国はEUを離脱し、アメリカではトランプ大統領が誕生した。第二次世界大戦後に誕生したグローバル経済と地政学的な秩序は、政治勢力の両サイドから激しい攻撃を受けている。

衝突は企業間でも起きている。新興市場国の企業が日に日に成長するのに対して、欧州とアメリカの企業は経営の合理化に励んでいる。もちろんハイテク系企業は例外だ。だがそのハイテク部門にしても、中国やインド企業の追い上げが著しい。ニーズを満たす人口の増加だけが理由ではない。より多くの人がネットワークに接続し、デジタルサービスを活用しているからだ。実際、中国やインドのブロードバンド、ソーシャルメディア、モバイル決済のユーザーはアメリカよりも多い。その差はさらに拡大するだろう。

世界のミドルクラス消費の重心がアジアにシフトする現状に、欧州とアメリカの企業はどう対処するのだろうか。彼らは新興市場国の競合と肩を並べて、市場シェアを争っていけるのだろうか。アリババはアマゾンより大きく、ディディ（滴滴出行）はウーバーの中国事業を買収した。インドが誇るのは、IT部門で雇用している専門家や技術者の数が、アメリカより多いことだ。業績好調な企業はミドルクラスにとって重要だ。なぜなら高給の雇用を創出し、専門職を提供し、昇進や出世の道を用意してくれるからだ。ポスト・グローバル経済は誰にとっても熾烈な競争環境だが、古いミドルクラスにとってはとりわけ苛烈を極める。まさに、GMやシアーズのような企業が下り坂にあるからだ。

さて今度は、スポティファイやエアビーアンドビーのような新しいタイプの企業について考えてみよう。[21] テクノロジー経済の推進派として幅広い評価を集めるこの二社は、「ユニコーン企業」だ——第一章でも述べた通り、企業価値が一〇億ドルを超える未上場のスタートアップである。彼らは長年、エンジェル投資家やベンチャーキャピタリストのお気に入りだった。だがそのいっぽうで、顧客と収入の大部分は欧米に限られてしまっている。エアビーアンドビーは事業拡大に悪戦苦闘してきた。スポティファイは、中国とインドの顧客数を公表していない。意外なことに、中国もインドも「その他の国・地域」のカテゴリーにひっくるめられてしまっている。スポティファイのような企業が、世界最大にならんとするふたつの市場で独立のカテゴリーを構成できないとは、何かがおかしい。

世界一九〇カ国以上で事業を展開するネットフリックスは、アメリカ国内より海外の会員数のほうが多く、ストリーミング配信による収入も国外のほうが大きい。[22] また通信量では、世界の全インターネット・トラフィックの二〇パーセントを占めている。そのネットフリックスでさえ、中国市場参入を延期してきた。同社は標準中国語のコンテンツを制作しているが、そのターゲットはあくまでも華僑だ。中国より参入ハードルの低いインドでも、会員数の拡大を図るために月額料金を引き下げざるを得なかった。「ネットフリックスはこれまでも、ウォルト・ディズニーやアマゾンのような世界的企業と戦ってきた」二〇一九年、インドの《エコノミック・タイムズ》紙は報じた。「そしていま、放送局やボリウッドの最強チームとも戦っている。そのチームは莫大な資本を持つ携帯電話キャリアと同盟を組み、無料か月額わずか四〇セントのサービスでユーザーを誘い込み……このような熾烈な競争は、インドで一億人の会員獲得を目指す、ネットフリックスのリード・ヘイスティングスCEOの目標を頓挫させるかもしれない」この記事が書かれた頃、映像ストリーミング市場としてアメリカの二倍の規模を持つインドで、ネットフリックスの会員数はたったの四〇〇万人だった。アメリカ企業は、中国やインドで失態を犯しているのだろうか。

大まかにいえば、ある企業が古いミドルクラス相手に成功しているからといって、新しいミドルクラス相手に同じように成功できる保証はない。新興市場国の顧客の好みや習慣について、アメリカ企業が致命的な過ちを犯している悲惨な話ならたくさんある。[23] 当然だと思うかもしれないが、アメリカ人の好きなものを、新しいミドルクラスも好きだとは限らない。たとえばイーベイは中国で、オンラインモールの淘宝（タオバオ）に一貫して及ばなかった。それは、中国の消費者が出品者との直接取引を好むことや、評価システムにはほとんど関心がないことを理解しなかったからだ。ウォルマートはブラジルの店舗で――雪を頂く山もなく、ゲレンデなどあろうはずもないブラジルで！――スキー用品を扱い、少量サイズを好む韓国で卸売サイズの大容量パックを売っている。また、ウォルマートは消費者の考え方の違いも無視した。アメリカ人は大規模店を格安商品の揃う店だと考えるが、インドや中国の消費者は高級店だと思ってしまうのだ。

中国のような新興市場国でミドルクラス消費が拡大すると、それがもたらすかもしれない破壊的な影響はほかにもある。[24] 中国の若い消費者は、親や祖父母の世代ほど貯蓄に熱心ではない。「親の世代について言えば、彼らはまともな仕事に、安定した仕事に就けばそれで充分でした。そして何をするかといえば、貯蓄し、家を買って、子どもを育てます」上海でマーケティングの仕事に就いている、ミレニアル世代のリュー・ビーティンは続ける。「わたしたちはお金を使うものと考えます」中国では、複数のオンライン融資プラットフォームで短期の借り入れを行ない、そのお金を別の借り入れの返済に当てるミレニアル世代が増えている。同じく上海のマーケティング会社で働くユー・ルンティンの場合、月収の一三〇〇ドルは家賃と生活必需品で消えてしまう。だがオンラインサイトの「ジン・デイリー」が報じたように、彼女は「セリーヌの『クラシックボックス』ミディアムショルダーバッグ（小売価格は四四〇〇ドル）、ガブリエル・ドゥ・シャネルの『ホーボーバッグ』（四五〇〇ドル）、ブルガリの『セルペンティ・フォーエバー』ショルダーバッグ（二一〇〇ドル）、TASAKIの『バランスエクリプス』ゴールドイヤリング（一八〇〇ドル）」の購入にあたって、「四枚のクレジットカードを限度額いっぱいまで使い、さらにアリペイのオンライン融資サービス『ファーベイ』のクレジットも利用した」。彼女はさらに続ける。「私が働いている会社では受付から管理職まで、高級ハンドバッグを誰でも少なくともふたつは持っています。私と同じ地位にある同僚のほとんどは、借り入れがあります」ジェイ・ウォルター・トンプソン・インテリジェンスのアジア太平洋地域で、イノベーショングループを率いるメイ・ユー・チェンは次のように述べている。「ミレニアル世代とZ世代の高級消費者の多くは、ひとりっ子です……親の世代の現実的な、あるいは文化的な制約は受けていません。親の世代はひたすら貯蓄、貯蓄と教わりました」

中国の若い消費者の行動は、明らかにアメリカ人の消費行動に似てきた。そしてその動向が、中国人が貯蓄しアメリカ人が消費するという、かつての心地いい関係を損なってしまう。二〇二〇年の時点で、中国の家計債務の対GDP比は五〇パーセントあたりをうろうろし、アメリカでは七六パーセントだ。二〇三〇年になる頃には、どちらの国も同水準になっているかもしれない。中国の若い消費者がもはや貯蓄しないのならば、アメリカ人は財布の紐を締めてかからなければならないだろう。

地球はあちこちの国のミドルクラスを養えるか

オレゴン州ポートランドに住むサティシュとアーリーンのパルシカール夫妻は、リサイクルに熱心だ。二〇一七年、ふたりはハイブリッド車のプリウスを運転して、廃棄物分別施設にリサイクル可能なゴミを持ち込んだ。すると作業員のひとりに、中国はもうアメリカのプラスチックごみをリサイクルしなくなったんです、と告げられた。その少し前に、中国政府は世界貿易機関（WTO）に、今後は「中国の環境利益と国民の健康を守るために」、特定の固体廃棄物の輸入を禁止すると通告していたのだ。[25] トランプ政権と中国とのあいだで激化する貿易摩擦の重要な戦いのひとつが、リサイクル問題である。以前は中国がアメリカに製品を輸出し、アメリカが廃品とリサイクル可能な資源を中国に輸出していた。どちらの国にとっても損のない取り決めだった。アメリカのミドルクラスの消費者は世界最大の廃品生産者であり、アメリカはリサイクル可能な廃品の三分の一を輸出し、その二分の一近くを中国が輸入していた。かつて中国は、廃プラスチックだけで毎年およそ四七〇〇万トンも買い入れ、リサイクルにまわしていたのだ。

ところが中国、インドをはじめとする多くの新興国は、自国内にも面倒を見るべきミドルクラスを抱え、国内で生じるごみも処理しなければならない。もはや中国の引き受け能力が期待できないのであれば、世界の廃棄物はどこへ行くのだろうか。「プラスチックの製造と利用は増え続け、企業と国は循環型経済に取り組み、リサイクル率は上昇しており、〝行き場〟を必要とするプラスチックごみの量は当面、増え続けるだろう」ジョージア大学の調査はこんな結論を導く。「それで、プラスチックごみはどこへ行くのか。大胆で斬新なアイデアと管理戦略がない限り、現在のリサイクル率はもはや維持できず、将来的にリサイクルを増やす野心的な目標もタイムラインも達成できない」実際、欧州とアメリカで再発したプラスチックごみをめぐる新たな戦いは、環境意識の高まりというよりは、中国によるごみの引き取り拒否と関係が大きい。

世界中でミドルクラスが増加しているということは、貧困ラインを下まわる人口が地球全体で減り続けているという意味である。歓迎すべき動向にしろ、未来に向けて驚くような問いも持ち上がる。二〇〇一年、《ニューヨーク・タイムズ》紙は次のように指摘した。「この惑星はさらに多くのアメリカ人を養えるのか」すなわち、新興市場国の二〇億人が、平均的なアメリカ人のように消費する世界を想像できるだろうか。世界のミドルクラスの総消費量は、二〇三〇年までの一〇年間で約五五パーセントも増加する。たとえば所得の増加に伴い、タンパク質の摂取量が増え、まもなく豚肉や鶏肉よりも牛肉を好むようになる。それについていえば、一ポンド（約四五〇グラム）の牛肉を生産するためには、平均六八一四リットルもの真水が必要だ。次に、車か洗濯機を一台製造するために必要な原材料と、それらを動かすために必要なガソリンや電力について考えてみよう。独創的な方法を考え出さなければ、水や鉱物、エネルギーなどの乏しい天然資源をめぐる紛争が起きてしまう。私たちに必要なのは、労働者、技術者、起業家が、より優れたシステムを設計して提供し、限りある資源を管理することだ。私たちも無駄遣いの習慣を変える必要があるだろう。それについては第七章で取り上げよう。

ミドルクラス入りを目指してもがくミレニアルたち

「最近、保険調査員として保険・再保険会社の臨時社員として働いています」アメリカのソーシャルニュースサイト、レディットのある投稿だ。[26]「臨時社員は最初の半年だけのはずなんですが……正社員になるための書類はすでに提出した、と担当者は言います。でも、もう一〇カ月も経つのにいまだに返事がありません。ちゃんと給料で働く身分になりたいんです。いまみたいな時給扱いじゃなくて……私はマーケティングの勉強をしたあと、どうにか金融リスク管理分野の仕事に就きました。私のやり方はどこが間違っているんでしょうか」別の投稿はこうだ。商学部で四年間勉強して学位を取ったが、「高校を卒業してすぐに働くこともできたし、毎年の昇給を考えればいま頃、同じだけ稼げていたはずだ。わざわざ四万ドル以上の学費をかける必要もなかったと感じている」。さらに別の投稿にはこうある。「大学を出たからといって、親に教わったようにはいかない。雇用されたとしても、経験者じゃないと給料を下げられることも覚悟したほうがいい。まあ、こっちに魅力がなければ、どうせ雇用されもしないけど」

これらの投稿が描き出すのは、ある共通のパターンだ。つまり、アメリカと欧州でミドルクラスが縮小している。国際競争か自動化のせいで、給料のいい仕事が奪われているからだけではない。そもそも、若者が安定した仕事に就けないからである。みなに行き渡るだけの仕事が不足しているのだ。

「若い世代がミドルクラス入りするのが難しくなっている」ＯＥＣＤは欧州数カ国とメキシコ、アメリカのデータを分析した二〇一八年の調査で報告する。「なぜなら、新しい世代は上の世代のようには、労働市場の変化や低所得のリスクから保護されていないからだ。ベビーブーム世代以降、中間所得層は、世代を追うごとに縮小してきた」たとえば、いまのベビーブーム世代が三十代の時には、七〇パーセントがミドルクラスだったが、現在三十代のミレニアル世代のうち、ミドルクラスは六〇パーセントしかいない。

しかも、本当に憂慮すべきことは、子どもを持つとミドルクラス入りがいっそう難しくなり、それがさらに出生率を押し下げてしまうという、永続的な負のスパイラルを生んでしまうことだ。「企業や政府による保障が減少したために、ミドルクラスの親は我が子に使うお金を増やさざるを得なくなっている」ジャーナリストのパトリック・Ａ・コールマンは、ファーザリー（若い父親をターゲットとするオンラインメディア）でそう論じる。[27] ここでも先の投稿から、将来に重要な影響を及ぼす動向のひとつが浮かび上がる。「（欧州とアメリカの）中間所得階級のうち、子どもを持つ夫婦の比率は七二パーセントから六八パーセントへと、同じく子どもを持つひとり親の比率も五五パーセントから四四パーセントへと低下した」二〇三〇年には、欧州とアメリカでミドルクラスが縮小するだけでなく、社会の二極化が進展する。貧困層か富裕層の家庭に生まれる子どもの割合が増え、伝統だった心地よいミドルクラスの生活を享受する子どもの数は減る。

興味深い動向はほかにもある。アメリカと欧州においてミドルクラスの大半を、史上初めて六十代が占めることだ。なぜなら、彼らの多くが給料のいい仕事に就き、すでに子育てを終え、少なからぬお金を貯蓄できたからだ。「中間所得階級の構成は、重大な過渡期にある」ＯＥＣＤの報告書は結論づけている。[28]「人口全体の高齢化……が過去三〇年よりも速いスピードで進んだ……ベビーブーム世代以降、その後に続く各世代が中間所得層入りする可能性は減少した」

都市の回復は可能か

ニューヨーク州バッファロー。[29]かつてこの街はアメリカで最も裕福な大都市圏のひとつだった。規模の大小を問わず、業績好調な企業がたくさん進出し、ミドルクラスの活気で溢れていた。街を彩るのは、ルイス・サリヴァンやフランク・ロイド・ライトのような建築界の巨匠の傑作だ。ニューヨーク市のセントラルパークを設計した、ランドスケープ・アーキテクト（景観設計者）のフレデリック・ロー・オムステッドによれば、バッファローは「世界一とは言わないまでも、アメリカで最高の計画都市」だという。オムステッドはバッファローを「民主的で平等主義の都市」と評した。一八〇四年の都市計画の目玉は、ワシントンＤＣのように、放射状の街路に縦横格子状の通りを重ね合わせた設計だった。街が五大湖のひとつに近いことから、建築評論家のエイダ・ルイーズ・ハックステーブルは、バッファローを「アメリカで最もすばらしい都市の景色（アーバン・ビスタ）」と呼んだ。一八六二年には、アメリカ初の現代アート美術館であるオルブライト＝ノックス美術館がオープンしている。アメリカで初めて電気の街路灯が登場した都市でもある。ところが、一九五〇年代以降は製造業が地盤沈下し、ミドルクラスの住民が深刻な被害を受け、街の歴史の大半が輝きを失った。穀物サイロ、工場、交通施設、荒廃したオフィスビルが、何十年にもわたって放置されてきた。

第一章で紹介したように、移民は様々な利益をもたらす。さらに、移民は都市再生の資源にもなりうる。最初、この街を築いたのは欧州からの入植者だった。そしてこのところ、新たな移民の波のおかげで、街の一部が復活を遂げてきた。近年、多いのはエチオピア、ソマリア、ラオス、ミャンマー、セルビアからの移民である。五大湖周辺の都市の復活について精力的に執筆している、都市開発専門家のデイヴィッド・ステッビンズは述べている。「新たな住民は労働倫理と起業家精神を持ち込み、躊躇する隣人をこの地へ呼び戻し、新たな商売を始めて、空っぽだった店先を商品で埋めている」そのような光景は全米のあちこちで見られる。「移民の多様性は、労働力に幅広い利益をもたらしているようだ」超党派のシンクタンクであるニュー・アメリカン・エコノミーは、二〇一七年、全米三三五〇万人のアメリカ人労働者をサンプルにした調査を分析して、そう指摘する。「多様なアイデアと新たなスキルを備えた移民が入ってくる時、雇用主は、それまで空席だった地位に彼らを就け、優れた解決策を思いつき、新たな事業分野に乗り出す」その結果、大都市圏に移民が流入したあとは、高所得者か低所得者かに限らず、労働者の賃金は平均六パーセントも上昇する。

バッファローは、同じニューヨーク州にあるロチェスターやシラキュースなどの都市よりも活況を呈してきた。ところがそのような動向に批判的な者は、バッファロー規模の都市であれば、州が一〇億ドルもの助成金や補助金を注入すれば回復して当然だと酷評する。「クオモの『バッファロー・ビリオン（一〇億ドル）』——ニューヨーク州は果たして元が取れるのか」という《ニューヨーク・タイムズ》紙の見出しは、二〇一二年に州知事のアンドルー・クオモが次のように発表したことを受けたものだ。[30]「我々はバッファローを信じています。その気持ちを口先だけでなく行動で示しましょう。ビッグ

「B」――バッファローの「B」、ビリオンの「B」です」二〇一八年の時点で注入された公的資金は約一五億ドル。そのほとんどが使われたプロジェクトが、正社員の雇用を最低限しか創出しなかったために批判を浴びた。たとえば、テスラの太陽電池パネル工場に七億五〇〇〇万ドルがつぎ込まれたが、工場は高度に自動化されていた。補助金も有効に使われれば、衰退する都市への資金投入も役に立つだろうが、なかなかそうはうまくいかない。だが長い目で見て、より成功の可能性が高いのは、人材と勤勉な人びとを惹きつけて都市の再生に賭けるほうだ。

二〇三〇年の経済が誰にとっても熾烈な競争を意味することは間違いないが、バッファローのような都市の住民にとってはなおさらだ。とはいえ、かすかな希望の光もある。ブルッキングス研究所のアラン・ベルベとセシル・マレーは大掛かりな調査を実施し、かつて製造業が栄えた一八五の郡の歩みを追った。[31] 二〇一六年の時点でそれらの郡の人口は全米の一二パーセントを占め、そのほとんどがアメリカ中西部か北東部に集中していた。半数以上の郡が二〇〇八年の世界金融危機から回復していたものの、全体の七〇パーセントが、一九七〇～二〇一六年のあいだに新たな技術とサービス部門で生じた好機を活かせなかった。活気があるのはニューヨーク州のブルックリン、クイーンズ、バッファロー。ペンシルベニア州フィラデルフィア、ミズーリ州セントルイス、マサチューセッツ州ボストン近郊の郡。平均を下まわるのはニューヨーク州ではオールバニ。オハイオ州デイトン、ミシガン州のデトロイトとフリント。成否を分けるのは、ほんのいくつかの要因だ。大きな研究大学があるか。生活の質を改善する計画を地方自治体が支援し、多様な人材を呼び込めるか。移民の受け入れに寛容か。このようにアメリカのミドルクラスの富は、都市によっても地理によっても大きな開きがある。

大都市圏は成長し、それ以外は停滞したままだ。ミドルクラスの繁栄を大部分の人口に取り戻す方法はないのだろうか。

フォード、アマゾン、ベーシックインカムという考え

「一九一四年一月四日、急成長を遂げるデトロイトの自動車産業において、機械工から起業家に転身したヘンリー・フォードは大成功を収めていた」ウォートン・スクールの私の同僚であるダニエル・ラフは書いている。[32]「フォードの車は人気を博した。T型フォードは彼の名前のもとに販売されたが、ヘンリー・フォード自身は世界的に無名だった」翌一月五日は、いかにもデトロイトらしい寒い一日だった。ヘンリー・フォードと副社長のジェイムズ・クーゼンズはこの日、前代未聞の発表を控えていた。フォード・モーターは、労働者の一日の賃金としてこれまでの二倍の五ドルを支払う、というのである。今日の物価に換算すると、一日九時間労働で一二六ドル、時給一四ドルに相当する。七ドル二五セントという、二〇一九年の連邦最低賃金のほぼ二倍である。「『ゴールドラッシュ』が始まる。フォードが日給五ドルを提示」デトロイトの《タイムズ・スター》紙の見出しは伝えている。「デトロイトの工場で数千人が雇用を求める。月に二回、一〇〇〇万ドルのボーナス配付。全従業員に日給五ドルを保証」

「このニュースに対する世間の反応のひとつは」ラフは詳述する。「《ニューヨーク・グローブ・アンド・コマーシャル・アドバタイザー》紙が掲載した風刺漫画によく表れている……シルクハットを被り、毛皮の襟つきコートを着て葉巻を咥えた恰幅のいい男性が、賃金受け取り窓口におおぜい列を

なしている。同じような格好の紳士が、運転手付きの車の後部座席に座り……運転手に向かって『ホーキンス』と声をかけている。『窓口まで行って、私の賃金をもらってきてくれないか。先週、受け取るのをうっかり忘れていたよ』」日給五ドルは、ヘンリー・フォードを一気に世界的な有名人にした。「アメリカの計画――自動車業界の繁栄は上から浸透する」一九三六年に発表した小説『USA〈第3部〉ビッグ・マネー』（改造社など）で、著者のジョン・ドス・パソスはそう綴っている。[33]「だが、善良で清潔な身なりを保ち、酒を飲まずタバコも吸わず、新聞を読み、自分の頭で考えるアメリカの労働者に一日五ドルを支払うという話は……ヘンリー・フォードを自動車製造業者に、エジソンの崇拝者に、愛鳥家に、この時代の偉大なるアメリカ人に仕立てあげた」

フォードの技術者は、組み立てプロセスを合理化して標準化し、T型フォード一台にかかる組み立て時間を、一二時間からたったの九三分に短縮していた。そのような効率化を図ったことで、一日の労働時間がかなり短縮され、労働者が仕事に飽きてしまった。その結果、離職率が三七〇パーセントに跳ね上がった。つまり、組み立てラインのひとつのポジションを埋めるために、一年に四人近くの従業員を雇い入れていたことになる。「フォードは考えた。賃金が上がれば工場の退屈な作業にも、もっと我慢できるかもしれない」ヘンリー・フォードがアメリカのイノベーションに果たした貢献を宣伝するために書かれた、『ザ・ヘンリー・フォード』はそう記している。[34]ラフは彼自身の調査において、「同社が欠員の補充に苦労していたという証拠はまったくない」と指摘する。さらに言えば、フォードの提案はただの賃上げではなかった。どちらかと言えば利益分配制度であり、一定の条件を満たし、業績のマイルストーンが達成された時に、労働者はボーナスを受け取れた。『ザ・ヘンリー

・フォード』によれば、同社はかの悪名高き〝社会部〟を設置して、「職場を超えて従業員の普段の生活を監視した」。日給五ドルの資格を得るために、「従業員は酒を控え、家族に暴力を振るわず、下宿人を置かず、家のなかを清潔に保ち、定期的に貯蓄に励まなければならなかった」。労働者を管理するそのような家父長的なアプローチは実のところ、当時、さほど珍しくなかった。「フォード・モーターの検査官が労働者の家を訪れ、立ち入った質問をし、生活状況全般を調査した」アメリカのミドルクラスが初期に遂げた文化的、経済的な進歩の一端は、ヘンリー・フォードのビジョンに多くを負う。フォードの貢献によって、フォード自身がつくり出すような大量生産品を熱心に購入したがる、大規模な消費者階級が形成されたのだった。

　時は流れて二〇一八年一〇月二日。この日、アマゾンはアメリカ国内の同社の全従業員――正社員、パートタイマー、季節労働者、臨時雇い――に、最低時給一五ドルを支払うと発表した[35]。連邦最低賃金の二倍以上である。年間二五万人（一一月末の感謝祭～年末の休暇シーズンには、さらに一〇万人）を雇用するアマゾンは、その労働慣行ゆえ、あからさまな非難を浴びてきた。そこで時給を上げることで「批判に耳を傾け」、CEOのジェフ・ベゾスによれば「先頭に立ちたいと考えた」。世界長者番付の一位に輝いたこともあるこの男は、ヘンリー・フォードと同じく、その象徴的な力を示すキリのいい数字を選んだ。「ストップBEZOS法案」（Stop Bad Employers by Zeroing Out Subsidies Act。補助金をゼロにすることで悪徳雇用を阻止する法案）を議会に提出した上院議員のバーニー・サンダースでさえ、ベゾスの決定を称賛した。「今日、私は認めるべき功績を認めたい。そして、為すべきことを為したという理由でベゾス氏を祝福したい」

フォードとベゾスが決断した時、それぞれが君臨していた世界の相違点と類似点を考えてみよう。一九一四年の失業率は一四パーセント。二〇一八年はわずか四パーセントだったとはいえ、労働者と企業が劇的な技術的変化のただなかにあったという状況は似ている。どちらの企業も順調に成長していたが、労働組合との衝突を避けるために譲歩を厭わなかった。そして、どちらも離職率を下げたかった。フォードの措置は自動車業界に波及効果をもたらした。アメリカのミドルクラスの増大は、まさに労働者は消費者でもあるという考えの産物である。一日八時間労働として、一九一四年の日給五ドルをインフレ調整して二〇一八年の時給に換算すると、一五・六九ドルに相当する。ひどく残念なのは、アマゾンの時給一五ドルが、フォードの時給を六九セントばかり下まわることだ。いずれにしろ、一方的な賃金引き上げに積極的な企業は、いまのところほとんど見当たらない。

古いミドルクラスが貧困に苦しむようになるにつれ、大西洋両岸で高まったのが、ベーシックインカム（基本所得給付）を支持する声である。その声が比較的大きいのは欧州とカナダだ。対照的にアメリカでは、ベーシックインカムを非正統的で、社会主義の一形態とみなす者が多い。《ザ・ニューヨーカー》誌の専属ライター、ネイサン・ヘラーによると、すべての家庭に「少なくともアメリカのどこかの土地で生活するのには困らないが、よりよい生活を送るためにはとうてい不充分な」最低限の所得を給付するというこの政府プログラムは、学識者だけではなく労働組合の指導者のあいだでも、賛成派が勢いを増しつつある。[36] 自由至上主義者（リバタリアン）でさえ支持する。政府の官僚主義を抑制し、福祉プログラムを縮小する方法だと考えるからだ。現在の様々な政府支援プログラムでは、特定の支援制度に誰が当てはまるかを政府の職員が判断し、給付金の支給を管理する必要があるが、ベーシックインカムのような一律の制度であれば、コストを削減し、官僚主義も排除できる。また、国民ひとりあたりか一世帯あたりの支給額が決まってしまえば、必要総額が算出できるという意味において「厳格な予算制約線」でもある。実際、リバタリアンの経済学者ミルトン・フリードマンは、一九六二年の著書『資本主義と自由』(日経BP)のなかで「負の所得税」を提唱している(一定の所得水準を下まわる国民に、政府が給付金を支払う制度)。当時のリンドン・ジョンソン政権はフリードマンの考えに感銘を受け、ニュージャージー州で試験的プログラムの導入に踏み切った[37]。その結果、明らかになったのは答えではなく、より多くの問いだった。国民の最低所得を政府が保障する、という考えに賛成の専門家もいる。なぜなら、技術の進歩による失業の悪影響から、消費者本位の経済を守ることになるからだ。二〇三〇年までの一〇年間に、失業の脅威はさらに高まるだろう。「ベーシックインカムか、似たような制度に落ち着く可能性はかなり高いよ。自動化のせいだ[38]」二〇一六年にイーロン・マスクは述べている。「ほかにどんな手が打てるのか、僕にはわからないね」

二〇一八年二月のギャラップの世論調査によれば、ベーシックインカムに対するアメリカ人の意見は、賛否がちょうど半々に分かれるという。不支持派が不安視するのは、労働意欲の減退を招き、就労による誇りや充足感が損なわれることだ。「労働にはある種の尊厳というものがあると思う」ノーベル経済学賞に輝き、進歩的な政策にしばしば賛成の立場を取るジョセフ・スティグリッツは述べている。ベーシックインカムが果たして経済成長を促すのか、という問題もある。左寄りのシンクタンクであるルーズベルト研究所は、財源を税金で賄った場合、経済成長の点では何の利益ももたらさないと主張する。だが、潜在的な利益はほかにもある。カナダのオンタリオ州で、所得が二万六〇〇〇ドルに満たない未婚者（配偶者がいる場合には三万六五〇〇ドル）を対象に、試験的プログラムを導入したところ、受給者は自信が持て、不安が減り、社会的つながりを感じ、そのお金を教育と職探しにまわせたという。

ベーシックインカムの費用と便益について、最終的な試金石となるのは、アラスカの例かもしれない。[39] アラスカでは、州内で産出された原油の収益を財源とするアラスカ永久基金を設立し、一九八二年以降、毎年、州民に配当金を支給してきた。二〇一八年の配当金はひとりあたり一六〇〇ドル。全米経済研究所による詳細な調査では、配当金が就労意欲を削いだという証拠はなかった。「一律の永続的な現金支給が、雇用総数の減少に大きくつながることはない」アラスカ大学アンカレッジ校の経済学者ムヒシン・グエッタビも、その調査結果を裏づける。加えて彼が検証したほかの調査では、州民は配当金を受け取ったその月に、商品やサービスに普段よりも多く消費する傾向があると結論づけていた。小切手が配布された四週間後、薬物やアルコールの濫用絡みの事件は一〇パーセント増加したが、窃盗事件は八パーセント減少した。[40] ほかにも、低所得の母親の場合、赤ん坊の平均的な出生時体重は増加し、肥満の三歳児は減った。注意が必要なのは、配当金は貧困を減らすが、不平等の拡大を招くことだ。金銭的余裕のない家庭は配当金を使い、裕福な家庭は投資にまわすからだろう。費用と便益の均衡がどうあれ、この制度はそもそも安定した原油収入が持続するという前提に立っており、その収入も価格変動や油田枯渇のリスクに曝されている。そのような先行きの不透明感は、税収を政府プログラムにどう割り当てるのかをめぐって、激しい政治闘争を生む。

カリフォルニア大学バークレー校の経済学者ヒラリー・ホインズとジェシー・ロススタインは、ベーシックインカム計画の未来に暗い評価を下す[41]。カナダ、フィンランド、スイス、アメリカの試験的プログラムや政策提案を再検討したあと、次のような結論に達したのだ。「現在の貧困撲滅プログラムをベーシックインカムに切り替えるのであれば、相当額の追加資金を投入しない限り、制度の逆行を招くだろう」

ミドルクラスの不安感

二〇三〇年、新興市場国のミドルクラスの消費者数は、アメリカ、欧州、日本のミドルクラスを五対一の割合で上まわっているだろう。私たちがテレビで見ているのは「ザ・シンプソンズ」ではなく、インド人一家の「ザ・シンズ」か中国人一家の「ザ・ワンズ」、はたまたアフリカ人一家が主人公の「ザ・ムワンギズ」かもしれない。舞台はオレゴン州の架空の街スプリングフィールドではなく、ムンバイか上海、ナイロビの可能性もある。世界の代表的なブランドは、もはやアメリカの消費者の好みではなく、消費願望の強い、新興経済国のミドルクラスの好みに合わせているかもしれない。

だが今日、世界を変える力はミドルクラスだけではない。次章で紹介するように、稼ぎ手として、富の保有者として存在感を増す女性は、変化を促す強力な原動力である。

第四章：もはや第二の性ではない？

新しいミリオネア、起業家、明日のリーダー

お金のある女性と権力のある女性。このふたつは、私たちの社会では居心地の悪い概念ね。

——映画「セックス・アンド・ザ・シティ」の原作者、キャンディス・ブシュネル

環境汚染と出生率低下という二重の危機に見舞われたアメリカの一部は、いまや神権国家ギレアデ共和国に支配されている。そのふたつの危機を克服し、権力者を脅かす造反者と戦うために、共和国は無慈悲な措置を課している。子どもは激減し、学校は空っぽ。スクラブル（単語ゲーム）やそのほかの非生産的なゲームは禁止。流通していた紙幣は、すべて〝コンピュバンク〟が取って代わった。女性は有給の仕事に就くことも、財産を持つことも許されない。化粧品、宝石、雑誌のような虚栄心を煽るものは低俗とされ、禁じられている。年寄りの女性は不可解にも姿を消す。支配階級の家長と

子を産めない妻は、社会階級の低い女性を隷属させている。共和国を再び人口で満たすという壮大な計画のもと、運のいい女性は歩く子宮としてその役目を果たす。もはや子どもを産めない不運な女性は、化学汚染物質と放射性廃棄物の除去作業に従事する。性交渉にまつわるどんな微罪も、からだの一部切断という厳罰の対象であることは、男も女もよく理解している。

これはカナダ人作家のマーガレット・アトウッドが一九八五年に発表した（その後、フールーで連続ドラマ化された）、ディストピア小説『侍女の物語』（早川書房）の粗筋であり、不気味なほど現代を想起させる。「いまは、女性にとって最良の時代であり最悪の時代でもあります」[1]二〇一八年、アトウッドは述べている。「手に入らなかった権利を求めて戦っている女性がいるいっぽう、そのような権利を剝奪される脅威と戦っている女性がいます」

最良の時代だという根拠は、誰の目にもあちこちで明らかだ。アメリカで大学と大学院の学位取得者の過半数を女性が占め、既婚女性の四〇パーセントが夫よりも稼いでいる。[2]女性は男性よりも速いスピードで富を蓄積している。そのため二〇三〇年になる頃には、世界の富の半数以上を女性が所有することになるだろう。

その反面、最悪の時代だという根拠もすぐに目につく。ビル・アンド・メリンダ・ゲイツ財団が資金を出したジェンダー不平等に関する調査は、「二〇三〇年まであと一一年しかないというのに、世界の女児と女性のほぼ四〇パーセント、すなわち一五億人がジェンダー不平等の国で暮らしている」という結論を導いた。アメリカなどの先進国で、男性より女性のほうが平均寿命が長いという優位も揺らいでいる。さらに、女性の体験は複数の要因に左右されやすい――子どもの有無。未婚か安定した関係があるか。結婚しているか離婚歴があるか、など。それらが女性どうしのあいだで大きな違いを生んできた。

これらの重要な動向は、社会だけでなく資本市場にも大きな変化をもたらす。なぜなら、投資に関していうと、男女で違うからだ。企業についていえば、女性が職場に異なる視点をもたらすからだ。イノベーションの場合には、起業する女性が増えているからだ。女性はいまだ男性と対等な立場にはない。だが、社会と経済で女性たちが新たな役割を担い始めた結果、大きな変化が起きている。

ハリウッドは早くからそのことに気づいていた。一九九三年の映画「めぐり逢えたら」で、男性の同僚がアニー（メグ・ライアン）に言う。「四〇歳を過ぎた独身女性にとって、結婚相手を見つけるよりテロリストに殺される確率のほうが高い」その話にショックを受けたアニーが叫ぶ。「そんな数字は嘘よ！」ベッキー（ロージー・オドネル）がアニーをなだめようとする。「ええ、その通り。そんなの嘘よ」ベッキーが続ける。「でも、本当みたいな気がする」このシーンのもとになった現実の出来事は、世界的に優秀な三人の人口統計学者が実施したある調査がきっかけで起きた。一九八〇年半ば、デイヴィッド・ブルーム、ニール・ベネット、パトリシア・クレイグの三人は、アメリカに住む白人とアフリカ系アメリカ人との婚姻率の違いを調査していた。[3] ハーバード大学の経済学者だったブルームは、いまも同大学で教鞭を執っている。ベネットは当時、イエール大学の社会学者であり、クレイグは彼の下で学ぶ大学院生だった（ちなみに、私は一九八九年、このプロジェクトでベネットの研究助手を務めた）。

一九八六年、コネチカット州スタンフォードの小さな地方紙《アドボケイト》の記者が、バレンタインデー向きの面白いネタを探していた。そこでベネットに電話をかけたところ、ベネットはいろいろな話題を披露したが、そのなかのひとつとして、大卒の三〇歳の独身女性が結婚できる確率は二〇パーセントと推定されるが、四〇歳になる頃にはその数字は一桁台の前半にまで落ち込むという話も含まれていた。[4] すると、その話が《アドボケイト》紙の第一面を飾り、今度はAP通信の記者がその記事に、「婚期を逃した女性は絶対に結婚できない」という見出しをつけて全米に配信した。その年の六月、《ニューズウィーク》誌が特集を組む。[5] 「結婚危機——独身女性のあなたが結婚できる確率はこうだ」表紙をデカデカと飾ったのは、女性の年齢が上がるにつれて結婚の可能性が下がることを示す、急カーブを描くグラフだった。ページを開くと「理想の男性を待つには遅すぎる?」と題した特集記事。次の印象的な文章に世間は騒然となった。「四〇歳の独身女性はテロリストに殺される確率のほうが高い——結婚できる確率はわずか二・六パーセント」のちに映画「セックス・アンド・ザ・シティ」の原作者として有名になるキャンディス・ブシュネルが、《ニューヨーク・オブザーバー》紙に寄稿したように、「《ニューズウィーク》誌の表紙は、あちこちの独身女性を恐怖で震えあがらせた」

この「ハーバード大学とイェール大学の調査」は世界的に有名になり、一〇年間で最もセンセーショナルな話題のひとつを生んだ。この時の報道——調査結果をしばしば誤って伝えていた——は、キャリアと私生活のバランスを取ろうと奮闘していた高学歴の女性に強い衝撃を与えた。だが現実は、一度も結婚したことのない五十代から六十代のアメリカ人女性は一〇パーセントに満たない。現在のアメリカでは、結婚しているカップルよりも、結婚せずに一緒に暮らし、子どもを育てるカップルのほうが多い。同性婚も増えている。

女性の新しい社会経済的地位は、広範な影響を及ぼしてきた。第一章で人口動向について見たように、世界を大きく変えてしまうような変化はおもに、複数の要因が絡み合って生じる。ますます多くの女性が熱心に教育を受けようとし、家庭の外で働き、産む子どもの数が減る。

さらには、女性が男性より長生きする傾向——少なくとも、いまのところは——も重要だ。女性の読者に私から確約はできない。だが、世界のどこに住んでいるかにもよるが、女性は平均して男性より四年から七年は長く生きる。長生きが重要なのは、長く生きればそれだけ働く年月が増え、投資した貯蓄がより大きな富を生む期間が延びるからだ。しかも、妻か女性パートナーの遺産を男性が受け取るより、夫か男性パートナーの遺産を女性が受け取る可能性のほうが断然大きい。

つまり私は、世の女性にとって大変な朗報だ、と遠回しに伝えたいのだ。平たく言えば、私たちが知る今日の世界が終わる二〇三〇年の前に女性たちは裕福になる。もっと具体的に言うならば、今日の女性が快適な生活を送るために充分な富を蓄える確率は、母親や祖母の時代よりもはるかに高い。

さらに言えば、私を含めた男性には残念ながら、非常に悪いニュースがある。男性がいまより貧しくなるか、富の蓄積スピードが遅くなるだけではない。平均して——最近では何でも平均して、だ——男性のほうが女性よりも早く死ぬ。そして死んだ時には、彼らの富を遺産のかたちで受け取るのは誰か。答えは……言うまでもない。

「女は運を試し、男は運を賭ける」

女性の経済的地位の向上は実際、二〇三〇年頃の市場に大きな影響を及ぼすのか。もちろんだ。もしあなたが「男は火星から、女は金星からやってきた」と――すなわち、男性と女性ではお金の使い方がまったく違うと――信じているならば。消費、貯蓄、投資の三つで、女性の行動が男性の行動とどれほど違うのかを見てみよう。[6]

まず消費について言えば、高級品にお金を使うのは、男性と女性のどちらだろうか。授業でそう質問すると、たいてい答えはまっぷたつに分かれる。クラスの半数が女性だと答え、残りの半数は男性だと答える。だが、私が大学院生に何度も指摘するように、ほとんどの場合、男女の行動に関するどんな問いも、正しい答えは「時と場合によって」だ。実際、それが今日、たいていの質問に対する最善の答えであることが多い。

たとえば高級品について言えば、ほとんどの国の統計が示すように、女性がファッションや宝石、アクセサリーにお金を使いたがるのに対して、男性はスポーツカーのような〝高額なおもちゃ〟をほしがる。スポーツカーを高級品に含めるのなら、男性のほうがお金を使う。スポーツカーを除外するのなら、女性のほうが、特にファッションや宝石などにお金を使う。それゆえ、男女の最大の違いは、女性のほうが高級品の購入アイテムが幅広いことだ。

女性は教育や医療、保険のような、高額だが不可欠なサービスにもお金をかける。男性より積極的に教育に投資する。自分のためだけではない。我が子や孫の教育費もケチらない。自分の医療に男性よりもお金を使い、親や我が子、孫についても必要な医療がちゃんと受けられるようにする。損害保険では免責金額（自己負担金額）の低いものを選び、障害・死亡保険の場合は、補償範囲が包括的なタイプを好む。そのため、必然的に掛け金が高くなってしまう。全体的に調査から明らかなのは、女性が安定を強く志向することだ。

それでは、女性の富の蓄積が急速に進むと、経済に大きな変化が起きるのか。当然だ。忘れてはならないが、教育、医療、保険に使われる総額は、アメリカ経済の約三〇パーセントを占めるのだ。今後一〇年間に女性がさらに富を蓄えると、その三つの分野の経済は、女性が支払う金額の増加によって利益を得ることになる。

次に貯蓄のこととなると、男女どちらが貯蓄に熱心かについて、一概に答えるのは難しい。結婚するつもりのない独身女性は、男性より貯蓄に励む傾向がある。調査が示すように、その理由はやはり安定と独立を望む女性の傾向にある。女性はまた、自分たちが男性より（平均して）長生きするため、老後資金を多めに貯めておく必要性も理解している。ところが女性が結婚を決めると、男性のほうが貯蓄額が増える。その理由はおもに文化による期待であり、男性のほうでもその期待に必死で応えようとするからだ。貯蓄額が充分でない段階で、男性は家庭の大きな責任を背負うことになる。既婚女性でも子どものいないうちは、自分と生い立ちや経歴が似ている既婚男性よりも、やはり貯蓄額が多い傾向にある。ところが最初の子どもを産んだ時点で、振り子は逆の方向に振れる。子どもを持つ女性の貯蓄額が、平均して既婚男性の額を下まわるのだ。なぜなら子どもの面倒を見る時間が増え、おやつや替えのパンツ、教科書、遠足など、思いがけない自腹の出費が増えるからだ。これらの例が示すように、貯蓄行動はライフステージや周囲の状況にも左右される。

女性による急速な富の蓄積は、消費と貯蓄の面でゲームのルールを変えるだろうか。それは、将来に向けて重要な水平効果を及ぼす。フェミニスト作家のグロリア・スタイネムはかつてこう述べている。「小切手帳の控えを見れば自分の価値がわかる」（ミレニアル世代のためにわかりやすく言い換えると、「ベンモの取引履歴を見れば」といった感じだろうか）（ベンモ〔Ｖｅｎｍｏ〕は、アメリカ国内でペイパルの子会社が提供する個人間送金アプリ）

最後に投資について言えば、男性と女性が違う惑星からやってきたことは間違いない。ほとんどの人は、女性のほうが投資において保守的かリスク回避型だと考えている。調査もそれを裏づける。オスカー・ワイルド著『ドリアン・グレイの肖像』でヘンリー・ウォットン卿が述べたように、「女は運を試し、男は運を賭ける」のだ。リスクに対する態度は、人生のほとんどの決断を左右する。消費と貯蓄も例外ではない。そしてそれはまた、財政目標の達成に役立つ投資のタイプを、どう考えるかにも影響を及ぼす。次のような発言は、さほど〝こじつけ〟でもない――リーマン・ブラザーズではなく〝リーマン・シスターズ〟だったならば、二〇〇八年の世界金融危機も回避できたかもしれない。

実際、その発言はいくらかの真実を含んでいる。ニューヨークの投資銀行のトレーディング部門で働く男女を比較した未発表の調査がある。その男女間に、学歴と経験の点でほとんど違いはなかった。調査から明らかになったのは、男性がより頻繁に取引を行なって、よりリスクを冒したことと、女性のほうが長期的にわずかながら利益が大きかったことだ。

富のほとんどを男性が生み出し、所有し、管理する時代はほぼ終わった。金融市場は大規模な変化のただなかにある。あなたはこんな疑問を感じているかもしれない。このところ、リターンの変動性が高い合同運用ファンドではなく、市場指数にリンクした株式ファンドのほうが人気なのはなぜか、と。もちろん、理由はお察しの通りだ。最近、女性の投資家が増えたのだ。結論はこうだ。女性を消費者、貯蓄者、投資家としてより深く理解すれば、企業は新たに莫大な市場機会を手に入れる。実際、女性の好みと決断を理解しなければ、どんな企業も成功はおぼつかない。女性の地位は向上し、世界のより多くの富をコントロールすることになるのだ。

すべての女性は（あるいは男性も）同じではない

モンタナ州ミズーラに住む三人の子持ちのセイディ・マリー・グロフが、最初の子を産んだのは二〇歳の時。[7] 大学は卒業しておらず、アメリカの外に出たこともない。昼間は子どもの面倒を見て、夜に医療助手として働く。夢は放射線技術の学位を取ること。いっぽうのエレン・スキャンロンはサンフランシスコで暮らしている。最初の、そしてただひとりの子どもは、不妊治療を受けて四〇歳の時に産んだ。大学を卒業後、ビジネススクールに通って金融業界でキャリアを積み、戦略コンサルティング会社を創業した。子どもを持ったのは、夫と知り合った一〇年後のことだ。子どもを持つタイミングを先送りした理由について、「毎日が本当に楽しかったから」だと話す。

グロフもスキャンロンも二一世紀のアメリカ人女性だが、住む場所と教育のふたつの点で、正反対の世界に生きている。重大な変化を生む動向について考察する時に多い誤解のひとつは、ある社会的グループに属する者が全員、その動向に同じ影響を受けていると思い込むことだ。女性の体験が以前と変わりつつあることは事実だ。だが、それと同じくらい確かなのは、私たちが大きな二分化を目撃していることだ。親の世代とは劇的に違う人生を体験している女性が（男性も）いる反面、伝統的な生活を送っている女性も多い。その著しい相違を考えれば、世界各地——特に欧州とアメリカ——で、男女の経済状態と政治行動が大きく二極化してきた理由がわかるだろう。つまるところ、異なるグループの人がアクセスできる好機は、時の経過とともに大きく分岐しているように思える。同じことは政治観についても言える。

全体的に女性は富を増やし、二〇三〇年には平均して男性よりも多くの富を所有するようになるが、弱い立場にある女性たちもいる。離婚女性とシングルマザーだ。そのふたつが重なることも多い。「結婚していた頃、生活はいまより明らかに楽でした」個人金融のウェブサイト「ビルフォード」のインタビューにそう答えるのは、小学校に通う三人の子どもを抱えて離婚した四二歳の女性である。[8]「私たちは間違いなくミドルクラスでした。経済的な苦労はありましたが、かなりうまくやっていました。貯蓄もあり、ちょっとした退職基金にも加入していましたが、離婚後に解約して生活費にあてざるを得ませんでした」彼女は、ワシントンDC郊外にある小さな非営利組織の理事として働く。年収は四万ドル。子どもの親権を共有する別れた夫は、毎月一五〇〇ドルの養育費のうち、ほんのわずかしか支払っていない。さらに悪いことに、別れた夫の学生ローンは彼女の名義で一本化されている。なぜなら連邦教育省の学生ローンを組んだ時、彼女名義のほうが有利な条件で借りられたからだ。そしていま、毎月の家賃として一四八〇ドル、保育施設の費用に一三八六ドル、食料雑貨費として四〇〇ドルが飛んでいく。学生ローンの返済まではとても手がまわらない。「水道や電気を止められないためには、公共料金をいくら支払えばいいのかも、計算してわかっています」

新聞や雑誌には、離婚調停で莫大な慰謝料を手に入れた女性の話が溢れている。[9]ジェフ・ベゾスと別れたマッケンジー。美術商のアレク・ウィルデンシュタインと別れたジョセリン。メディア王のルパート・マードックの元妻アナ・トルフ。実業家のバーニー・エクレストンの元妻スラヴィカ・ラディク。カジノ王のスティーブ・ウィンと別れたエレーヌ。だが世間の俗説に反して、離婚した女性の大半は、はるかに厳しい経済状態に陥る。実際、広範囲な調査が示すように、離婚するより婚姻関係を続けたほうが、まず間違いなく女性にとって経済的なメリットは大きかった。たとえば仕事に復帰するか再婚するなど、ほかの要因が改善したあとでさえ、当初の結婚時に享受していたような経済状況には戻れなかった。対する男性は、離婚後に、女性と同じような経済的苦境には陥っていなかった。欧州とアメリカでミドルクラスが低迷している大きな原因のひとつは、子どもを持つ夫婦の離婚率の高さにある。先述した、三人の子どもを抱えて離婚した四二歳の女性の体験からも明らかだ。

また十代でシングルマザーになると、生涯に摑む好機が制限されやすい[10]。アメリカで毎年、一五〜一九歳の少女が産む子どもの数は二五万人にのぼる。アフリカ系、ヒスパニック系、ネイティブアメリカンの十代が妊娠する割合は、白人の二倍高く、アジア系の四倍も高い。十代の妊娠率は毎年六〜七パーセントずつ下がっているが、十代で妊娠すると所得と教育水準はたいてい低いままだ。十代で子を持つと、少女にもその親にもかなりの負担がかかり、少女は学校をやめ、貧困に陥りやすくなる。

二〇三〇年に向けて、女性の経済的安定を向上させる最も重要な要因は、高校中退を防ぐことだろう。中退の理由が妊娠なら、なおさらだ。「何もかもが変わったのは高校一年生の時でした」一五歳で妊娠したジェイミー・ラッシュは書いている[11]。「子どもを産むつもりだと伝えた時、相手の男性との関係はほぼ終わりました」両親は彼女と子どもを支えてくれたが、あいにく、みながラッシュのような支援を得られるわけではない。アメリカの若いシングルマザーの六〇パーセント以上は、貧困家庭で育った。反対に言えば、貧困が十代の妊娠のリスク要因なのだ。

ローレンの場合もそうだ。一二歳の時、彼女は母をがんで亡くした。父はほとんど家にいなかった。ローレンは、マサチューセッツ州南東部の高校を卒業する直前に妊娠した。いま、彼女はホームレスだ。

クレイオナの母は、彼女が二歳の時に亡くなった。父は彼女を七歳まで育てたが、麻薬犯罪で刑務所に入った。彼女はあちこちの親戚をたらいまわしにされ、どの家にも頻繁に客が麻薬を買いに来ていた。そして一六歳で妊娠。彼女の恋人も父も中絶を勧めたが、クレイオナは耳を貸さなかった。子どもを産むと、その子を連れて保護施設に入った。「そのような境遇にもかかわらず、クレイオナには同じような体験をした仲間の少女たちよりも有利な点があった」と《アトランティック》誌は書いている。「高校二年を終えていた。売春には手を染めなかった。犯罪歴もない。精神的な疾患もなく、薬物も濫用しなかった」クレイオナは頑張った。高校を卒業し、大学に入り、診療所の仕事に就いた。よちよち歩きの子どもを連れて、質素なアパートに移り住んだ。

女性が手にできる好機は拡大しているいっぽう、職場での差別、離婚、十代の妊娠は毎年、先進国で数百万人の女性に影響を及ぼしている。そのうちの何割かは、クレイオナのように困難を克服するが、多くは貧困にはまり込み、ホームレスになってしまう。連邦政府の調べによると、貧困ライン以下の生活をしているアメリカ人は四五〇〇万人を数えるという。女性の一六パーセントが貧困で、男性の場合は一四パーセントだ。シングルマザーの貧困率は二七パーセントに跳ね上がる。

そのうえ、子どものいない女性（あるいは男性）が急増中だ。[12] 一九七〇年中頃、三五〜三九歳のアメリカ人女性のうち、子どもがいない割合は約一〇パーセントだった。二〇一六年になる頃には、その数字はほぼ倍加していた。四十代で子どものいない女性は一六パーセントに、男性の場合は二四パーセントにのぼる。数字に違いが見られる理由はおもに、未婚のまま母親になることを選んだ女性がいるからだ。出生率の低下がこのまま続けば、子どものいない男女は、世界中でますます一般的になるだろう。二〇三〇年には、アメリカ人男性の三人にひとりが、またほぼ同じ割合の女性が、子どものいないままに定年退職を迎える。

子どもを持たないと決めたアメリカ人女性のほとんどは、その決断に納得している。「わたしは六六歳。すでに退職しています。子どもは産みませんでした。GI法（復員兵援護法）のおかげで大学に通い、ホワイトカラーの仕事に就いてきました。わたしのような女性は二十代から四十代の終わり頃まで、ずっと変人扱いされてきました」ある女性はそう振り返る。様々な感情を味わってきた女性もいる。「六二年の人生のなかで、子どもを持たなかったことに、最初は傷つき、次に安堵し、いまは誇りに思っています！」「子どものいない女は孤独な人生を送る、なんてことを言うのは無知な証拠です。成人した我が子が何の連絡も寄越さないとか、連絡してくるのはカネを無心する時だけだ、という高齢者はごまんといます」強い口調でそう指摘する女性もいる。「子どもがいなくても、幸せで満ち足りた人生を送ることは可能です。あるいは夫がいなくても」と別の女性も断言する。

ロンドン・スクール・オブ・エコノミクスのポール・ドーラン教授は、幸せにまつわるアメリカのデータを用い、さらに踏み込んだ発言をする。「同じ対象者を長期にわたって追跡した信頼できるデータもありますが、その科学的根拠をまったく無視して、私はこう言います。あなたが男性なら結婚すべきでしょう。でも、女性なら気にするな、と」そのアドバイスの違いは、結婚と子どもが男女の人生経験をどう変えるのかにある。「結婚したあなた（男性）はリスクを冒さなくなり、仕事でよりたくさん稼ぎ、ほんの少しだけ長生きします。それに対して、女性は結婚生活と子どもに耐えなければならず、独身だった場合よりも寿命は縮まります」データをもとにドーランはそう説明する。「最も健康で幸せな人口の下位集団は、一度も結婚せず、子どもも産まなかった女性です」

興味深いことに、子どものいる大人といない大人の「幸福感の格差」が、先進国でいちばん大きいのはアメリカだった。社会学者のジェニファー・グラス率いる調査が強調するのは、次のような点だ。「子どもがいると、大人は様々なストレス要因に曝されやすい」が、「寛大な家族政策は、なかでも特に有給休暇や児童手当は、子どもの有無による幸福感の格差を縮める」。実際、子どもがいないよりも、いたほうが幸せを感じる国もある。おそらく、そのような国では育児休暇や保育プログラムが充実しているせいだろう。フランス、フィンランド、スウェーデン、ノルウェー、スペイン、ポルトガル、ハンガリー、ロシアである。子どものいる家庭に対する政府の支援は、世界中で大きな効果を生んでいる。そしてまた家族支援プログラムは、子どものいる父親の幸福感を増す（子どものいない男性の幸福感には影響を与えない）が、子どもの有無に関係なく、すべての女性の幸福感を高める。新たな家族プログラムを提案する政治家は、男性よりも女性有権者の票を期待できそうだ。

二〇三〇年になる頃には、学歴は上がり、出生率は下がるという動向は、次の四つのカテゴリーで確固たる違いを生んでいるだろう。子どものいない女性、シングルマザー、既婚女性、離婚女性の四つである。そしてどのグループも、経済的に不自由しない女性と、苦労する女性とに分かれるだろう。

「わたしは夫に育てられたんです」

　開発途上国においても、女性の体験は分岐しつつある。もちろん、ミドルクラスの拡大に伴い、時の経過とともに、より多くの女性の経済状態が大きく改善する傾向がある。そのいっぽう、サハラ以南のアフリカ、ラテンアメリカの一部、南アジア、東南アジア、中東では、都市部でも農村部でも、女性の半数以上が依然、貧困に苦しんでいる。貧しい経済状態に加えて、女性の性器切除のような慣習もあり、現在生きているだけでも、少なくとも二億人の女性がその人権侵害を強要されてきた。児童婚の撲滅に取り組む組織「ガールズ・ノット・ブライズ（少女は花嫁ではない）」の見積もりによれば、五人にひとりの少女が一八歳未満で結婚し、約六億五〇〇〇万人の女性が未成年で結婚させられたという。[13] その習慣は、アフリカ、南アジア、ラテンアメリカで一般的だ。ヘレンと名乗る南スーダンの女性は一五歳の時に、五〇歳の男性と無理やり結婚させられ、自分の意志に反して学校をやめなければならなかった。一五歳の少女は、二十代の女性と比べて出産で命を落とす確率が五倍も高い。「幼い時に夫と結婚させられました。まだほんの子どもだったので、結婚させられた時のことは覚えてもいません」そう打ち明けるのはエチオピアのカナスだ。「わたしは夫に育てられたんです」スイスのような国でさえ、政府の推計によれば、毎年、強制的に結婚させられる未成年の少女は一四〇〇人にのぼるという。

　そのような根強い問題もあるにせよ、開発途上地域の多くの女性は、ひと世代前には考えられなかったような好機を享受している。起業家になる夢をかなえたいが資金がまったくなく、冷蔵庫や冷凍庫、ミシン、オーブン、砕石製造機、トラクター、トラックなどの必要設備が買えない女性もいる。タンザニアではそのような女性も、ヴィクトリア・キシヨンベの会社を通してリースを申し込める。[14]英国で教育を受けた獣医のキシヨンベは夫の死後に起業家を目指し、のちにタンザニア最大のリース会社になるセルフィナを創業し、現在では二万二〇〇〇件以上のリース契約を結んでいる。

キシヨンベのような高学歴の女性であっても、数々の障害と差別に直面する。世界銀行は、先進国と開発途上国の計一二八カ国を対象にした報告で、女性に対する法的差別が少なからず見られる地域では、起業家精神が阻害されていると指摘した。[15]たとえば二〇〇九年の時点で四五カ国の女性が、男性には認められている経済取引を行なうことや、そのような取引に従事する権限を法的に認められていなかった。四九カ国で、特定の業界で仕事に就けなかった。三二カ国で、男性と同じ相続権を与えられていなかった。だが、男性と同等の法的権限を認められた国では、女性が所有するか経営する企業の割合が高かった。

もっと広い視点で見れば、女性起業家は政策立案者に長く無視されてきた。ところが一九七〇年に、当時、国連で働いていたデンマークの経済学者エステル・ボセラップが『女性が経済発展に果たす役割』を著し、多大な影響を与えた。[16]同書は、次の二点について詳細に分析していた。女性はどのように経済発展に貢献するのか。それによって女性はどのような影響を受けるのか。ボセラップが強く主張したのは、家庭内外の活動を通じて、女性が経済発展に重要な役割を果たすことだった。彼女の著書は「国連婦人の一〇年」（一九七六〜八五年）の創設を促し、様々なプログラムの基礎を築いた。女性の役割を、経済発展を加速させる手段と捉え、その促進に焦点を置くプログラムである。

新たなアプローチが目指したのは、それ自体が崇高な目標であるジェンダー平等の推進だけではなかった。経済成長と経済発展に寄与するような、女性の経済活動の方法を模索することにもあった。そして女性起業家なしでは、優れた人材の半数を浪費するか充分に活用していないことに、政策立案者もようやく気づいた。二〇〇九年、国連開発計画総裁のヘレン・クラークは述べている。[17]「女性起業家が持つとてつもない可能性を解き放ち、彼女たちが直面する障害――たとえば融資が受けられない、資金調達できない、土地を相続できない、所有権を登記できない、政府の予算配分を受けられないといったことですが――そのような障害を解決することで、不平等を解消し、経済成長を刺激できます」SRS航空の創業者シボンギレ・サンボも、その考えに同意する。「歴史的に見て、南アフリカ共和国の女性は、それも特に黒人女性は、自分の会社を立ち上げたり、経営したり、国の経済に充分に貢献したりする好機に恵まれてきませんでした」サンボが続ける。「SRS航空では、新しい政治的自由を利用して経済的自由を生み出しています。わたしの母や叔母にはなかった好機です。でもわたしには与えられたその好機を、わたしは摑むつもりです」

女性にとって起業家精神は女性を解放し、経済的安定をもたらすだけでない。時には、腹立たしい体験でもある。なぜなら、その途中でたくさんの障害にぶつかり、その多くが実業界で働く女性に特有のものだからだ。エジプトで有名なジュエリー会社を創業し、一六五人の従業員を抱えるアッザ・ファハミは語る。「伝統的な環境で暮らす、どんな平凡な若いエジプト人女性にとっても、わたしの新しい体験は常識外れのものでした。でも、わたしはやってやろうと決めたんです」あるいはチャン・ファメイ（章華妹）のケースを考えてみよう。服飾小物メーカーを経営するチャンは、中国で個人経営の会社をおこした初めての女性事業家と広くみなされている。「いまでも思い出すのは、東城区（現温州市鹿城区）当局の職員に……堂々と商売するためには、許可を取る必要があると言われたことです」ファハミもチャンも夢の実現に向けて、おびただしい数の障害を乗り越えなければならなかった。

起業家になる道について言えば、男女には違いがある。女性の場合、過去の体験の延長線上にある分野に参入する傾向が大きい。たとえば個人向けサービス、小売り、独創的な手工芸品、伝統産業などの分野である。さらに女性が創業・所有・経営する、あるいはそのいずれかであるベンチャー企業は、成長速度が遅いという特徴がある。ほとんどの場合、原因は様々な構造的制約にある。そのひとつは、ビジネスに関する知識と経験の欠如だ。セネガル人インテリアデザイナーのアイサ・ディオンヌもこう漏らす。「最初は請求書の書き方すら知りませんでした。だから、友だちに何度も教えてもらいました」

起業家を目指すモチベーション、起業家精神に対する考え、起業家に向く社会的特徴や精神的特徴、創業のプロセス、経営スタイル、リーダーシップのスタイル、あるいは最近の資金調達の点においてさえ、研究者は男女の違いを示す一貫した証拠を見つけてはいない。それにもかかわらず、起業資金を申請する女性は差別に直面する。「サンティアゴのテキスタイル会社で働き始めました」チリで起業したイザベル・ロアは振り返る。「その後、自分で織物を織り始めて一軒一軒売り歩きました。最大の問題は、事業を始めた時に資金がなかったことです。だから、貯金と借り入れでその問題を解決しました」

女性が事業を立ち上げ、大きく育てる過程で、ハードルに直面する重要な理由のひとつは、必要に迫られて起業するケースが男性よりも多いからだろう。パキスタンで学校を設立したナスリーン・カスリは、こんな体験を打ち明ける。「（学校の）選択肢が限られていたことと、わたしが学校に通っていた時代から、学校数も生徒の収容数も増えていないことに気づいたんです」カスリは続ける。「わたしが受けたような質の高い教育が受けられるほど、我が子が幸運でないことにも気づきました。そのような課題を解決するためにわたしにできる唯一の方法は、学校を設立して、我が子やほかの子どもたちに質の高い教育を施すことでした」実際、世界の起業活動について毎年調査するグローバル・アントレプレナーシップ・モニターは、起業する女性のほとんどの理由として、それ以外に生計を立てる方法がなかったからだと報告している。[18]

二〇三〇年が近づくにつれ、次のふたつの重要な論点が浮上した。女性起業家は事業を計画し、創業し、経営することを明らかに望んでいるのか。成功とは成長、利益、名声といった観点ではなく、目標達成、仕事と家庭とのよりよいバランス、地域社会の利益といった観点から定義されるものなのか。その点で言えば、手工芸品を扱うルワンダの起業家ジャネット・ククバナは、難しい状況にある女性に、自分の事業が利益をもたらしていることを誇りに思っている。「わたしのところには、苦難を乗り越えた女性、寡婦、夫が刑務所に入っている女性がいます。彼女たちがひとつ屋根の下に座って織ったり、ともに仕事をしたりすることは大きな勝利です」さらに続ける。「彼女たちはいま一緒にいて、収入を得ています。驚くことです」同じように、アネット・サモラは太平洋に浮かぶ火山性の孤島ラパ・ニュイ――別名イースター島――の古代文化を保全し、発信する社会起業家だ。「自分が成功してるかどうかなんてわからない。評価してくれる人はいるけど、『成功』のはっきりした定義が自分にあるかどうかなんて、わたし、知らないもの」

仕事と家庭のバランスをうまく取る[19]

二〇三〇年には、世界の新しいベンチャービジネスの半数近くを女性が創業しているだろう。アヌ・アンチャラのケースを考えてみよう。[20]アメリカの大学を卒業したあと、インドに戻って――第一章で紹介した頭脳循環（ブレイン・サーキュレーション）のパターンだ――ゲノミクスのアウトソーシングを提供するオーシマム・バイオソリューションズを創業した。一五年が経ち、欧州とアメリカで三社を買収したあと、アンチャラの会社は生物医学のアウトソーシング業界で世界的なプレイヤーになった。小学校高学年の少女ふたりの母親でもあるアンチャラは、仕事と家庭のバランスを取る非常に難しい選択を迫られてきた。「母親は半分いないものだという事実に、子どもたちもいまではかなり慣れています」ふたりの子どもの面倒は、家族と同居する親族が見ている。彼女の会社は三カ月の有給の産休を認めている。「特に女性にはとても働きやすい会社ですね。フレックス制も導入しています」創業当時から働き、現在、品質システム担当部長補佐を務めるジャイシュリー・ラヴィは言う。「ＰＴＡの会合に出なければならない時には、会社を抜けて戻ってくることもできます。一日九時間働けばいいんです」

　母親業と仕事の両立という重圧を感じているのは、アンチャラとラヴィだけではない。「二〇〇七年、わたしはつらい（しかも思いがけない）離婚を体験しました」もうすぐ五〇歳になるメリッサには、大学生の息子と十代の双子の娘がいる。学校教師のメリッサは、下の子が学校に上がるまでいったん家庭に入り、その後はパートタイムで働いて、できるだけ我が子と過ごす時間をつくった。「再び働くようになって、家族生活とのバランスを取るプロセスで学んだことのひとつは、朝、子どもたちを学校に送り出すために、自分自身を犠牲にしないことでした」高い教育を受けた同世代の女性の多くがそうであるように、メリッサもまた、男性なら直面する必要もない難しいトレードオフに直面しなければならなかったのだ。

アメリカの母親の約七〇パーセントがフルタイムで働いている。そのうちの半数以上が、そうするより仕方ないからだ。つまり、専業主婦になるかパートタイムで働く余裕がない。ヘレン・ビヒトルは二三歳。五歳と四歳の子どもを育て、ノースカロライナのコミュニティカレッジに通いたいと考えている。「いまは、平日の正午から夕方六時まで、小さなカントリーバーでバーテンダーをしています」彼女はそう話す。「週末はパートタイムでカメラマンの仕事をしています」両親と同居して、できる限りの支援をしてもらっている。「毎月、六五〇ドルか七〇〇ドルぐらいを託児所に支払い、フードスタンプで暮らし……養育費として子どもの父親から毎月三〇〇ドルを受け取っています」

「時給八ドル五〇セントで働く店員の人生でいい、と息子には思ってほしくありません」そう言うのは、高校を中退して、ボストンにあるプルデンシャル・センターというショッピングモールの小売店で働くウィレイディ・オーティスだ。息子を身ごもったのは一九歳の時。彼女が三歳の時、生まれ故郷のプエルトリコで父が銃で撃たれて死んだ。親戚を頼ってボストンに移住したあと、今度は母をがんで亡くした。息子の父親は養育費を払ってはくれない。オーティスはフードスタンプで暮らし、冬には暖房費の補助金を受け取る。ビヒトルと同じく、家で子どもと過ごす生活は絶対に不可能だ。

だからと言って、金銭的余裕があって働きに出る必要のない女性にとっても、働くか働かないかは簡単な決断ではない。専業主婦は世間から冷たい目で見られる。しかも、仕事に復帰するのは難しいか不可能ではないか、という不安にもつきまとわれる。「幼い我が子を誰かに預けて働きに出なくてはならない精神的つらさを味わうことは、わたしにはとても想像できませんでした」看護師のテリー・スプライツ・チシェクは語る。その子どもたちも、すでに三十代。専業主婦だった頃、「自尊心も自我もうまく保てませんでした。昔の仲間が昇進し、すばらしいキャリアを築いているのを見ていたからです……自尊心がしぼみました。ニュースもその話ばかり。七〇年代はそれが話題の中心でした。『女性は何でもできる』と。いまでも思い出すのは、バージニア・スリムのCMです」テリーの夫は医師だ。その収入だけで、一家は充分にアッパーミドルクラスの贅沢な暮らしができる。

女性がキャリアを中断すると、収入は痛手を受ける。シカゴ大学のMBA取得者が行なった調査によれば、三年かそれ以上、仕事を中断した女性は、能力が同等の男性と比べて給料が約四〇パーセントも下がるという。一部のキャリアアドバイザーや、ジョアン・クリーバーのような作家は助言する。「キャリアパスから完全に脱落するのは経歴上の自殺ね。絶対に思いとどまったほうがいい」

意外にも、出生率の低下は、仕事に復帰したい世の主婦たちにまたとないチャンスを与える。その理由は、人口の高齢化に伴い、適切な能力を持つ人材が縮小の一途をたどるからだ。この数十年というもの、高い学歴を持つたくさんの日本人女性は結婚して家庭に入った。そしていま、企業は必死になって欠員を埋めようとし、女性たちは大挙して職場に戻り始めている。二〇一八年の時点で、二四歳以上の年齢層で、家の外で働く女性の割合はアメリカより日本のほうがはるかに高い。日本では、労働年齢の女性の約七一パーセントが有給で働く。この数字はここ数十年でいちばん高く、世界でも最高レベルだ。過去一〇年の動向を考えれば、二〇三〇年になる頃には、日本の女性の労働率は、約八六パーセントという日本人男性の数字に近づくのかもしれない。しかしながら、男女の賃金差別はいまだに蔓延し、家に帰ればほとんどの家事と育児は女性の担当だ。[21]「男性の意識はいまも低いままです」ふたりの子どもを持つグラフィックデザイナーの女性は、不満を口にする。「わたしの夫に、男女平等という概念はありません」

仕事と家庭のバランスは世界中の多くの国で、とりわけ人口の高齢化と福祉国家の存続を懸念する人たちにとって、国を挙げて解決すべき重要議題となった。一九九六年の国連の報告では、その問題に取り組む政策を打ち出したのは、出生率の低いおよそ七〇カ国の政府のうちの三五パーセントだけだった。ところが、二〇一五年には五九パーセントに上昇した。一般的なのは次のような政策だ。有給の産休（一カ国を除いてすべての国）、公営の保育所・託児所（八八パーセント）、児童手当か家族手当（八五パーセント）、父親の有給の育児休暇（六四パーセント）。ここで触れておくべきは、国連の見積もりで、育児も含めて女性が無給の家事に費やす時間が一日平均四時間にのぼることだ。それに引き換え、男性はわずか一・七時間である。

仕事と家庭のバランスという概念と政策は、多くの議論を呼んできた。最も重要な議論は、仕事生活と家庭生活を統合することでバランスを取りたいのか、それともそのふたつを分離することでバランスを取りたいのか、という点だろう。ウォートン校の私の同僚であるナンシー・ロスバードが、キャサリン・フィリップス、トレイシー・デュマスと三人で、アメリカで働く約五〇〇人の従業員を対象に調査を行なったところ、仕事と家庭を切り離しておきたい人は、企業が社内に託児所を設けるなどの統合プログラムを開始した時にもあまり喜ばず、利用率も低かった。彼らがもっと喜び、利用率も高かったのは、従業員が仕事の開始時間と終了時間を決められるフレックス制などの分離プログラムだった。

この問題を考える際に役に立つ方法はほかにもある。より多くの女性が労働力に参加することで、経済にもたらす利益に注目するのだ。デンマークの社会学者イエスタ・アスピン＝アンデルセンが主張するように、女性を労働力に組み込むと、市場志向型のあらゆるサービス活動の成長の引き金を引く。それまで女性が家庭のなかで、無給で行なっていた活動分野の成長が見込まれるのだ。有給で働く開発途上国の女性が二〇三〇年までに増えれば、アフリカ、中東、南アジアの経済はさらに急速なスピードで発展を遂げ、前章で論じたようにミドルクラスの拡大が加速するだろう。

働くと女性の死亡率は高まるのか

労働市場の好機に乗じて、仕事と家庭生活のトレードオフを巧みに切り抜ける女性がますます増えるのに伴い、平均寿命の男女差も縮まりつつある。[22] 一九九五年、女性は男性より平均寿命が七・八年も長かった。二〇一八年には、その差は六・〇年に縮まった。二〇三〇年にはさらに縮まるというのが、国連の見積もりだ。図7が示すように、この現象は一九九〇年代後半以降に、最も発達した先進国においてのみ見られる。より多くの女性が、仕事や専門職に就き始めた時期でもある。

より多くの女性が労働市場に参入してきたアメリカでは、女性の平均寿命が急落しつつある。平均

図7

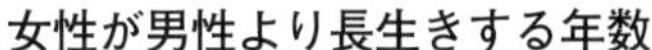

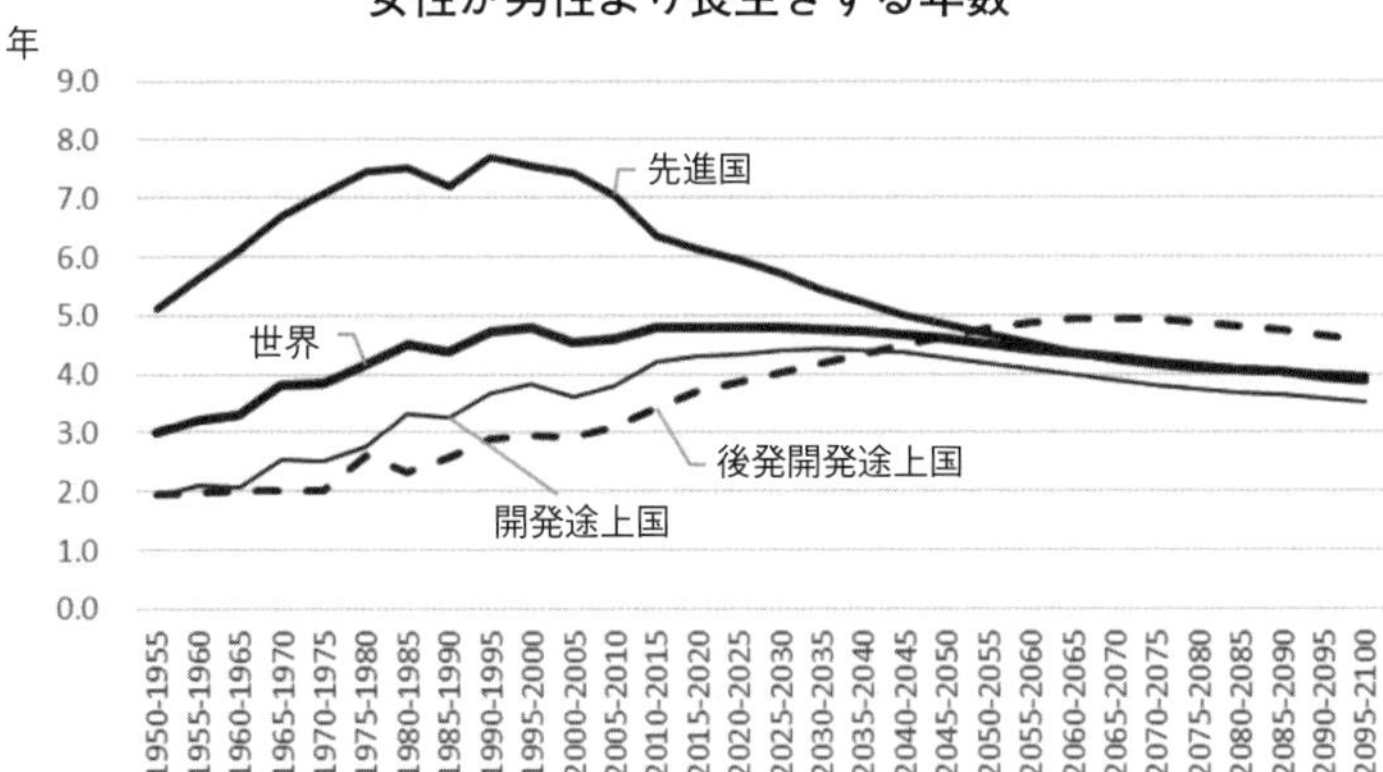

Source of the data: *United Nations, World Population Prospects 2019 Revision.*

寿命の男女差が最も大きかった一九七〇年代初めには、七・七歳の差があった。ところが二〇一九年には、その差は五年あたりをうろうろしており、二〇三〇年には四・三歳に縮まっているだろう。

　具体的な原因は何だろうか。その問いに答えるためには、そもそも女性が男性より長生きする理由を理解する必要がある。あらゆる年齢において、男性より女性のほうが死亡率が低い。「女性ホルモンと女性が生殖で果たす役割が、長生きに関係してきた」《サイエンティフィック・アメリカン》誌は解説する。「たとえば女性ホルモンのエストロゲンは悪玉コレステロールを排除し、そのため心臓を保護する作用があると考えられる。対する男性ホルモンのテストステロンは、暴力や危険な行為と関係がある」それだけでは充分でないと言わんばかりに、こうもつけ加える。「女性のからだは妊娠と授乳の要求に応じるために、余力を蓄えておかなければならない。その能力によって、女性は男性よりも過食をうまく処理し、からだに取り入れた余分な食物を排除する高い能力を有してきた」

歴史的に女性のほうが長生きしてきた別の理由は、いわゆる「人為的疾患」にかかる機会が少ないからだ。これには「ブルーカラーの職場に特有の危険因子、アルコール依存症、喫煙、交通事故」なども含まれる。「実際、人為的疾患は二〇世紀を通してかなり増加してきた」だが女性はいま、それも最も発達した先進国において、男性と同じ危険に曝されるようになった。

ハーバード大学人口開発研究センター所長を務めるリサ・バークマンは、こう指摘する。アメリカ経済で女性が新たな役割を担ったことが、「パーフェクト・ストーム」（複数の悪い出来事が重なり、破滅的な事態を引き起こすこと）を生み出した、と。つまり女性は職場や結婚の、場合によってはシングルマザーのストレス要因に、より曝されやすい。「慢性ストレスは慢性疾患の発生を早める恐れがあります」カリフォルニア大学サンフランシスコ校精神医学科のエリッサ・エペル教授は説明する。エピルを有名にしたのは、染色体の両端にあって染色体を保護するテロメアと呼ばれる部分が、ストレスによって短縮するという発見だ。テロメアは長寿との関係が指摘されている。さらには、女性は男性よりも食欲でストレスを発散させたり、仕事と家庭生活のバランスを取るために、エクササイズの時間を減らしたりする傾向がある。

しかも一部の女性にとって、状況はますます悪化している。アメリカにおいて女性の平均寿命をめぐる状況は、学歴と居住地によって二分化が進み、都市部の女性はずっとうまく平均寿命を延ばしている。ペンシルベニア大学の私の同僚イルマ・イロが率いる人口統計学者のチームの分析によれば、二〇〇九～一六年にアメリカの四〇地域において、「白人男性の平均寿命の延びが白人女性の平均寿命の延びを上まわった」という。このデータの白人女性は、非ヒスパニック系を指している。さらに悪いことに、女性の平均寿命の優位性が減少しただけではない。四〇地域のうちの八地域で、平均寿命が低下していたのだ。アラバマ、アーカンソー、ケンタッキー、ルイジアナ、ミズーリ、オクラホマ、テネシー、テキサスの大都市圏以外で暮らす女性は、一九九〇年から二〇一六年のあいだに「平均寿命が一年近く縮んだ」。その原因は？　喫煙、精神疾患、神経疾患、薬物の過剰摂取である。

　女性の役割の変化は、高校中退者にも影響を及ぼす。当時、デューク大学の博士研究員だったアルン・ヘンディは次のような事実を発見した。「一九九〇年以降、すべての学歴、人種、性別において平均寿命は延びるか同水準を保ってきたが、ひとつだけ例外があった。高校を出ていない非ヒスパニック系の白人女性である」この層は、この二〇年で平均寿命が二年半も短縮していた。白人の住民が圧倒的に多い、アーカンソー州ケイブ・シティで暮らしていたクリスタル・ウィルソンは、三八歳で亡くなった。専業主婦のウィルソンは、病的な肥満で糖尿病を患っていた。彼女は「結婚のために高校一年で中退した」。《アメリカン・プロスペクト》誌の編集委員モニカ・ポッツは書いている。[23]「このあたりでは人生とはそういうものだ」また、地元の学区で技術コーディネーターを務めるジュリー・ジョンソンは言う。「あなたが女性で、ちゃんとした教育を受けていなければ、チャンスはほとんどありません。結婚して、子どもを産んで……働いていなくてもそれなりに食べていけて……悲惨なサイクルです」高校を中退した白人女性を死に追いやった原因が何かについて、ジョンソンは何と答えたのだろうか。「時代の絶望感です。詳しい事情は何もわかりませんが、絶望が彼女たちを死に追いやるのです」

全体的に、二五~四四歳のアメリカ人の死亡率は急増している。「今日の若者は、二〇〇八年の世界金融危機に続く景気後退をくぐり抜けて成人する、という困難を体験した。そして大人への移行が遅れ、結婚率が低下し、親と同居する若者の割合も増えている」イルマ・イロとその共同執筆者は指摘する。「この年齢層は薬物やアルコールの濫用率が上昇し、今後数十年のあいだ、それらの行動を原因とする疾病率や死亡率が増加するかもしれない」本書で論じたような追い風の恩恵を受けられない、多くのミレニアル世代の男女を待つのはそのような未来である。

ガラスの天井、あるいは分厚い男性の層

「女性にとってガラスの天井などというものはありません」そう主張するのは、作家のローラ・リズウッドだ。[24]「ただ分厚い男性の層があるだけです」女性が人生を捧げて仕事に打ち込んでも、無限の障害に行く手を阻まれる。二〇一五年、《ニューヨーク・タイムズ》紙は「大手企業の女性経営者は、ジョンという名前の男性経営者よりも少ない」という見出しの記事を掲載した。[25]S&P1500の構成企業で見た場合、「ひとりの女性CEOに対して、ジョン、ロバート、ウイリアム、ジェイムズという四人の男性CEOがいる」。教育と仕事の好機で恩恵を受けてきたにもかかわらず、世界中の大手企業で指揮を執る女性の数はわずかしかいない。全米の大企業を売上規模で番付けしたフォーチュン500で見れば、女性CEOの割合は五パーセントにも満たない。

状況はどこも似たり寄ったりだ。OECDに加盟する裕福な国の大手上場企業において、女性CE

〇は数えるほどしかいない。英国、インド、南アフリカ共和国で四パーセント。オーストラリア、メキシコで三パーセント。EU加盟国では平均して三パーセント未満。ラテンアメリカ諸国では平均して二パーセント未満。EUの最も重要な経済国であるフランスとドイツでは、まったくのゼロパーセント。唯一、中国だけが五パーセントを超え、五・六パーセント。取締役会の男女比にいたっては、半数近い（女性が四二パーセント）のは一国（ノルウェー）のみ。女性取締役が一〇パーセントを超えるのは、一五カ国だけ（アメリカは一七パーセント）。アジア諸国では、上場企業の半数において取締役会を占めるのは全員男性だ。

国際労働機関（ＩＬＯ）の調査では、女性が上級及び中間管理職の半数以上を占める国は、ジャマイカ、コロンビア、セントルシアの三カ国だけだった。三つともカリブ海に面する国である。二〇一〇年代の後半、アメリカでその数字は四三パーセントだった。調査対象国の二〇パーセントで、上級及び中間管理職に占める女性の割合は二〇パーセントに満たなかった。イスラム教の国となると、一〇パーセント未満に低下する。というわけで、働く女性の数が増え、男性をしのぐ速度で富を蓄えているのにもかかわらず、企業の上層部を牛耳っているのは依然、男性なのだ[26]。

政治の世界に目を移しても、やはりがっかりするような数字が並ぶ。二〇一七年末の時点で、立法部門で女性が男性の数を上まわっていた国は、ルワンダ（六四パーセント）とボリビア（五三パーセント）だけ。対照的に、議会に女性がただのひとりもいない国は五つ。南太平洋に浮かぶトンガ、ミクロネシア、バヌアツと、中東のカタール、イエメンである。女性が議会に占める割合が一〇パーセント未満の国は二六カ国。二〇パーセント未満の国が六四カ国。一九九〇年に、女性が議会に占める割合は世界全体で平均一〇パーセントだったが、二〇一七年には二一パーセントに跳ね上がった。アメリカは平均をわずかに下まわる一九パーセント。意外にも女性の割合が最も高いのは、サウジアラビアの二〇パーセントである。次に行政部門で見ると、女性が閣僚の半数以上を占めるのは、保健、文化、雇用、通商、教育、女性問題、環境及びエネルギー、家庭及び子ども、社会問題の部門においてのみだった。経済と社会全体において、女性のほうが強い存在感を示す分野である。

女性が充分にその割合を確保しているように見えるのは、国の官僚制度では上級公務員だけである。女性が五〇パーセント以上を占める国はハンガリー、ロシア、リトアニア、エストニア。四〇パーセント以上はカナダ、スウェーデン、スロベニア、カザフスタン。どこも国家社会主義だった国か、安定した福祉国家である。上級公務員の採用を競争率の高い試験で決める時、明らかに成績がいいのは女性のほうだ。二〇三〇年には、政府の官僚制度のほとんどの上級職を、学位を持つ女性が占めているだろう。

職に就いたら就いたで、今度は賃金格差に苦しめられる。オーストラリア、英国、韓国、ニュージーランドでは、はるか以前から男女の賃金格差を違法と定めてきたが、そのような先進国でさえ、女性の賃金は男性より三〇パーセント以上も低いと見積もられる。日本と欧州諸国では、賃金格差は最低でも二〇パーセント。アメリカではどの職業でも約二二パーセントであり、管理職で一九パーセント、経営陣では三三パーセントにのぼる。

二〇三〇年が近づくにつれ、管理職に就く女性の数は増えるにしろ、まだ少数派だろう。民間部門で管理職に就く女性の数は著しく少なく、公共部門では半数に近づいているのかもしれない。しかしながら、この二、三〇年間、賃金格差がいっこうに縮まらなかったことを考えれば、男女間でその格差がなくなるとは考えにくい。それでも、リーダーの地位に就く女性が増えれば、状況は改善するのだろうか。

リーダーの女性は「威張りたがり屋」なのか

英国の首相だったマーガレット・サッチャーとドイツの首相アンゲラ・メルケルには、少なからぬ共通点がある。[27]どちらも保守系の政党を率いて選挙で勝ち、首相の座に就いた。どちらも化学畑の出身である。オックスフォード大学を卒業したあと、サッチャーはしばらく食品複合企業J・ライオンズに勤め、アイスクリームをソフトクリームにするプロセスの開発に携わり、おおぜいの子どもたちを大喜びさせた。《アトランティック》誌はサッチャーを、有名なあだ名の「鉄の女」に引っ掛けて「ソフトクリームの鉄の女」と呼んだ。政治家時代のサッチャーには、ほかにもあだ名があった。「食料雑貨商の娘」「ミルク泥棒（スナッチャー）」（教育相だった時に、小学生に牛乳を無料配布していた制度を大幅に縮小して予算削減を図ったことから）「メンドリ（ヘン）族のアッティラ大王」など。フランス大統領だったフランソワ・ミッテランは、「カリギュラの目とマリリン・モンローの唇を持つ」女性とまで呼んでいる（カリギュラはローマ帝国皇帝。残忍な独裁者のたとえ）。驚くべき女性蔑視だ。

メルケルの経歴はサッチャーとは大きく異なるが、やはり性差別的な発言を引き出した。メルケルは量子化学の博士号を取得し、研究員として数年間働いた。ベルリンの壁が崩壊した時、政治の道に進もうと決め、その一年後にドイツ連邦議会議員に立候補した。メルケルは様々なあだ名で呼ばれる。

「世界で最も影響力のある女性」、政治に対する穏やかで反論の出ないアプローチから「ムッティ」（ドイツ語で「お母さん」の意味）。欧州債務危機で緊縮政策を強硬に主張した姿勢から、「フラウ・ナイン」（ミセス・ノー）。

サッチャーとメルケルの大きな類似点は、どちらも権力を持つ女性であることだ。権力を持つ女性にとって不運な傾向は、個人のパーソナリティに関係なく、真っ先に女性として、そしてたいてい「威張りたがり屋」に見られてしまうことだ。ウェブサイトの「バン・ボッシー」（バンは「禁止」、ボッシーは「威張りたがり屋」の意味。「威張りたがり屋」という言葉を使用禁止にしようと呼びかけるサイト。シェリル・サンドバーグの支援を中心に開設された）は訴える。[28]「小さな男の子が自分の意見を主張すると、『リーダー』と呼ばれる。ところが、小さな女の子が同じようにすると『威張りたがり屋』と呼ばれてしまう」このような違いに付随する問題は、「『威張りたがり屋』のような言葉が、あるメッセージを送っていることだ。自分の意見を言うなとか、言いたいことをはっきり言うな、というメッセージである。中学校に入る頃には、女子は男子ほどリーダーになることに興味がなくなる。その傾向は大人になっても続く」。フェイスブックのCOOで、ベストセラー本の著者でもあるシェリル・サンドバーグは言う。「小さな女の子は威張りたがり屋ではありません。その子はすばらしいリーダーシップ技術の持ち主なのです」

だが、サッチャーやメルケルのように権力の頂点に達した（数少ない）女性の経歴には、さらに深い側面がある。ハーバード大学ビジネススクール社会学部教授のロザベス・モス・カンターは、イェール大学で教鞭を執っていた一九七〇年代に、次のような発見をした。「お飾り（トークン）」の立場か少数派の環境で働く時、女性は男性と行動が異なるため、男性とは違う受け止められ方をする、と。女性が圧倒的に少ないそのような状況では、お飾りの女性は注目を集め、多数派の男性に揶揄されやすく、より大きな仕事の重圧に耐え、前もって決められた女性の役割に沿った行動を期待される。そのような〝かたちばかりの平等主義〟の状況で、構造的な力が蔓延していることを考えれば、トップに上り詰める前に諦めてしまう女性が多いのも無理はない。たとえ首相執務室かＣＥＯの豪華な執務室にたどり着いた時にも、その行動も業績も常に男性とは違った目で見られる。

サッチャーとメルケルが首相になる前、カンターはすでに組織の女性が陥りやすい四つの「役割の罠」を指摘していた。彼女が明らかにしたのは、「ペット」「誘惑する女」「戦闘用の斧」「母親」の四タイプである。まず「ペット」は「可愛いか優しいか少女っぽい」ため、ほとんどまともに相手にされない。次の「誘惑する女」は「ビッチ、魔女、嫌な女、妖婦、男たらし」で男女どちらにも嫌われる。そして「最大の非難の的になるのが、『戦闘用の斧』の役割の罠に陥る女性です」そう説明するのは、英国のアストン大学で教鞭を執る社会言語学者のジュディス・バクスターだ。「歴史的にはマクベス夫人の系譜ですが、最近ではマーガレット・サッチャーがそうでしょう。彼女は恐ろしく、厳格で、意地が悪く、威張りたがり屋の女性として、あるいは男みたいな女として風刺されます」いっぽうのメルケルが当てはまるのが最後のステレオタイプ、「母親」あるいは女性教師である。「女性教師、威張りたがり屋、時代遅れ、母親などとよく呼ばれます」

二〇三〇年が近づくにつれ、女性リーダーに対する態度は急速に変わりつつあるようだ。二〇一七年、ギャラップは次のように報告している。[29]「男女どちらの上司を望むかについて、アメリカ人の意識調査を開始して以来、初めて過半数［五五パーセント］が、どちらでも違いはないと答えた」また、回答者の二三パーセントが選べるなら男性がいいと答え、二一パーセントが女性がいいと答えた。その差は、プラスマイナス四パーセントの誤差の範囲だ。ギャラップが最初にこの質問をした一九五三年当時は、六六パーセントが男性を選び、女性と答えたのはわずか五パーセントで、全体の二五パーセントが特にこだわらないと答えた。興味深いのは、二〇一七年の調査で、特にこだわらないと答えたのは女性の四四パーセントに対して、男性が六八パーセントだったことだ。この調査が示すのは、先にも述べたように、女性の意識や行動が年齢や学歴、居住地によって大きく異なることである。

この調査が行なわれたのは、ハーヴェイ・ワインスタインのスキャンダル（映画プロデューサーだったワインスタンが、多数の女性にセクハラ行為を繰り返していたとされる事件）が明るみに出た一カ月後であり、「Ｍｅ Ｔｏｏ運動」という強烈な文化的清算の最中だった。それでも女性が〝かたちばかりの平等主義〟の呪い――すなわち、少数の暴政――を克服し始めた、と信じるに足る理由がある。幅広い職場で働く女性の数が増え、より高い地位に就くようになると、女性の役割と地位に急激な変化が起きるだろう。二〇三〇年になる頃には、かなりの割合の女性が政治、社会、実業界でリーダーの地位に就き、最も露骨なかたちの差別の基盤を、きれいさっぱり打ち砕いているかもしれない。

ロザベス・モス・カンターの理論は、結婚市場の力学を説明する際にも役に立つ。[30] 一九四〇年代、アメリカの女性は、仕事で野心を抱かないように言い聞かせられた。「警告！　恋人よりも利口に見えてはなりません」ある自己啓発書はそう説いている。「恋人と同じくらい利口なことはいいことです。けれど、実際に恋人よりも利口か利口に見えるのは――タブーです」この手の助言が世に出たのは、第二次世界大戦のせいでアメリカが男性不足に見舞われた時だった。その根底にあるのは、頭の良さが目立つタイプは敬遠され、もっと「女性らしい」タイプが好まれるという考えだ。それが当時の一般的な風潮だった。

今度はこう想像してみよう。不足しているのが、男性ではなく女性だとしたら？　そう、今日の中国のように。中国では博士号を取得した女性を、男性が結婚したがらない女性という意味で、よく「第三性」と呼ぶ。中国の雑誌の記事は決まってこう訴える。[31]「有能なキャリアウーマンにとって、撒嬌（サージアオ）［恥ずかしがり屋で可愛く、優しい女性の振り］は、恋人の前で自分をあまり独立心が旺盛か、自立した女性に見せないために不可欠な方法だ」と。さらにはこうも助言する。「伝統的な女性らしさの概念に異議を突きつける、タフでパワフルという特徴と違って、サージアオはソフトで女性らしく見せてくれる」駄目押しとばかりに、こんな一言まである。「男性の自我をくすぐることで、女性は不可能に近いことまでやってのける。自分の恋人に男らしく感じさせるのだ」

女性がとつぜん好機と自由を手に入れた時、性差に基づくステレオタイプにどんなことが起きるのか。こんな例を紹介しよう。二〇一八年に、サウジアラビアで初めて女性の運転が認められるようになると、女性たちが購入する車の種類に誰もが驚いた。[32]「サウジアラビアの車のショールームが飾ったのは、女性に人気があると思われた、たとえば明るい色の小型ＳＵＶだった」《ウォール・ストリート・ジャーナル》紙は報じている。「ところが彼女たちが選んだのは、排気音が轟く速いモデルだった」世間では一般に、男性はパワーと加速にこだわり、女性は乗り心地と安全性を重視すると考えがちだ。「女性たちはまず、小さなエンジンの小型車を選ぶものと思っていました」アウディの女性販売員も述べている。だが、女性の運転する権利を訴えてきた六四歳の活動家で、一六歳の孫もいるサハル・ナシーフが望んだのは、ムスタングのオープンカーだった。「あれがずっとわたしの憧れの車だったの」その好みを聞いたフォード・モーターが、プレゼントを申し出た。するとナシーフが選んだのは、黄色と黒のド派手なタイプだった。好きなサッカーチームのクラブカラーだという。「わたしがこの車を好きなのは、この轟音のせいね」ナシーフはそう答えている。

ナシーフの行動も、カンターの理論で説明できるのかもしれない。サウジアラビアの通りを車で駆け抜ける女性の数はまだ少ない。初期採用者であるサウジの女性たちの行動を見ていると、彼女たちがステレオタイプを覆そうとし、男性と対等な立場に立っているかのようだ。

二〇三〇年の世界は女性が制しているのか

苦労の末、女性が新たな社会的地位を勝ち取ると、権力構造に変化をもたらすかもしれない。[33] スキャンダルも腐敗も、暴力も減るかもしれない。そう指摘する研究者が増えている。あるいは、女性が新たな社会的地位を得ると、明確な二分化を生み出し、ごく一部の女性だけが恩恵を享受し、それ以外の女性は周縁に追いやられて、社会的対立が減るどころか増すのかもしれない。だが、企業の管理職か政府内の立場かに関係なく、女性はその影響力を行使し、少子化と高齢化が進展する世界において、より多くの富を支配して、その富を女性にとって重要な――教育や医療といった――分野に振り向けるだろう。

影響力を持つ女性の数が増えるにつれ、女性をリーダーとして受け入れることは新常態（ニューノーマル）になるのだろうか。男女の完全な平等などというユートピア的理想は、二〇三〇年には実現しそうもない。特にこのところの変化の速度が遅いことと、差別に遭っていたり、機会を奪われたりしている女性がいまだ多いことを考えれば。

だが最も見極めが難しいのは、男女の権力や地位の均衡とはほとんど関係のない要素である。都市の拡大に伴い、女性は新たな機会を手に入れる。だが、地球温暖化は都市のスプロール化によっても加速する。これについては次章で紹介しよう。気候変動で最も悪影響を被るのは、女性と子どもである。[34]

第五章：都市が最初に溺れる

地球温暖化、ヒップスター、俗世のサバイバル

どんな都市も、どれほど小さくとも、実際、ふたつに分かれる。貧しい者の都市と富める者の都市である。

——古代ギリシャの哲学者、プラトン

二〇三〇年が近づくにつれ、都市はやがて来たる世界の縮図になるだろう。これまで取り上げてきたそれぞれの動向が、どこよりも早く進展するのが都市だ。出生率はいち早く低下し、そのスピードも速い。ミレニアル世代の行動パターンは実際、極めて都会的だ。新しいミドルクラスは人口が集積する大都市に暮らす。女性の人生の可能性がより早く実現し、その行動がより速く変化するのも人口が密集する都市部だ。都市は変化をもたらす巨大な原動力であり、私たちが知るいまの世界の終わりを促す触媒になってきた。

陸地面積の一パーセントを占める都市に、世界人口の約五五パーセントが暮らしている。[1]言い方を

換えれば、地球の陸地面積およそ五億一〇一〇万平方キロメートルのうち、都市面積はおよそ五一八万平方キロメートルにすぎないのに、都市人口は四〇億人を数え、一平方マイル（二・六平方キロメートル）に平均二〇〇〇人が暮らしている。そう考えれば、かなりの混み具合である。都市は全エネルギー消費量の七五パーセントを消費し、全二酸化炭素排出量の八〇パーセントを排出している。このように都市部は、農村部とは比較にならないほど地球温暖化を促進しているが、さらに加えて、都市はビルをぎっしり収容し、その表面をアスファルトやコンクリートで舗装し、非常に効率よく熱を閉じ込めている。いわゆる「ヒートアイランド現象」である。

　これらは現時点での数字に基づいたものだ。

　将来を見通すと、都市化を示す動向が目立つ。世界の都市人口は毎週一五〇万人ずつ増加し、建設、汚染、温室効果ガス排出の新たなサイクルを生む。二〇一七年、一〇〇〇万人以上の人口を擁する都市は世界で二九カ所だった。二〇三〇年までにはその数は四三都市に増え、一四都市が二〇〇〇万人以上を抱えるだろう。都市は不平等を増幅させる。不平等が世界的に当たり前の現象になると、人類は破滅的な社会危機と気候危機にじりじりと近づいていく。都市の貧困と地球温暖化について、どんな手が打てるだろうか。私たちに必要なのは、大きな変化だろうか、それとも行動をほんの少し適応させることだろうか。都市は食料を自給自足すべきだろうか。欧州やアメリカの錆びついた工業地帯（ラストベルト）で荒廃していく都市は、その運命を好転できるだろうか。

都市はいろいろな意味でホットだ

二〇一八年一〇月、国連が招集した気候変動に関する政府間パネルは新たな報告書をまとめ、次のように警告した。[2] 破滅的な気候変動を回避するためには、「二〇三〇年までに、世界の人為的な正味二酸化炭素排出量を、二〇一〇年比で約四五パーセント減少させ、二〇五〇年頃に『正味ゼロ』を達成する必要がある」。言い換えれば、沿岸部の洪水を回避し、異常気象現象の頻度を下げ、農業に対する広範な悪影響を防ぐためには、二〇三〇年の前に断固たる措置がとられていなければならない。さもなければ……というわけだ。

「今後の数年が、おそらく人類史において最も重要でしょう」そう注意を促すのは、報告書の作成に携わった作業部会のひとつで共同議長を務めたデブラ・ロバーツだ。二〇一九年五月、国連はまたも悲観的な報告書を発表し、気候変動がこのまま続けば、現存する（八〇〇万種のうちの）一〇〇万種の動植物が、数十年以内に絶滅の危機に瀕すると警告した。気温の上昇に伴い、都市の住民は地獄のような体験をするかもしれない。「増加する都市の住民にとって、非常に危険な動向だ」と、ベルギーの科学者ヘンドリク・ウッターズは指摘する。[3]「高温は過度の死亡率、入院、エネルギー利用、経済損失をもたらし、それらは都市のヒートアイランド［現象］によってさらに悪化する」

このままのペースでいくと、未来を危うくするばかりか過去まで破壊しかねない。エジプト学者のサラ・パーカクによると、世界には地図に載っていない古代遺跡がいまだ五〇〇〇カ所もあり、都市の拡大に伴い、少なくともその半数が盗掘や気候変動、規制のない建設によって破壊の危機にあるという。それが、二〇三〇年までに起きるのだ。その対抗策として、パーカクはクラウドソーシングのプラットフォーム「GlobalXplorer」を立ち上げた。《ザ・ニューヨーカー》誌の専属ライターであるニック・パームガーテンは、その民主的精神を称え、次のように報じた。「市井のインディアナ・ジョーンズたちが衛星写真の地図を精査して、新たな遺跡を割り出すことができ……このアイデアは、二酸化炭素排出量や飽くなき欲望との戦いにおいて、より多くの見張りを（そして最終的には、より善意に満ちたアマチュア発掘作業員を）配置することになる」

農村部や人の住んでいない土地と比べて、都市部は気候変動と海面上昇の影響をますます受けるだろう。都市部の約九〇パーセントは沿岸部に位置し、二〇二五年になる頃には、世界人口の七五パーセントが沿岸部かその周辺で暮らしていると見られる。ミドルクラスが最も急速に増加し、世界人口の六〇パーセントを抱えるアジアの巨大都市は、とりわけ海面上昇による水害を受けやすい。ジャカルタ、マニラ、ホーチミン・シティ、バンコク、大阪、ダッカ（バングラディシュ）、上海などだ。アジア以外でリスクが極めて高いのはニューオーリンズ、マイアミ、ベネツィア、アレキサンドリア（エジプト）である。

都市の発展はまた、二〇三〇年の世界の重要な特徴を悪化させる。すなわち、不平等である。これは、昨日今日に始まった問題ではない。「どんな都市も、どれほど小さくても、実際、ふたつに分かれる」プラトンは二四〇〇年も前に書いている。「貧しい者の都市と、富める者の都市である」一九二七年に公開されたドイツのフリッツ・ラング監督の無声映画「メトロポリス」は、未来都市を描き、プラトンの考えを銀幕に映し出した。ラングの映画は分裂した社会を描き出す。地下では労働者が汗水たらして働き、上層階の都市では富裕層があかりの消えたことのない生活を満喫している。都市には、未来的な乗り物、電車、飛行機、摩天楼、陸橋や地下道もある。主役はふたり。市長の裕福な息子のフレーダーと、労働者階級の娘マリアである。そのふたりが持てる者と持たざる者との差を埋めようとする。映画全体を貫く美的センスや、ビジュアルのテーマやモチーフは、キュビズムや表現主義、アールデコの影響を受けており、今日の都市の多くを想起させる。映画は、深い印象を残す言葉を映し出して終わる。「頭と手の仲介者は心でなければならない」。当初はこの映画に対する反応も様々だったが、今日、「メトロポリス」は先駆的な名作と評価され、富裕層と極貧層とに分裂した巨大都市が、最終的にたどり着く姿を予見した映画だと考えられている。

今日、私たちが目にする都市の力強い発展は、比較的最近の現象である。少し長いスパンで見ると、一九二〇年代に一〇〇〇万人を擁する都市はなかった。それどころか、一〇〇〇万人を超える都市はほんの数えるほどだった。そして、人類が初めて月面に降り立った一九六九年のあともしばらく、一〇〇〇万人を超える都市はニューヨークと東京のふたつだけだった。二一世紀の幕開けとともに都市の発展は加速し、都市での生活がニューノーマルになった。これらの変化はすべていいことだろうか。プラトンの弟子のうち、後世に最も強い影響を残したアリストテレスは指摘している。「大都市と人口の多い都市とは混同されるべきではない」

実際、世界の大都市の多くが非人間的で魂を失い、人間関係が希薄だ。二一世紀イタリアの形而上絵画の旗手ジョルジョ・デ・キリコは、未来的だがうら寂しい都市の光景を捉えて、その特徴を見事に描き出した。モダニストの建築家と都市プランナーは、「レス・イズ・モア（少ないほど豊か）」と宣言した。二〇世紀を代表する建築家ルートヴィヒ・ミース・ファン・デル・ローエの言葉であり、余計なものを削ぎ落としたそのデザインは、都市を幾何学と反復の実践の場へと変え、都市は大通り、街区、立方体のような建物、柱、窓などが際限なく連続する空間となった。簡素なモダニズム建築はたちまちブルータリズム建築へと劣化し、コンクリートとガラスの醜い塊を生み出した。「摩天楼とそれを覆う天空との戦いほど、詩的でおぞましいものはない」一九二九年にニューヨークを訪れたあと、詩人のフェデリコ・ガルシア・ロルカはそう述べている。それから数十年も経ってようやく、ポストモダンの建築家ロバート・ヴェントゥーリが、「レス・イズ・ボア！（少ないほど退屈だ）」という彼独特の変わったアプローチで、モダニズム建築の流れを変えることになる。

言うまでもないが、大都市が拡大すれば交通渋滞から大気汚染、廃棄物処理から貧困や不平等まで問題もさらに多様化する。地球温暖化や格差拡大を阻止する戦いにおいて、都市は活動の出発点なのだ。だが、山積する問題に圧倒されている場合ではない。「成功を摑むために最も重要なことは、『～だったらいいのに』と言うのをやめて『私は成し遂げる』と言い始めることだ」とチャールズ・ディケンズは述べている。[4]「不可能なことは何もないと考え」、都市が直面している問題に水平思考で取り組み、「可能性は実現できるものと捉えることだ」。

都市の光――そして影

衛星画像を使えば、夜間照明で光輝く都市の「夜間光地図」が作成できる。ＮＡＳＡが提供する図8を見てほしい。

夜間光の強さは、世界各地の生活水準と密接な相関関係にあり、研究者は従来の方法で集めた公式統計の情報を、夜間光データを用いて検証したり、両方のデータを組み合わせて、より詳細な実態を

図8

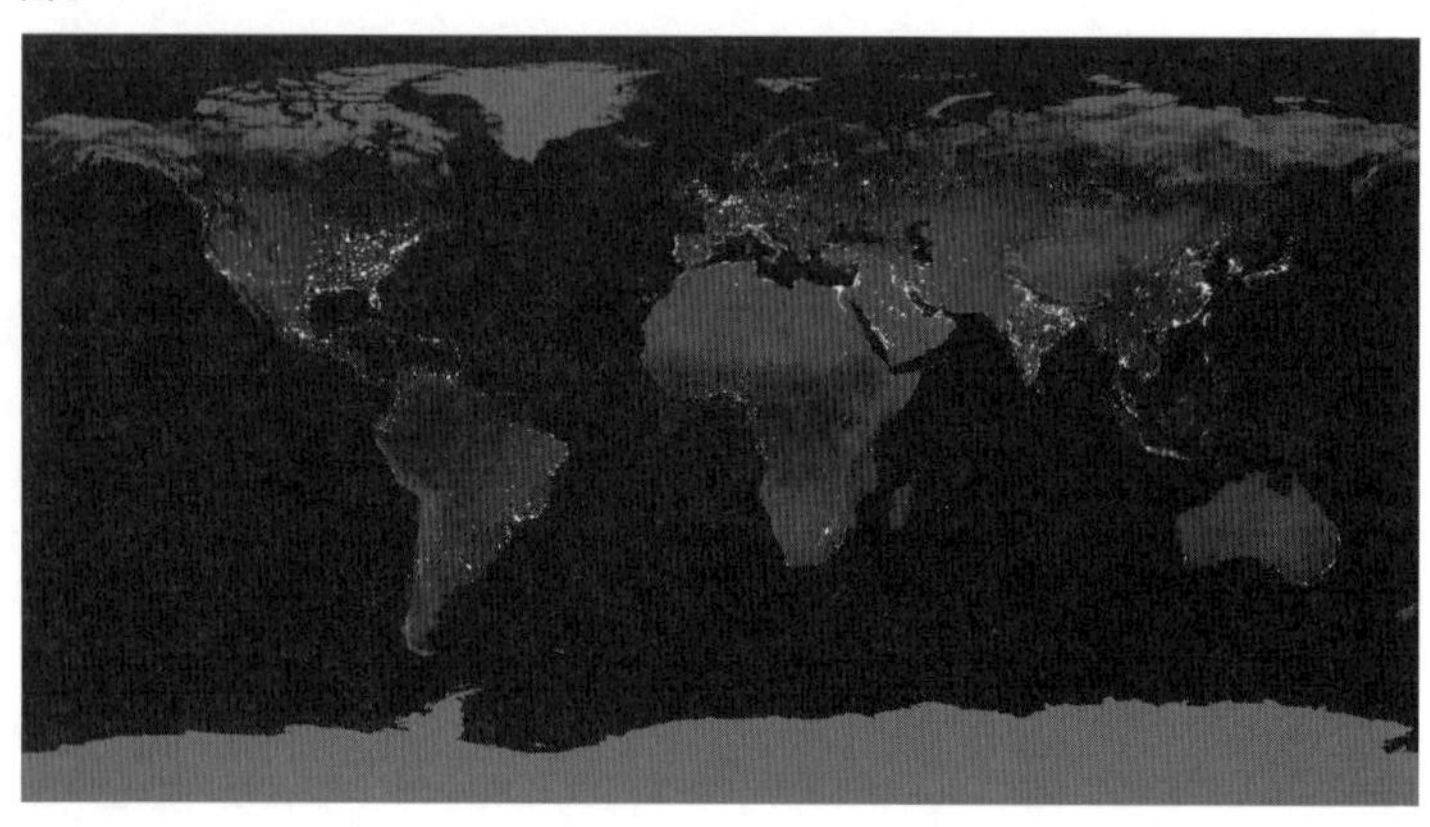

割り出したりする。だが人工衛星のデータが語らない事実もある。それは、都市を彩る眩い光の下には、所得と富の拡大する不均衡から生まれた巨大な貧困エリアが点在することだ。[5] 英国の下院図書館は重苦しい報告のなかで、二〇三〇年になる頃には、上位一パーセントの最富裕層の大半が都市に暮らし、世界の富の三分の二を所有すると試算した。二〇一八年、香港には三〇〇〇万ドル以上の純資産を有する超金持ちが一万人いた。ニューヨークの九〇〇〇人をしのぐ人数だ。その二都市に加えて東京、ロサンゼルス、パリ、ロンドン、シカゴ、サンフランシスコ、ワシントンDC、大阪が、超富裕層が暮らす世界の上位一〇都市である。ところが、香港にはかなり高い割合で貧困層も存在する（二〇パーセント）。市当局のデータによれば、ニューヨークもまた同じだという（一九パーセント）。

二〇一九年にアメリカ政府が定めた貧困ラインは、四人家族で年収二万八一〇〇ドルだった。[6] その基準を当てはめれば、テキサスのマッカレン＝エディンバーグ＝ミッション・メトロポリタン地域は、住民の三〇パーセントが貧困だ。ジョージア州南部のバルドスタは二六パーセント。カリフォルニア州ビセイリア＝ポータービルは二五パーセント。インディアナ州ブルーミントンは約二三パーセント。二〇一七年の全米平均は一二・三パーセント。リンドン・ジョンソン大統領が貧困との戦いを宣言してから六〇年が経つ。一九六〇年代当時、アメリカの貧困率は一九パーセントだった。都市に極度に集中しているのは富だけでない。貧困もそうだ。つまり、都市は人生の浮き沈みを増幅させ、都市生活者を好機と不利益の両極端に引き裂くのだ。

＊＊＊

連邦議会議事堂が建つキャピトルヒルから、ほんの数ブロックのところに、アメリカでも最貧のスラム地区が広がる。貧しい物納小作農だったロサ・リー・カニンガムの祖父母は、一九三二年、ノースカロライナ州の片田舎リッチ・スクエアからワシントンDCのその地区に移り住んだ。「ロサ・リーの人生は、荒廃した地区の半世紀に及ぶ苦難の物語だ」と、《ワシントン・ポスト》紙の調査ジャーナリスト、レオン・ダッシュは書いている。[7]「貧困の連鎖を断ち切ろうと政策立案者が繰り返し試みてはたいてい失敗に終わった、壮麗な建物からさほど遠くない場所で」、八人の子持ちのロサ・リーが初めて妊娠したのは一三歳の時だった。一六歳で結婚。数カ月もしないうちに夫に殴打されるようになり、両親の家に逃げ帰った。自分で借りた家に移ったのは、それから何年も経ったあとである。ダッシュによれば「ロサ・リーは貧困、非識字、犯罪の蔓延する世界で生きた」。子どものうちのふたりは、何とか安定した仕事に就いた（独り立ちして別の家に移り住んだ）。彼女の一家は狭苦しいアパートメントで暮らし、いちばん上の息子はリビングで眠った。別の息子はケンタッキーフライドチキンの店で長時間フライヤーを掃除し、仕事が終わるとコカインを吸った。ロサ・リーは娘のひとりと一緒のベッドで眠り、その十代の息子は、少年犯罪者のグループホームに通っていた。ロサ・リーの別の娘はコカイン所持で一一カ月の刑期を終え、もうひとつしかないベッドルームを彼女自身の三人の娘と占領していた。そういうわけで三世代九人の大所帯だった。

「ロサ・リーは、ほとんどの子どもにとってセーフティネットだ」とダッシュは言う。子どもたちは「ノマドのような生活を送っている。友だちの部屋から刑務所へ、ストリートへ、そしてロサ・リーの元へと」。ロサ・リーはワシントンDCで暮らした四五年のあいだに、一八回も引っ越した。家族にとって、彼女の収入だけが「定期的な収入だったが、すべてが合法的ではなかった。貧困障害者対象の連邦補足的保障所得プログラムから毎月四三七ドルを受け取り……残りは、万引きした商品を売ってお金に換えた」。彼女は一九八八年にエイズと診断され、一九九五年に亡くなった。「貧困という現象は、地方と都会のコミュニティに住むあらゆる人種のアメリカ人に打撃を与えてきたが、とりわけその影響を集中的に被ってきたのが、都市のスラム街に住むアフリカ系アメリカ人だった」

ロサ・リーのふたりの息子はミドルクラス入りを果たし、そのうちのひとりエリックはジープを運転し、ワシントンDCの郊外で暮らした。八人きょうだいのなかで、エリックとアルヴィンだけが薬物に手を出さず、刑務所の世話にならなかった。ふたりとも陸軍に入った。母親が亡くなった時、アルヴィンはバスの運転手をし、エリックは重機のオペレーターとして臨時雇いの仕事をいくつもこなしていた。「一家のあいだで薬物濫用が仕切り壁となり、お互いを隔ててきた」ダッシュは続ける。「アルヴィンとエリックは、ほかの兄弟と一緒に休暇を過ごさない。（きょうだいが）最後に彼らの家を訪れたのはいつのことだったか、ふたりとも覚えていない。顔を合わせる機会があったとしても、それはたいてい、亡き母が住んでいたアパートメントの問題をふたりが解決する時だけだ」

都市の貧困層と貧窮化したミドルクラスがあくせく働き、毎日を生き抜くいっぽう、富裕層は恵まれた生活を送る。「土曜の夜はいつもニューヨークで過ごした。なぜなら彼［ジェイ・ギャツビー］が開く、あの光輝く、眩いばかりのパーティがとても鮮やかに甦り、音楽や笑い声が庭のあちこちから、かすかに、絶え間なく聞こえるだけでなく、車まわしを出たり入ったりする車の音までするような気がしたからだ」F・スコット・フィッツジェラルドは書いている。[8]「ある夜、本物の車の音が聞こえ、玄関の階段のところでヘッドライトが消えるのも見えた。でも、確かめたりしなかった。たぶん、地の果てにでも出かけていて、パーティが終わったことを知らない最後の客だろう」そのような上流の世界では、金持ちは金持ちどうし、社会の評価をめぐって争う。経済学者のソースティン・ヴェブレンは一八九九年に書いている。[9]「富の蓄積に伴い、有閑階級の機能と構造はさらに発達し、同じ階級のなかで分化が生じる……裕福な有閑階級のなかでも、生まれか財産、あるいはその両方で最上位か最上位に近い人たちは、より地方の出や財産がそこまで多くない者よりも地位が上になる」

カウチポテトとソーシャルメディア

だが都市の未来をかたちづくるのは、ほとんどがミドルクラスだ。第三章で紹介したように、拡大する都市のミドルクラスは現代の消費者経済の背骨を構成し、地方の住民とはまったく異なる生活を送る。レジャーやエンターテインメントにお金を使いたがる。そして、より多くのカーボンフットプリント（二酸化炭素の足跡）と、デジタルフットプリント（インターネット利用時の記録の痕跡）を残す。都会の住民とそのライフスタイルが、技術と消費の未来をかたちづくるのは、彼らがまさに人口の多数派になったからにほかならない――企業は、彼らの行動をもとに新商品を開発し、マーケティングの仕掛けを考え出す。都市の消費者が増えれば増えるほど、都会的な消費を生み出し、その連鎖は果てしなく続く。

そして都市の拡大に伴い、「都会のカウチポテト」現象が蔓延する。二〇一七年、世界には肥満人口（六億五〇〇〇万人）より、飢餓人口（八億二一〇〇万人）のほうが多かった。[10] だが二〇三〇年になる頃には、世界の肥満人口が飢餓人口を大きく上まわり、一一億人に達すると見られる。ミドルクラスの増加によって、アジアとアフリカの飢餓人口は控えめに見積もって二億人を下まわる。肥満の増大を引き起こしたのは、都市人口の爆発と座りがちなライフスタイルだ。食生活の変化や加工食品の消費にも原因がある。肥満が増えると、様々な健康問題のなかでも特に心臓疾患、糖尿病、関節痛や筋肉痛に苦しむ人が増える。特大サイズの服や大きめの座席、ジムやダイエットの指導を望む声が大きくなるだろう。

ＷＨＯでは、ボディマス指数（ＢＭＩ）が二五～三〇を過体重と定義する。[11] ＢＭＩ三〇以上が肥満だ（日本では二五以上を肥満に分類）。一九八〇年以来、世界の肥満人口は二倍以上に増加した。二〇一六年、一九億人以上の成人が過体重で、六億五〇〇〇万人が肥満だった。実に世界人口の四人にひとりが過体重か肥満と定義される。さらに悪いことに、四一〇〇万人の就学前の児童が過体重か肥満だった。同じ二〇一六年、過剰な体重に関連する健康問題が原因で命を落とした人は、全年齢で少なくとも二八〇万人にのぼった。通常の生産的な人生を送れない人も増加した。つまり職を失い、社会的な仲間はずれにされ、何らかの病気を患ったのだ。ＯＥＣＤによれば、「アメリカ、メキシコ、ニュージーランド、ハンガリーで成人の肥満率が高く、日本と韓国で最も低く……成人の肥満率は二〇三〇年頃にはさらに増加しているだろう」[12]。肥満は男性より女性に、ミドルクラスより貧困層に影響を及ぼす。

肥満の蔓延がとりわけ深刻なのはアメリカだ[13]。世界人口のわずか四パーセントを占めるにすぎないアメリカ人が、世界の総ボディマスのほぼ一八パーセントを占めている。国立衛生統計センターによれば、アメリカ人のなんと七〇パーセントが、過体重（三二パーセント）か肥満（三八パーセント）のどちらかだという。世界平均はそれぞれ、三九パーセントと一三パーセントだ。別の言い方をすれば、アメリカ人の余分な体重は、地球上の平均的な人間、約一〇億人分に相当する。二〇三〇年になる頃には、アメリカ人の半数近くが肥満になっているだろう。ＢＭＩで四〇以上は極度の肥満であり、アメリカ人男性の五・五パーセントが、女性の実に九・九パーセントがこれに分類される。アメリカの子どもと思春期の若者のうち、一七パーセントが肥満、六パーセントが極度の肥満だ。ティーンエイジャーの五人にひとりが肥満、一〇人にほぼひとりが極度の肥満である。この傾向は増加の一途をたどるばかりだ。

中国、インド、そのほかのアジアとアフリカの新興経済国（これまで肥満より栄養不足のほうが大きな脅威だった）では、経済成長に伴い、たんぱく質の摂取や加工食品の消費、座りがちなライフスタイルが増え、不健康な都市生活を送る住民が増えた。それでも肥満率が飛び抜けて高いのは南太平洋の島国であり、場所によっては人口の八〇パーセント近くが肥満だ。[14] アメリカ領サモア、ナウル、クック諸島、トケラウ（ニュージーランド領）、トンガなどがそうだ。「かつて、南太平洋諸島の住民は遺伝的に肥満になりやすいと考えられていた」ウェブサイトのヘルスケア・グローバルは報告する。ところが最近の調査は、その原因を西洋型の食事にあると指摘する。「新鮮な魚、肉、地元で採れたフルーツや野菜などの伝統食は、米、砂糖、小麦粉、缶詰肉、缶詰のフルーツや野菜、ソフトドリンクやビールに替わった」

都市のライフスタイルの大きな特徴は、その慌ただしさにもある。とりわけ、都会の交通事情はせわしない。アメリカの大都市の商業地区では、運転時間の約三分の一を駐車場探しに費やす。ある調査によれば、ミドルクラスが存在感を増す世界の都市では、人は起きている時間の二〇～三〇パーセントを交通手段のなかで過ごすという。多くの都市が、スモッグや深刻な大気汚染と同義語になるのも当然だ。

そのうえ、都会のライフスタイルは、スマートフォンのあらゆる種類のアプリ使用と同義語になり、都市と地方の住民の行動の二分化を促す。ソーシャルメディアのアプリの利用率は極めて高い。[15] 二〇一九年一月の時点で、アメリカ、ラテンアメリカ、東アジアの一三歳以上でフェイスブック、ツイッター、インスタグラム、ウィーチャットなどのソーシャルメディアを定期的に利用した人は、全体の八〇パーセントだった。欧州と中東では、七〇パーセント以上である。対照的にサハラ以南のアフリカは二〇パーセント以下、インドでは約三〇パーセントだった（このふたつの地域では、スマートフォンの所有者がみな、ソーシャルメディアを利用するわけではない）。これらの国では、農村人口が多いために、ソーシャルメディア人口が比較的少ない。たとえ彼らがデジタルネットワークやアプリにアクセスできたとしても、小さな村の住民は直接のコミュニケーションを好む。アメリカの地方人口が一七パーセントであるのに対して、サハラ以南のアフリカとインドでは、それぞれ五九パーセントと六五パーセントである。とはいえ、都市への移住が増えるにつれ、それらの数字も急激に低下しつつある。

「リバタリアン・パターナリズム」は都市を——さらには地球を——救うか

経済全体の二酸化炭素排出量を厳格に制限する以外に、地球温暖化にできることはないのか。私たちはよくそう疑問に思う。その答えとして、日常の行動をほんのちょっと調整するだけで大きな効果があるのかもしれない。都市生活をもっと環境に優しくし、都市の住民の多くにとって、もっと耐えやすく、より楽しめるものにするために、次のふたつの基本原則を紹介しよう。そのふたつを実行しなければ、大気汚染、環境破壊、気候変動に対処するのは非常に難しいだろう。ふたつとも水平思考から生まれた原則だ。

水平思考の第一の原則は「卓越性の日常性」だ。[16] すなわち、優れたパフォーマンスはたいてい、飛躍的な進歩や生来の才能から生まれるのではなく、小さな改善の積み重ねから生まれる。社会学者のダニエル・チャンブリスは優れた競泳選手を民族的、定量的に詳細に分析した結果、その言葉をつくり出した。「最高のパフォーマンスは、意識的に習得したか偶然発見した、無数の小さなスキルや活動の集合から生まれる」のだ。オリンピックで三つの金メダルに輝いた競泳選手のメアリー・マーハーは、「成功がどれほど平凡なものか、人は知りません」と言う。成功は小さなことの長いリストから成り、それらを同時に行なった時に優れた成果を生み出す。「どの行動をとっても、特別なことや超人的な要素はない。あるのは、それらをコツコツと、正しく積み重ねていくという事実だけだ」チャンブリスはそう述べている。別の言い方をすれば、卓越したパフォーマンスとは本質的に日常的な行動から生まれる。例を挙げよう。

水泳選手は「正しいフリップターン」のやり方を、からだに覚え込ませることによって、タイムを縮める。「足で壁を蹴る際の無駄な動きを削る」ために「両腕は頭の上で小さく合わせ」、「両手は水中に」入れたままにして「空気を掻かないよう」にする。ジムでウェイトトレーニングに励んで「筋力をつけ」、「正しい食事をし」、「スピードの出やすい競技用のスイミングスーツを身につける」。マネジメントの世界的権威であるピーター・ドラッカーは、かつてこう書いている。成功する経営者になるためには「特別な才能、特別な適性、特別なトレーニングは必要ない。有能な経営者であるためには、特定の――それもかなりシンプルな――ことをすればいい」。これから述べるように、私たちの行動をほんのちょっと調整するだけで、未来の世代のために気候変動を減速させ、環境を保全する大きな効果が出る。

そして水平思考の第二の原則は、行動科学者が「ナッジ」と呼ぶものだ。すなわち積極的な働きかけか間接的な暗示によって、個人やグループの動機や意欲、意思決定に影響を与え、行動の修正を促す。「ナッジの技術」を最初に開発したのは、一九九九年に英国の科学者D・J・スチュワートが著した「アインシュタイン、マグリットに会う」と題する論文だった。二〇〇八年、リチャード・セイラーとキャス・サンスティーンが『実践行動経済学――健康、富、幸福への聡明な選択』（日経BP）を著したことで、「ナッジの科学」はとつぜん世界的な注目を浴びた。[17] セイラーたちの考えでは、基本的な問題は、人びとが公共の利益に反するばかりか、彼ら自身の利益にも反するような行動を取ってしまいがちなことだ。セイラー――その後、ノーベル経済学賞を受賞する――と共著者のサンスティーンは、ナッジの本当のすばらしさは、行動の変化をもたらし、公共と個人の両方の利益を促す可能性だと訴える。ナッジは規制、強制、強要ではない。セイラーたちはナッジを「リバタリアン・パターナリズム」と呼ぶ（パターナリズムは、強い立場にある人が弱い立場にある人の行動に、一方的に介入・干渉すること。父親的干渉）。ふたりはこう書いている。「純粋なナッジであるためには、介入は簡単に安価に回避できなければならない。ナッジは命令ではない。フルーツを（レジ横の）目の高さに置くことはナッジだが、ジャンクフードを禁じることはナッジではない」

ナッジは小さな、さりげない、お金のかからない方法で変化を起こすことで作用する。こんな例を紹介しよう。アムステルダムのスキポール空港で男子トイレの小便器の内側に、あるデザイナーが一匹の小さなハエの絵を描き、トイレの利用者が「的を狙う精度を上げることで」、床の清掃費を抑えた。ナッジはマーケティング、人材マネジメント、医療、あらゆる種類のセラピー、政策などの幅広い分野で取り入れられてきた。ナッジの技術を使えば、選挙の立候補者は資金集めに成功し、有権者を巻き込み、投票日の出足に影響を与えることができる。

私の体験談をお話ししよう。毎朝、私はフィラデルフィアの街を運転して通勤する。ところが、赤信号で停まる回数によって、通勤時間は二倍か時には三倍になり、私のカーボンフットプリントも二倍か三倍に跳ね上がる。そこで、信号が赤に変わりそうな時には、加速して横断歩道を走り抜けようという気持ちに駆られる。事故のリスクを高める極めて危険な行動だが、もし市当局が信号機の上に表示器を設置すれば、運転手はその先の信号機の状態を知ることができる。目の前の信号が黄色に変わろうとしているが、その先の信号もやはり黄色へ、やがて赤に変わろうとしているとわかれば、目の前の信号が赤に変わる直前に、無理やり横断歩道を走り抜けることは、好ましい選択肢ではなくなる。なぜなら、次の信号でどうせ停止しなければならないからだ。よりスムーズな運転ができるだろう。別の例として、車道にラインと矢印が描いてあれば、特に交差点を曲がる際には、よりスムーズな運転ができるだろう。同じように——小売業者なら承知の事実だが——売り場の通路が混み始めた時に、店内でアップテンポの曲を流すと、混雑が解消し、売り上げを大きく伸ばせる。

都市が大気汚染や交通渋滞、気候変動に効果的に対処するうえで、日常行動の調整（第一の原則）とリバタリアン・パターナリズム（第二の原則）は、罰金や炭素税、金銭的インセンティブよりも効果が大きいことが調査からわかっている。大気汚染を抑える交通手段の選択、リサイクルプログラムへの参加、環境に優しい洗剤の利用といった環境に配慮した行動は、気候変動について何とかすべきだという道徳的な義務感を人びとが強く感じてこそ普及する。人びとに問題とその影響について意識してもらい、責任感を持ってもらい、行動に移すよう促す必要があることは間違いない。だが調査はまた、環境に配慮した行動が、おもに習慣によっても促されることを示している。行動したい気はあるのになかなか行動に移せない時に、その橋渡しをするのが、建設的な習慣を身につけるように促すナッジである。たとえば、サーモスタットは部屋の温度ではなく、部屋を暖めるためにかかる電気代を表示すべきだ。自宅の一カ月の光熱費と、近隣世帯の平均値との差がわかると、エネルギー消費量が減るという調査結果もある。見せびらかし消費でなく、環境に配慮した行動で張り合うよう〝世のジョーンズ家〟を刺激するようなものだ。クレジットカードやモバイル決済を使って、もっと簡単にバス代が支払えるようになれば、公共交通機関の利用が増えるかもしれない。

「井戸が干上がってはじめて、人は水の価値を知る」

これはベンジャミン・フランクリンの名言だ。ものごとを当たり前に思うことを戒めた言葉だが、この警句の文字通りの意味はとりわけ今日の世界に当てはまる。ほとんどの場合、水は再生可能な資源だが、その質と分布はかなりの軋轢と衝突を生んできた[18]。特に都市は繰り返し水不足に陥りやすい。さらに、地球上の都市生活者の四人にひとり、すなわち一〇億人は自宅に水道がない。人口増加の地理的分布の変化、都市化の進展、ミドルクラスの増加、気候変動は、水の経済学と政治学を根本的に変えてしまうだろう。ペンシルベニア大学の私の同僚で、海洋学者であり気象予報士でもあるアイリーナ・マリノフは指摘する。「本来であれば、自然が一〇万年サイクルで起こす以上の大きなシステムの変化を、私たちはこの二〇〇年で起こしてしまったのです」

二〇三〇年頃には、水をめぐる問題は複合的になっているだろう。「アメリカ西部には、ウィスキーは飲み物、水は奪い合うもの、という古いことわざがあります」と言うのは、全米水資源協会の連邦問題ディレクターを務めるイアン・ライルだ。マッキンゼーによると、将来のインフラ開発にとって、水は輸送とエネルギーに次いで三番目に重要で費用のかかる分野だという。水は貯蔵も長距離の輸送も難しい（かつ費用がかかる）。都市の未来は、水関連の新しいインフラを築くことと、消費者から農業従事者、製造業者、エネルギー生産者までの幅広い人たちに意識的な水の利用を促すことのふたつにかかっている。

水と水管理は、大きな規模の人間社会にとって不可欠だ。エジプト、メソポタミア、インダス流域、中国、ローマなどのおもな古代文明はどこも、水管理のインフラ設備と技術を開発し、市街地に水を供給し、集中する都市人口を養った。歴史を通して、水不足のあとには大きな惨事が起きてきた。国連によると、自然災害のほとんど――おそらく九〇パーセント――は水に関連する。[19] 大規模な難民危機は干ばつか、水をめぐる紛争が原因で勃発している。二〇一一年のソマリア、二〇一二年のスーダンとマリもそうだ。OECDの見積もりによれば、二〇三〇年になる頃には、予測される世界人口の半数にあたるほぼ四〇億人が、深刻な水不足の地域で暮らすことになる。[20] そのほとんどが東アジア、南アジア、中東にあり、まさに都市の急成長が最も著しい地域である。

次のような問題を考えてみよう。地球表面の三分の二は水に覆われている。だが、そのうちの九七・五パーセントは飲用に適さない。となると、人間の消費分は残りの二・五パーセントだけになる。そのうちのほとんど、おそらく七〇パーセントは簡単には手に入らない。氷床、氷河、永久凍土、永久性積雪のかたちで存在しているからだ。残りの約三〇パーセントが地下水であり、河川、湖、湿地、貯水池に存在する量は一パーセントにも満たない。現在、およそ一二億人が清潔な飲料水が手に入らず、約二八億人が一年のうちの少なくとも一カ月間は水不足に悩まされる。水不足の問題は、物理的原因だけでなく、経済的原因によっても生じる。世界には、現在及び将来の人口水準を養うだけの水が物理的に不足している地域がある。そのいっぽう、特にサハラ以南のアフリカと南アジアの一部では、水不足の原因はインフラ不備、誤った資源管理、それ以外の経済的要因にある。これらの地域の一部では、乾期になると、おもに女性と子どもが一日五時間も費やして、家族のために水を汲みに出かける。

状況が最悪なのは南アジアだ。「チェンナイ、ベンガルール、シムラー、デリーでさえ、水は配給制でインドの食の安全が脅かされている。多くの命や暮らしが危機に瀕し、インドの都市は水を求めて悲鳴をあげている」インドの国家女性委員会はそう報告する。「たとえば、ベンガルールでは水は週に二度の配給制だ。ボーパールでは水は一日に三〇分だけ……ムンバイでは一月から六月のあいだ、しょっちゅう断水し、ハイデラバードの一部では水は三日に一日しか出ない」どこも急成長している都市である。

車輪を再発明する

世界の最貧地域では、女性や女児が長い距離を歩いて家族のために水を汲みに行く[21]。その仕事は水の重さゆえ、なおさら重労働だ。飲料、調理、洗い物や洗濯、シャワーのために、一日にひとりあたり最低限必要な水の量を、WHOでは二〇～五〇リットルと定めている。アジアやアフリカの一部の地域では、女性が一度に約一一リットルの水を、一日平均六キロメートル歩いて運ぶ。

シンシア・ケーニッヒはその問題を解決しようと心に誓った。[22] ミシガン大学でＭＢＡと世界の持続可能性の修士号を取得したあと、ソーシャルベンチャー（社会的事業）のウェロ・ウォーターウィールを立ち上げ、どんな地形や地表でも簡単に押せるプラスチック製の〝車輪型水運び機〟の製造と販売を手がけている。その目的は、インド人の女性が伝統的に頭に載せて水を運ぶ八リットル用の壺を、九〇リットル用のプラスチック製の水運び機に替えることにあった。分厚いタイヤのような車輪型の容器に、Ｕ字型の長いハンドルをつけ、ショッピングカートを押すようにして転がしながら前に進む。一度に運べる水の量が一〇倍に増えただけでなく、数キロメートルを運搬する労力も極端に減った。

そのアイデアを発明したのはケーニッヒではなかったが、彼女の製品は低価格ゆえ、市場で圧倒的な存在感を放った。「ウェロ立ち上げの考えは、水資源の乏しい環境で何年か暮らし、働いた私の個人的経験から生まれました」ケーニッヒが振り返る。「メキシコの辺鄙な村にいた時、毎日、自分が使う分の水を運ぶためにとても苦労したんです」ブレインストーミングで解決策を探るいっぽう、調査のためにインドのラジャスタン州へも足を運んだ。「最初はいろいろなアイデアがありました。水を運ぶバルーンとか、人間工学に基づいた荷かごをドンキーに背負わせるとかです」結局、ケーニッヒの水運び機は車輪型に落ち着いた。二〇一六年末の時点で、バングラディシュ、インド、パキスタン、あるいはケニヤやマラウィ、ザンビアの農村部と都市部で、毎日一万個以上の車輪型水運び機が役に立っている。

もっと大きな規模で見れば、水の未来にとって最大の脅威は、欠陥のある農法から生まれる。なぜなら、世界の水消費量のおよそ七〇パーセントが農業用水だからだ。二〇パーセントが工業用水、残りの一〇パーセントが生活用水だ。第一章でアフリカの産業・農業革命の可能性について探ったが、水管理が改善されない限り、大きな変化を起こすのは難しい。

水・エネルギーのつながり（ネクサス）

都市において、ほかにも必要な水量を確保する可能性が高まるのは、エネルギー生産に水が果たす役割について、私たちがもっと意識的になる時である。原材料と化石燃料を抽出し、洗浄し、選別するために、そしてまた火力発電の設備を冷やし、バイオ燃料を製造し、水力発電のタービンをまわすためにも水が使われる。国連によれば、全発電の約九〇パーセントが水の力を利用しているという。だが、給水量を維持する需要とエネルギー需要とが衝突する時にはどうなるだろうか。採掘か水圧破砕（フラッキング）によって、帯水層の汚染は進んでいる。気候変動も破壊的な要因になるだろう。都市人口が増加して、水とエネルギー両方の需要が増大すると、それに伴い制約やリスクが生まれる。政策立案や計画決定にあたっては、それらの制約やリスクを考慮する必要がある。それゆえ「水・エネルギーのつながり」だけでなく「水・エネルギー・食物のつながり」だと語るのは、GEウォーター&プロセス・テクノロジーの最高マーケティング責任者（CMO）ラルフ・エクストンだ。「世界で水ほど過度に使われ、濫用され、安価に見積もられている資源はありません。しかも、その大部分は再生できずに、飲用に適さないかたちで（流域に）戻されます」また、ペンシルベニア大学の私の同僚ノーム・ライオールも次のように指摘する。「政府は介入に二の足を踏む。誰も徹底的なコスト分析を引き受けたがらないし、それに基づいた政策も立てたがらない」

気候変動は必然的に、水循環に思わぬかたちの影響を及ぼし、気まぐれに発生する干ばつや洪水の被害を悪化させる。そのように繰り返し起きる水管理の問題だけでなく、地球温暖化は新たな脅威をもたらし、直接的な影響を及ぼす。温暖化によって気温が上昇すると水の蒸発を促し、本来であれば小川や河川、湖を満たし、都市と農村の住民に利益をもたらすはずの水は、その役目を果たさなくなる。植生の変化も雨水のパターンを変える。温暖化によって氷河は後退し、やがて消滅し、小川や河川から絶え間ない水の流れを奪ってしまう。灌漑用の水量も減るだろう。より気温の高い地域で発生する散発的な豪雨は水たまりをつくり、蚊の発生源となって公衆衛生上、深刻な課題を突きつける。

輸送用コンテナを使った農業

都市が二酸化炭素のおもな排出源であり、気候変動と水不足によって最も深刻な影響を受けているのなら、水平思考を働かせて、環境に優しい田舎の要素を都市に持ち込むべきだろう。二〇三〇年の先に向けて、興味深い可能性がある——増大する都市人口を養うために必要な食物を都市が生産するようになり、それゆえ都市がヒートアイランドではなく「グリーンアイランド」になる可能性だ。そうなれば、食料輸送が減って二酸化炭素排出量も減る。都会育ちの野菜が増えれば、エネルギーの生産拠点や車が排出する二酸化炭素の吸収にも一役買う。

「垂直農法」のコンセプトは、ほとんどの先進国で根づいている。[23] 二階建て以上の建物のなかで食物を育てることを指し、コロンビア大学のディクソン・デポミエが最初に提唱した。「最近では、古い工場、使われなくなった倉庫、工業用ビルのような、思いも寄らない場所で作物が育てられています」この分野の専門家ラビンドラ・クリシュナムルティはそう説明する。[24] ジャック・ウンはシンガポールで、世界初の大規模商業用垂直農場であるスカイ・グリーンズを創業した。高さ九メートルほどのA型のタワーにプランターを配して、レタスやほうれん草などを育てている。三八段のプランターは、一秒間に一ミリメートルの速度で上下に一周する。「どの野菜にも均等に太陽光があたり、風通しがよく、たっぷり水が行き渡る」ようにするためだ。このシステムの画期的なところは、資源の有効活用にある。タワーひとつの光熱費は月わずか三ドル。「四〇ワットの電球相当の消費電力」で賄えるため、カーボンフットプリントを極端に抑えられる。水もリサイクルし「有機廃棄物はすべて堆肥にするか再利用する」。

垂直農業には、衰退する都市の活性化を促す可能性がある。「起業家は、デトロイトの古い倉庫や工場を安く借りて農業目的に転用し、地元の農産物を生産している」と《デトロイト・ニュース》紙は報じる。[25] たとえば「グリーン・カラー・フーズは四〇〇平方フィート（三七平方メートル）のビニールハウスをつくり、蛍光灯と気耕栽培システムを使ってケール、コリアンダー、ピーマンの根に直接、水や養分を噴霧する。この垂直型システムでは、何段にも積み重ねた棚で野菜を生産している」

二〇一五年、ジェフ・アダムズは、デトロイトの約七〇〇平方メートルの空き倉庫でアーティジャン・ファームを創業した。アダムズがレタスひと玉を育てるのに使う水の量は、カリフォルニアの競合会社が使用する水量のわずか二〇分の一だ。さらに重要なことに、都市の垂直農場は輸送と配送時間の短縮によって、二酸化炭素の排出量を確実に減らす。「あなたがいま食べている野菜がミシガン州に届くまでに、七～一〇日かかります」アダムズは説明する。だが、彼の野菜は「ここから市場まで一日、長くても四八時間で」届く。「ずっと美味しくて、はるかに栄養価が高いんです」

垂直農法かどうかにかかわらず、都会の農業は、急速に拡大するアフリカの都市のニーズに応えるためには不可欠だろう。アフリカでは農村部からの輸送が、サプライチェーンの大きな障害だからだ。たとえば、ウガンダの首都カンパラやケニアの首都ナイロビの市職員は、何年も前から農業を推進してきたが、成功には差があった。調査が指摘するのは、すでに「世界で八億人が都会の農業に従事し、世界の食物の一五〜二〇パーセントを生産している」ことだ。そのほとんどが開発途上国である。アフリカでは三五〇〇万〜四〇〇〇万人が、都会の農場で育った食料を受け取っている。

アフリカの食料需要を満たすために、農業従事者はユニークなアイデアを考え出している。「輸送用コンテナで食料を育てています」というのは、ナイジェリアの起業家オルワヤイミカ・アンヘル・アデラジャだ。[26] 彼女はフレッシュ・ダイレクト・プロデュースを創業したあと、農場を首都のアブジャへ移した。輸送費を削減し、ほとんどの作物を理想的な状態で市場に出荷するためだ。コンテナ農法もはるかに効率的に水を利用でき、電力供給は太陽電池パネルで賄う。アフリカは都会の農業技術を発展させることで、人口増加に伴う食料関連の課題に取り組み、二〇三〇年の先に一歩ずつ近づいている。

ヒップな都市——ビルバオからピッツバーグまで

先進国で最も重要な都市の課題のひとつは、産業の空洞化によって都市が衰退し、貧困が拡大してミドルクラスに大打撃を与えたことだ。その課題を好転させる際にも、水平思考が必要になる。

一九九七年、スペインにビルバオ・グッゲンハイム美術館がオープンした。ビルバオは、スペイン北部のバスク地方にある衰退した工業都市だった。一九世紀後半には鉄細工や造船で栄えた。その好景気と不況の変遷は、欧州やアメリカの数百にのぼる、見捨てられた錆びついた工業地帯(ラストベルト)の都市でおなじみの物語だ。ビルバオ・グッゲンハイム美術館を設計したのは建築界のスーパースター、フランク・ゲイリーである。その湾曲したプラチナカラーの官能的なフォルムは、たちまち世界中で一大センセーションを巻き起こした。「このところ、ビルバオは聖地巡礼の街になった」著名な建築評論家のハーバート・ムスチャンは《ニューヨーク・タイムズ・マガジン》に書いている。「奇跡はいまも起きるのだ、その大きな奇跡がいま目の前で起きた、という言葉が街のあちこちで聞こえる……。ほぼ二年というもの、人びとは建物が徐々に姿を現すのを見るためだけに、ビルバオに押し寄せてきた。『もうビルバオに行った?』建築界では、それが一種の合言葉になっている。あの照明を見た？　未来を見た？　うまく行くだろうか。世間に受け入れられるだろうか」たいていの見学客にアピールするあの建物の魅力は、その不規則で複雑なフォルムだろう。私の友人で、建築を手がけた建設会社フェロビアルの会長ラファエル・デル・ピノは、ゲイリーのパートナーのひとりに、こんなジョークを飛ばしたことがある。「もし設計図とちょっと変えて建てていたとしても、君はやっぱり気づいたかね？」[27]

ビルバオ・グッゲンハイム美術館は、都市復活の世界的な象徴になった。「あの街には産業システムの衰退、高い失業率（二五～三〇パーセント。大都市圏の一部では三五パーセント）、環境悪化、都市構造の劣化、人口流出と人口増加の伸び悩み、社会的排除といった問題がありました」建築家のイボン・アレソは思い出す。ビルバオの副市長として都市計画の責任者を務めたあと、（短期間）市長の座に就き、先頭に立って都市の再生に尽力した人物だ。「現代社会において、文化活動、芸術、スポーツ、レジャーは、集団的活力を測る温度計であり、都市の魅力を決定づけ、すぐれたイメージを海外に発信します」アレソは続ける。「私が確信するのは、将来の都市は強い財政基盤を持つとともに、文化的にも重要であることです。このふたつの機能を、ロンドンやパリ、ニューヨークのような世界的な首都はすでに備えています」

ビルバオ・グッゲンハイム美術館の建築にかかった費用は、一億三二〇〇万ユーロ（約一億五〇〇〇万ドル）。計画は地元から幅広い非難を浴びた。なぜ政府はそれほど巨額の予算を美術館に費やすのか。もっとほかにも重要な問題や優先事項がたくさんあるではないか、と。「事業採算性の試算によれば、この投資を正当化するためには年間四〇万人の来館者が必要でした」アレソは言う。ところが「オープン後の一年間で、来館者は一三六万人を数えました」。今日でも年平均約一〇〇万人が訪れる。この美術館が直接的、間接的に誘発した経済活動は、約四〇〇〇の雇用を創出した。これは、全盛期のビルバオで最も重要だった造船所の雇用者数に匹敵する。街に変化をもたらすために、バスク地方、スペイン、ＥＵの資金を使って整備されたインフラは、キラキラと輝く新たなダウンタウンをかたちづくった。だが「これらの数字は、それ以外の要素をカウントしていません。この計画がビルバオにもたらした好意的な評判や、それ以外の投資を呼び込んだ効果などです」美術館の成功は、「ビルバオが自尊心を取り戻す」ためにも一役買ったのだ。

このような都市の活性化プロジェクトは、アメリカでも物議を醸してきた。「脱工業化のアメリカで〝レガシー（負の遺産）となった〟都市は、ルネッサンスを体験している」二〇一八年、《ファスト・カンパニー》誌はそう論じた。「だが、低所得のアフリカ系アメリカ人が多数派を占める居住区は、これまで以上に苦しんでいる」

　ペンシルベニア州ピッツバーグの例を考えてみよう。[28] ピッツバーグは、鋼鉄王アンドルー・カーネギーや銀行家アンドルー・メロンといった、工業時代の〝悪徳資本家〟の本拠地である。この街は五世代にわたって全米に鋼鉄を供給し、その鋼鉄によって摩天楼が築かれ、ハイウェイが建設され、大陸間を結ぶ船が建造された。第一次産業革命のあいだ、ビルバオをはるかにしのぐ繁栄を謳歌した。だが、そのピッツバーグも産業衰退の煽りを受けた。とはいえ、モノンガヒラ川沿いの敷地では、このところ、ウーバーが自動運転車のテスト走行を行なっている。そこからほど近い、かつて製鋼所の一部だった老朽化したビルに入るのは、アドバンスト・ロボティック製造研究所（国防総省が中心となって資金を出し、高度なロボット技術の開発を目的に設立された研究機関）だ。キャタピラが建設した施設では、自律運転する建機や採掘用重機が開発されている。ベンチャーキャピタルの莫大な資金がつぎ込まれたのだ。古くからの住民は、何十年にもわたって下がり続けた不動産価格が再び値上がりしていると指摘する。「AIやロボット工学の分野で働く若い人たちのおかげで、街はすばらしい変貌を遂げてきた」カーネギーメロン大学コンピュータ科学部学部長のアンドルー・ムーアは言う。「だが重視されてきたのは、コミュニティのインクルージョン（市民一人ひとりを地域社会の構成員として包み込み、支え合うこと）ではなく、ジェントリフィケーション（低所得者の居住地域を再開発して「高級化」すること。中・高所得者が流入して地価や家賃が高騰し、もとの住民が住めなくなるなどの問題も起きている）のアプローチだった」

数十年に及ぶ都市の荒廃を覆すことは簡単ではない。だからこそ、多くの都市にとって二〇三〇年の先へと続く道は困難だ。「今日のピッツバーグはヒップだ」二〇一八年の《ファスト・カンパニー》誌は書いている。「たとえばピッツバーグ一帯の熱気をもっとよく見てみると、その熱気はひと握りの地区にクラスターを構成していることがわかる」都市計画家のアラン・マラックは著書『分裂した都市――アメリカの都会の貧困と繁栄』（未邦訳）のなかで、ボルチモア、クリーブランド、デトロイト、ピッツバーグのような都市において「都市の復活は貧困層を無視している」と述べ、次のような結論を導く。[29]「レガシーの都市は次から次へと、一部の地区を高級化するいっぽう、多くの地区が社会的、経済的な崖から転落している。つい最近まで、かなり堅実で、比較的安定したワーキングクラスかミドルクラスが住んでいた地区も例外ではない」トロント大学の都市経済学者で、ベストセラー作家でもあるリチャード・フロリダは、『新しい都市の危機――なぜ私たちの都市では不平等が拡大し、分離が深刻化し、ミドルクラスが破綻するのか。それについて何ができるのか』（未邦訳）のなかで、都市の二元的な性質を指摘する。[30]「楽観論者が謳うように、都市はイノベーションの大きな原動力か、経済的、社会的発展のモデルだろうか。それとも悲観論者が非難するように、拡大する不平等と階級分化の舞台だろうか。現実はその両方だ」二〇三〇年頃には、ますます多くの都市が同じような二分化を体験する。将来性があり、学歴の高い専門職の人たちが暮らす地区があるかと思えば、日常生活に必要な読み書きの能力にすら欠ける人たちが暮らす地区もある。後者の人たちは、成人人口の約一五パーセントを占める。都市は、拡大する亀裂にどう対処するのだろうか。

***

「すまんが兄ちゃん。あれがチャタヌーガ・チュー・チューかい?」これは非常に有名なジャズの楽曲の冒頭だ（チャタヌーガ・チュー・チューは、テネシー州チャタヌーガ行き列車のこと。チュー・チューは幼児語で「汽車ぽっぽ」の意味）。もともと一九四一年に、トロンボーン奏者のグレン・ミラーと彼のビッグバンドがレコーディングし、映画「銀嶺（ぎんれい）セレナーデ」の主題歌にもなった。この空前の大ヒット曲はアメリカ初のゴールドディスクに輝き、発売後九週間で一二〇万枚のレコードを売り上げた。チャタヌーガは当時、テキスタイル、家具、金属加工の街として繁栄を極めた。テネシー川流域にあってジョージアとの州境に位置し、「南部諸州の発電機（デキシーのダイナモ）」と呼ばれた。南部へ向かう列車はすべてチャタヌーガで停車した。

チャタヌーガの人口が一三万人を数えてピークに達したのは、一九五〇年代後半のこと。[31]その当時すでに、白人のミドルクラスは大挙して郊外に移り住むようになっていた。その後まもなくして、製造業の雇用者数が減少し始める。一九六九年、連邦政府はチャタヌーガを「全米で最も大気汚染のひどい都市」と呼んだ。街を取り囲む美しい山々が、産業性汚染物質を閉じ込めてしまっていたのだ。一九七一年、チャタヌーガ行き旅客列車の運行は取りやめになった。

だが一九九〇年代、チャタヌーガは同じくらい劇的な復活を遂げる。地元の慈善家が提供した資金のおかげで、蛇行するテネシー川流域の再開発計画は追い風を受けた。一九九二年に世界最大の淡水魚水族館がオープンすると、公園、学校、集団住宅があとに続いた。一九九〇年代のアメリカで人口が増加した都市は一八しかなかったが、チャタヌーガはそのひとつだった。観光、金融、保険業界で雇用が二桁の伸びを示す。すでに上向きだった街に、二〇〇八年、フォルクスワーゲンが一〇億ドルを投じて大規模な生産工場を建設すると発表した。

とはいえ、チャタヌーガ当局と民間の支援者が講じた措置のなかで、最も先見の明があったのは、光ファイバーを使った超高速インターネット網を市全域に敷設したことだろう。ほかの都市に先駆けた投資だった（現在でも光ファイバー通信網を持つのは、全米で二〇〇都市に満たない）。「ギグ」と呼ばれる一秒にギガビットの超高速回線は、全米最速の接続を誇る。「チャタヌーガは衰退する中規模都市になってもおかしくなかったが、スタートアップのハブへと再生し、マンハッタンやサンフランシスコ、オースティン（テキサス州）から流れてきた人たちで溢れている」と、デジタルメディア「バイス」の編集長ジェイソン・ケイブラーは書いている。[32] テネシー大学チャタヌーガ校の経済学者ベント・ロボの調査によれば、「二〇一一～一五年、光ファイバーのインフラは八億六五三〇万～一三億ドルの経済的、社会的利益を生み出したばかりか、新たに二八〇〇～五二〇〇の雇用を創出した」という。[33] ノックスビル（チャタヌーガの北東約一八〇キロメートルにある都市）に本拠を置くIT企業のクラリス・ネットワークスは、多くの企業の例に漏れず、チャタヌーガに営業所を構えることにした。理由は「ノックスビルでAT&Tの一〇〇メガビット／秒のサービスを契約すると月一四〇〇ドルだが、（チャタヌーガの光ファイバー通信網の場合）同等のサービスが三〇〇ドルで済み、毎月一一〇〇ドルの節約になるからだ」。ギガビット接続の場合、節約額はさらに大きい。「AT&Tだと月五〇〇〇〜七〇〇〇〇ドルかかるところを（チャタヌーガの場合）、同じサービスが一四〇〇ドルで済む。毎月三六〇〇〜五六〇〇ドルの節約になる」第六章でも紹介するが、「ギグ」のおかげでチャタヌーガは、超高速回線が頼りのスタートアップを数多く引き寄せてきた。

ゲイとボヘミアン

都会のクリエイティブハブについて考える時、思い浮かぶのはたいていシリコンバレーか、マンハッタンのシリコンアレー（ハイテク産業のスタートアップが集まるエリア。アレーは「路地」「狭い裏通り」）だろう。ところが、チャタヌーガは様々な点で大きく違う。「スタートアップの保護区を見ると、目につくのは青い州（ブルーステート。民主党支持者の多い州）で非常にリベラル、若者層が圧倒的に多いことです。それが典型的な印象ですね」そう指摘するのは、チャタヌーガでスタートアップのアクセラレーターのトップを務めるジャック・ストゥーダーだ。「ここは南部の街です。（光ファイバーに接続できるチャタヌーガに本拠を置く引越業者）ベルホップスでは、従業員はみな狩りをして魚釣りに出かけ、大学のアメリカンフットボールを見ます。しかもフェイスブックでは見ません。ここではまったく違うんです」

サンフランシスコやニューヨークのような世界的都市は、経済分野で違う役割を担っている。[34] このテーマについて先駆的な調査を行なう、社会学者のサスキア・サッセンの言葉を借りれば、「グローバリゼーションの仕事をしている」のだ。それらの都市は、いわゆる「クリエイティブクラス」を磁石のように引き寄せる。クリエイティブクラスとは、先述のリチャード・フロリダが提唱し、科学者や技術者、建築家、アーティスト、デザイナーなどの知識プロフェッショナルたちの現象を捉えた言葉である。都市はクリエイティブクラスを競って引きつけ、引き止めておく。すると今度は、クリエイティブクラスがあらゆる種類の企業を引きつけ、好循環を生む。最も重要なことに、多くの都市がこうしてイノベーションのハブになってきた。

今日、クリエイティブクラスはアメリカの労働人口の約三分の一を占め、二〇三〇年には五〇パーセントに達すると見られている。クリエイティブな労働者は「複雑な知識体系を用いて特定の問題を解決する」。ダイナミックなクリエイティブクラスを育成するために都市が必要とする要素を、フロリダは彼独自の概念である「三つのT」で要約した——タレント（才能）、テクノロジー（技術）、トレランス（寛容性）の三つである。[35]

そのうちのひとつ、寛容性は少なからぬ注目を集めてきた。フロリダは、彼の言う「ゲイ指数」（同性愛人口比率）と「ボヘミアン指数」（芸術関連人口比率）で高スコアの都市が、大きく発展すると主張する。寛容性を、多様な人びとのメルティング・ポット（るつぼ／受け入れ）の観点で定義する。多様性のなかには、ＬＧＢＴＱコミュニティのメンバーやアーティスト、ミュージシャンなども含まれる。さらに広く言えば、クリエイティブクラスは全体的に、オープンマインドを大切にする特有のライフスタイルと関係が深い。「多様性に対する寛容性と開放性は、ポスト物質主義の価値観へと文化が広く移行する際のかなめだ」フロリダはそう書いている。寛容性と開放性は、「経済的優位を生み出すもうひとつの源泉となり、才能と技術と一体となって効果を現す」。三つのＴはともに働いて人材を引きつけ、知識経済に動力を供給する。フロリダ特有の主張のひとつは、都市の再生である。彼の言う「ストリートレベルのカルチャー」は、「カフェやストリートミュージシャン、小さなギャラリーやビストロが交じり合って活気を生み出し、誰が参加者で誰が観客か区別のつかない、創造力と創造者とが渾然一体となった状態」を指す。

多くの職業において、創造力の重要性は明らかに増している。ハーバード大学教育大学院の経済学者デイヴィッド・J・デミングが発見したのは、ますます多くの仕事が、ルーティン型ではない分析スキルを必要とすることだ。[36] さらに重要なことに、調整、交渉、説得、社会的な認識力などの社会的スキルが強く求められる。デミングの調査が示唆するのは、二〇三〇年になる頃には、ほとんどの仕事が社会的スキルと創造力の活用を必要とすることだ。

フロリダと彼の同僚は、アメリカのクリエイティブな都市トップ三〇を割り出した。二〇一五年に上位を占めたのは、カリフォルニア州クパチーノ、パロアルト、バージニア州マクリーン、メリーランド州ベセスダだ（チャタヌーガはランクインしていない）。注目に値する発見もある。創造力評価で低スコアの都市が最も多かった、ふたつの州のうちのひとつが、カリフォルニア州だったのだ（もうひとつはニュージャージー州）。このように、「クリエイティブクラスの割合が極めて高い都市と低い都市とが、同じ州のなかに共存する」。フロリダは、自身のオンラインメディア「シティラボ」の記事で述べている。「地域間の拡大する経済格差よりも深刻なのは、アメリカの最も力強い経済の中心に根づく、持つ地域と持たざる地域の分裂のようだ」

シティラボはまた、世界中の都市や大都市圏を三つのカテゴリーに分類した。「世界的大都市（グローバル・ジャイアント）」はニューヨーク、ロサンゼルス、ロンドン、パリ、東京、大阪・神戸の六つ。サンノゼ、ボストン、シアトル、サンディエゴ、ワシントンDC、シカゴ、オースティン、ダラス、アトランタ、ポートランド（オレゴン州）、デンバー、アムステルダム、ストックホルム、チューリヒが「知識の中心都市」。そして「アジアの主要拠点」に分類されるのが、香港、シンガポール、ソウル・仁川、上海、北京、モスクワだ。ブルッキング研究所のメトロポリタン政策プログラムを率いるエイミー・リューは、世界的都市を持続的に成長させるための重要な側面を説明する。「現在、皮肉なのは、そのエネルギーと進展がすべて新たな環境のなかで起きていることです。世界貿易をめぐる懐疑主義の高まり、移民や難民に対する懸念、低成長の世界経済に対する悲観論などです」リューは続ける。「都市はどうすれば世界的関与をより深め、競争力を保てるのか。それと同時に、格差の問題とその負の影響に真正面から向き合い、地球規模の統合を実現できるのか」本章で紹介したロサ・リーの、薬物依存症に陥った子や孫たちを思い出してほしい。彼らが暮らすワシントンDCの大都市圏は、世界の「知識の中心都市」に分類され、労働人口の四五パーセントがクリエイティブクラスに属するのだ。

クリエイティブクラスというフロリダの理論は、ミシガン大学の政治学者で世界価値観調査の優れた分析者、ロナルド・イングルハートが発見した社会の変化と符合する。すなわち「伝統的価値」から「非宗教的・合理的価値」へ、「生存価値」から「自己表現価値」へのシフトである。時間の経過に伴い、社会が文化的価値観と規範の面で、完全にひとつの方向に収束していく傾向はないが、人びとはますます非宗教化や合理化、自己表現、脱物質主義の価値観を支持するようになり、離婚や中絶する権利、安楽死、自殺、性的指向の多様化、ジェンダー平等を受け入れやすくなる。だが、ここで補足しておくべき点がある。文化的価値の変化に関するデータから明らかなのは、少なくとも世界の半数の国の人たちがいまでも、伝統的価値か生存価値のどちらかを重視していることだ。伝統的価値と生存価値の両方で高スコアの少数派はかなりの数にのぼり、南アジア、中東、アフリカ北部でその傾向が強い。

二〇三〇年の都市は住みやすいか

映画「メトロポリス」、ビルバオの復活、ピッツバーグやアメリカのあちこちの都市の高級化は、都会生活の様々な面を思い出させてくれる。ロサ・リー・カニンガムの悲惨な物語も、そしてまた高い教育を受け、世界的な都市で暮らす技術者、アーティスト、医師、投資家の物語もそうだ。二〇三〇年には、一〇〇〇万人以上を擁する都市は世界で四〇〇にのぼるだろう。人口が集積する都市は二元的な性質を持ち、過体重か肥満の人間が多く暮らし、好みのストリーミングサービスやソーシャルメディアのアプリに接続し、参加ではなく社会的孤立を招く。多くの都市が、知識集約型の活気に満ちたクリエイティブクラスをたくさん抱えているはずだ。大半の都市が大気汚染、交通渋滞、治安悪化に付随する難しい問題に直面する。気候変動の影響を大きく受ける都市は、飲料水の不足と洪水による塩害に悩まされるだろう。行動を変えることで、私たちは小さな変化をもたらせるだろうか。垂直農業は思うように早く広まるか。技術的なブレークスルーが人類を救うのか。第六〜八章では、発明とイノベーションの来たるべき革命について紹介しよう。そして、それが都市においても、それ以外の発展する地域においても、生活の質を改善させる可能性について探っていく。

第六章：トイレより多い携帯電話

トイレの再発明、新たなカンブリア爆発、技術の未来

創造的破壊は……産業上の突然変異のプロセスであり、経済構造に内側から絶えず革命をもたらし、古い構造を絶えず破壊し、新しい構造を絶えずつくり出す。

——経済学者、ヨーゼフ・シュンペーター

発明家と起業家は新たなアイデア、製品、技術を次から次へと生み出す——だが、価値あるものはひと握りしかなく、本当に大きな変化をもたらすものとなると、さらに少ない。トイレを例に考えてみよう。

スタンフォード大学で比較文学の学位を取ったあと、ヴァージニア・ガーディナーはデザイン雑誌の仕事に就いて、キッチンやバスルーム業界の記事を書く仕事を割り当てられた。「私が書いた最初の記事はトイレについてでした。トイレは変わらないという事実についてです」

英国泌尿器外科協会によれば、現在わかっている世界最古のトイレは、スコットランドで発見された、紀元前三〇〇〇年頃の新石器時代の住居跡のものだという。[1] 土器の便器で、使用のたびにバケツの水で流したらしく、ギリシャのクノッソス宮殿（紀元前一七〇〇年）で見つかったトイレも同じ方法を使っていたのかもしれない（発掘調査の結果、クノッソス宮殿には水洗トイレがあったと考えられている）。記事のなかでガーディナーが紹介したように、貯水タンクを上部に設置する比較的最近の水洗トイレは、一五九六年（もう数年早いという説もある）にサー・ジョン・ハリントンによって発明された。イングランド人の宮廷詩人であり、名付け親はエリザベス一世――イングランドが欧州の、そしてついには世界の覇権を握る基盤を築いた女王――だった。臭気の逆流を防ぐ「排水トラップ」と呼ばれるS字型パイプは、一七七五年に時計職人のアレクサンダー・カミングスが発明した。その後の二世紀ほどは、トイレのデザインはほとんど変わらず、先進国では特に不満の声も上がらなかった。なぜなら本当のイノベーションは地下にあるからだ。下水設備である。

そこで、エレオノーレ・ラルトジャラソアニオニーの話につながる。[2] マダガスカルの首都アンタナナリボで暮らす四七歳になるこの母親は、小さな店の店主でもある。彼女の家は下水道につながっていないため、水洗トイレは何の役にも立たない。数カ月前、彼女は〝落下式トイレ〟を新品の〝水を使用しないトイレ〟に取り替えた。白い生物分解性フィルムを使って排泄物を密封し、トイレの下に蓄える仕組みだ（おまけに臭気も防げる）。トイレの製造業者が週に一度、排泄物を集めに来る。「家族四人で使います。私は隣の家を貸していますが、そこに住む三人も使います。家賃にはその使用料も入っています」さらに続ける。「息子にも使えます」アフリカや開発途上国の多くの母親と同じように、彼女も自分の幼い我が子がいつか、穴から落ちて糞便のなかで溺死するのではないか、と毎日気が気ではなかった。

彼女のトイレの製造元は、ロンドンに本拠地を置くルーワット社だ。創業者は誰か。ヴァージニア・ガーディナーである。彼女はしばらく雑誌記者として働いたあと、修士号を取得するためにロンドンの英国王立芸術大学院に入り、水を使用しないトイレをテーマに論文を書いた。そして、二〇一〇年にルーワットを創業。二〇一一年には、持続可能な衛生設備のイノベーションを促すゲイツ財団の「トイレ再発明チャレンジ」で、補助金を獲得した。マダガスカルに住むカナダ人が彼女の事業の噂を聞きつけ、最初の投資家になってくれた。ガーディナーは一年のうちに、試験的プログラムに着手して、小さな処理設備を建設した。排泄物から発生するバイオガスを使って発電し——ご想像通り——携帯電話を充電できる。グロリア・ラザフィンデアミザのようなマダガスカル人女性は、水を使用しないトイレには、ありがたい別の面もあると言う。彼女は以前、数人の隣人と共同で屋外トイレを使っていた。だが、いまは「安心して安全に用が足せます」と打ち明ける。

「アフリカのあちこちのコミュニティでは、携帯で話すことはできても、照明をつけたり水道の蛇口をひねったりすることはできません。もちろん、水洗トイレは使えません。そして飢える可能性もあります」ナイロビ大学開発研究所のウィニー・V・ミチュラー所長は説明する。「私たちの多くが、あって当たり前に思っている水道や下水、電気、道路などの最も基本的な公共サービスについて言えば、非常に多くの人がいまでも一九世紀に暮らしているようなものです」水道や電気を使いたい時に使えない状態は、不便という言葉を通り越している、とミチュラーは指摘する。「からだを洗う清潔な水がなく、確かな汚水処理設備がなければ、子どもは病気になって死んでしまいます。夜に勉強するための照明がないか、外部の世界と接続する方法が――携帯以外に――なければ、教育と成功の機会は限られてしまいます」

国連大学の水・環境・健康研究所のザファール・アディール所長は警告する。[3]「(衛生設備の)話題は不快だとして避ける人、見苦しいとして真剣に取り合わない人、困っている人を助ける価値はないと考える人は、その仕事をほかの誰かに託すべきです。毎年、一五〇万人の子どもや数え切れないほど多くの人たちが、汚染された水や不潔な衛生設備のせいで命を落としています」携帯電話を個人か共同で所有しながら、野外か共同の屋外トイレで用を足さなければならない人は、世界全体で一五億人にのぼる。しかも、普及の差は拡がるばかりだ。サハラ以南のアフリカと南アジアで移動体通信への投資が急拡大するいっぽう、基本的な衛生設備への投資は縮小傾向にある。たとえば、インドで所得が下位二〇パーセントの世帯では、トイレよりも携帯電話の所有率のほうが三倍も高い。[4]

先進国では、トイレも携帯電話もあって当たり前と考える。サハラ以南のアフリカで、移動体通信がまたたく間に普及したのは、比較的安く展開できる技術だからだ。人口の六〇パーセント以上が地方に住んでいることを考えると、固定回線を敷設するよりも、携帯電話の基地局を設置するほうがずっと安上がりで早い。ましてや、下水設備と水洗トイレを整備するより、はるかに手っ取り早い。しかも、銀行口座かクレジットカードの所有率が人口全体の一〇パーセントにも満たない、サハラ以南のアフリカのほとんどの国では、携帯電話は事実上、決済ツールとして使われてきた。実際、モバイル決済プラットフォームを利用する人は、東アジアや南アジア、欧州やアメリカよりも、サハラ以南のアフリカのほうが多い。さらに重要なことに、彼らのほとんどは現金をまったく使わない。

技術の変化が世界の経済と文化に浸透するようになるか、ゲームのルールを変えたとしても、驚くにはあたらない。携帯電話と非水洗トイレの例が描くように、技術はまた、数十億人の、それも特に都市に住む人たちの生活の質を改善する可能性を秘めている。だが新たな技術を消費者向けに応用する時、最も重要な側面は、その技術に何ができるかではない。その技術が人口動態的、社会的な動向とどう関連し、よいも悪いも含めて、どのような予期せぬパターンと結果とを生み出すかである。

それについて深く探る前に、まずは時計の歴史を紹介しよう。

すべてはディック・トレイシーとスーパーマンから始まった

携帯電話をどこでも見かけると思ったとしても、はるかによく見かけるのは時計のほうだ。世界では、携帯より時計を所有する人のほうが多い。ロレックスもアップルウォッチもひっくるめて、腕時計の現代史が教えてくれるのは、続々と押し寄せる技術の波が、その製造方法から販売方法や使用方法まで、すべてを変えてしまったことだ。[5] 一九七〇年代に無線通信を開発し、世界初の携帯電話を発明したのは、当時、モトローラで働いていたマーティン・クーパーである。その彼が携帯電話開発の着想を得たのが、新聞の連載漫画「ディック・トレイシー」のなかで、タイトルと同じ名前の主人公の刑事がつけていた、双方向の無線機能付き腕時計だった（奇しくもその同じ年の一九四六年、ラジオ番組「スーパーマン」の「トーキング・キャット」シリーズでも、同様の腕時計を紹介した）。

「スイス製」という言葉が時計と同義語になる前、最も革新的だったのはイングランドの時計業界だった。携帯時計が登場したのは一四〇〇年代のこと。歴史をひもとけばわかるように、懐中時計の普及は一六〇〇年代。おそらく最初の大きな技術的ブレークスルーは、一六五七年にロバート・フックかクリスティアーン・ホイヘンスが、天輪（てんわ）（車輪のような形状の金属の部品）に「ヒゲゼンマイ」を取りつけるというアイデアを考えついた時だった。これにより精度が格段に上がった（いまは忘れ去られたものの、時計が正確な時を刻むことを願っていた時代のイノベーションだ）。このアイデアを考え出したのが、フックかホイヘンスのどちらだったのかについては、いまなお議論の的だ。フックはイングランドの自然哲学者、建築家、博識家だ。対するホイヘンスはオランダの物理学者、数学者、天文学者であり、木星最大の衛星タイタンの発見者だ。科学革命の巨人のひとりであり、振り子時計を発明し、数理物理学の創始者と広くみなされている（ちなみに、今日、世界的な時計メーカーであるインドのタイタン社は、一九八四年の創業にあたって、ホイヘンスに敬意を表してその社名をつけた）。

話をさらに複雑にしているのは、ペンダント時計か懐中時計を腕時計にするアイデアを考えついたのは、飛行機の開発で知られるアルベルト・サントス＝デュモンだ、と主張するブラジル人もいるからだ。しかしながら、腕時計の精巧な技術の歴史は、その大半がスイスの功績である。スイス軍には、アルプスのような険しい山岳地帯で連携して戦術を実行するための手段が必要だった。

このように腕時計の誕生秘話は混沌としているものの、腕時計業界を席巻したのはイングランドでもオランダでもブラジルでもなく、スイスだった。スイスには優れた宝石職人と熟練工がたくさんいた。理由のひとつは、迫害されたユグノー派（一六～一八世紀フランスのカルヴァン派の新教徒）がスイスへ亡命したことにある。彼らの多くは精密な機械装置の製作に熟達していた。そして、高級な腕時計を少量生産して欧州全土で販売した。スイス製の腕時計はすさまじい売れ行きを示し、一九〇五年にロンドンで創業したロレックスでさえ、一九一九年に本社をスイスに移して、ジュネーブの北東にあるジュラ州の美しい谷を拠点とし、高度なスキルを備えた労働力を活用した。

そして一大革命が起きた。第二次世界大戦中に開発された技術をもとに、アメリカ企業が時計の大量生産を思いついたのだ。貴金属のかわりに合金を、動力源としてゼンマイのかわりに電池を使えばよかった。この技術を独占して巨万の富を築いたのが、タイメックスである。まさにどんぴしゃのタイミングだった！　アメリカは大量消費の時代に入っていた。冷蔵庫や洗濯機から車、時計まで、人びとは何でもほしがった。質や耐久性よりも価格を重視した。業績悪化に苦しむロレックスを尻目に、タイメックスは快進撃を続けた。

腕時計業界を二度目の技術革新の波が襲ったのは、一九六〇年代である。スイスの時計職人のひとりが、設計を簡素化する独創的なメカニズムを発明し、安価な製造が可能になったのだ。二叉に分かれた金属部分を共鳴振動させて運針させる、音叉時計である。音叉の振動を特殊な歯車に伝える仕組みは、従来の歯車による複雑なメカニズムの機械時計よりも、はるかに高精度に時を刻んだ。そして、そのイノベーションを活用して莫大な利益を上げたのは、タイメックスとは別のブローバというアメリカ企業だった。対するスイス企業は音叉式には目もくれず、孤高にも一度にひとつずつ手作業で時計をつくり続けた。つまるところ、彼らの時計は芸術品だったのだ。

イノベーションの三度目の強風が吹いたのは、このお楽しみに日本企業が参入を決めた時だった。

クオーツ（水晶）を使った新技術を組み込むことで、彼らは設計をさらに簡素化した。天然水晶に電圧をかけて発生する振動が、非常に高精度に時を刻むことを発見したのは、やはりスイスの技術者だった。一九七〇年になる頃には、セイコー、シチズン、カシオがタイメックスとブローバをこてんぱんにしていた。一九七〇年代から八〇年代後半にかけて、クォーツ式時計のほとんどは、スイス製でもアメリカ製でもなく日本製だった。

そして一九八〇年代後半、スイスが市場にスウォッチを投入し、次々と襲う技術変化の波をついに迎え撃った。スウォッチはただ正確な時を告げるだけでなく、ファッショナブルなアクセサリーであり、コレクターアイテムでもあった。セレブを使って広告を打った。雇用をほぼ完全に失っていたスイスの時計業界は、スウォッチ人気で息を吹き返した。日本の腕時計はとつぜん、魅力のないものに見えてしまった。

そして携帯電話が登場する。もし時計を必要ないものにする、急進的な破壊というものがあるとするならば、それは時間を教えてくれるうえに、電話もかけられる持ち運び可能な道具だろう。時計はある日唐突に贅沢品になり、社交的な集まりのためか、単なるお楽しみのツールになった。そして一周して元の位置に戻り、アップル、サムスン、シャオミーのようなスマートフォンを製造するテクノロジー企業が、今度はスマートウォッチを販売している。

腕時計の歴史から学べる重要な教訓は、新たな技術が古い技術に取って代わるたびに、雇用が創出され、失われ、いろいろな国の時計産業が盛衰し、新たな消費様式が登場することだ。腕時計はその一例にすぎない。氷の代わりに冷蔵庫が使われるようになり、電話は電報をしのぐ利便性を発揮し、電球がガス灯に取って代わった。トランジスターは真空管を脇に追いやり、ジェット機はプロペラ機を超えた。CDはレコード盤をコレクターアイテムにし、ワープロのせいでタイプライターは時代遅れになった。デジタル画像は現像写真の地位を奪い取り、ビデオゲームは昔ながらの玩具よりも楽しいことを証明した。そのような劇的な変化を言い表す時、私たちは「破壊（ディスラプション）」という言葉を使う。腕時計も、あちこちで見られる、そのパターンを描く例のひとつである。

創造的破壊の新たなカンブリア爆発

技術が現状を破壊するのは、次のような要因に変化をもたらす時だ。製品コンセプト。製造方法。販売方法。誰が使い、どう使われるのか。人はどう交流し合うのか、など。S&P500に名を連ねる企業の平均寿命は、この半世紀で六〇年からわずか一〇年に短縮した。二〇三〇年になる頃には、技術的な変化が新たな現実の到来を告げているだろう。何十億というコンピュータ、センサー、ロボットアームが、工場、オフィス、病院、学校、家庭、車、ありとあらゆるタイプのインフラで作動している。人類史上初めて、人間の脳よりも多くのコンピュータが存在感を発揮し、私たちの目よりも多くのセンサーが活躍し、工場労働者よりも多くのロボットアームが働いている。私たちがいま体験しようとしているのは、カンブリア爆発に相当する技術的爆発である。五億四一〇〇万年前、一三〇〇万～二五〇〇万年の時をかけて、生物の爆発的進化であるカンブリア爆発が起きた。まさにその時期、複雑な動物種が陸と海の生態系に出現して発達した。それまでの有機体はほとんどが単細胞だったが、カンブリア紀には、小さいが今日の動物と同じくらい複雑な有機体が登場した。よく知られているのは、五つの目を持つ肉食動物や、頭、脊柱、胸部、脚、二本の触手を備えた節足動物だ。
VRから3D印刷まで、AIからナノ技術まで、今日の変化をカンブリア爆発になぞらえたとしても、さほど誇張ではない。貧困や疾病から環境悪化、気候変動、社会的孤立まで、解決が困難なあらゆる問題に新たな技術が解決を約束する。そしてビジョナリーの起業家という、若者中心の新たな階級を生み出している。その多くは二十代だ。作家のトム・ウルフの言葉を借りれば「宇宙の支配者」というわけだ（代表作『虚栄の篝火』のなかで、ウォールストリートの辣腕ディーラーの主人公をそう呼んだ）。

破壊を招くどの技術の波も幻想を伴う。小さな課題から大きな困難まで、様々な問題から、技術が私たちを解放してくれると思うのだ。それは実際、解決策をもたらすと同時に、新たな問題もつくり出す。たとえば自動化は、単調な反復作業につきものの退屈で、しばしば肉体的、精神的な苦痛から私たちを救ってくれる。自動化というテーマを非常にうまく描き出したのが、チャーリー・チャップリンの名作映画「モダン・タイムス」だろう。そのいっぽう、自動化には、数十年前にはミドルクラス入りする確実な道を与えてくれた仕事から、労働者を追放するという側面もある。もし労働者が、別の職業に就く柔軟性か資質に欠ける場合、プランBがなければ仕事にあぶれてしまう。年齢の問題か、新たな好機をよその街に探しに行く能力の有無によって、プランBはさらに複雑化する。あらゆる職種もコミュニティも、地盤沈下のリスクに曝される。なぜなら発明やイノベーションは、伝統的に人間の労働力や監督、専門知識や技能の上に成り立ってきたからだ。

オーストリアの経済学者で政治学者のヨーゼフ・シュンペーターは、「創造的破壊」という史上最もうまい隠喩を考え出した。[6] 本章で探ってきたことの本質を表す言葉だ。シュンペーターによれば、新しい技術とその連鎖的に発生する影響を取り入れ、古くて非効率な技術を駆逐する市場経済の傾向には、破壊的な側面だけでなく、長所もあるという。シュンペーターは一九四二年に書いている。「資本主義の動力源を起動させ、動かし続ける根本的な推進力は、資本主義企業がつくり出す新しい消費財、新しい生産方法か輸送方法、新しい市場、新しい産業組織形態から生まれる」そして、その力学を次のように言い表す。「産業上の突然変異のプロセスであり、経済構造に内側から絶えず革命をもたらし、古い構造を絶えず破壊し、新しい構造を絶えずつくり出す」さらに、こう結論づけている。「この創造的破壊のプロセスこそ、資本主義の本質的事実である」

シュンペーターはそれゆえ、私たちにこう念を押す。破壊はどこででも起きると同時に、ごく自然な現象だ、と。一万二〇〇〇年ほど前に始まった農業革命以来、破壊は人間の生活をつくり変えてきた。決して新しい現象ではないにしろ、時の経過とともに、破壊はより頻繁に、より迅速に起きるように思える。それは経済だけでなく、政治から人間関係までの生活のあらゆる面を変化させる力なのだ。

「コンピュータは役立たずだ――答えしか教えてくれん」

技術的破壊が起きる時――腕時計の場合のように、それは繰り返し起きる――、創造的破壊の猛烈な力が働く。生活は混乱し、キャリアは破綻し、コミュニティは打ち砕かれる。

潜在的な重要性の観点で言えば、ＡＩ分野は格好の分析材料を供給する。腕時計の場合と同じように、私たちがいまどこにいて、どこへ向かうのかについて、私たちの信念と利益とは一致しない。一九九二年、《エコノミスト》紙は論説で「人工低脳」について書き、「人間の知能と何ら変わらない機械の知能をつくり出す、実用的な理由はない」、なぜなら「人間の在庫には困らないから」だと結んだ。同紙はまた、「万が一、不足するようなことでもあれば、人口を増やす、効果的で一般的な方法はある」と述べた（つまり《エコノミスト》紙は、人間が子どもをほしがっているという前提に立っている）。いまではそれが、一九九〇年代当時の甘い見通しだったことがわかっている）。同じように、イーロン・マスクは先頃、こうツイートした。[7]「テスラで自動化を進めすぎたのは間違いだった」さらには「人間は過小評価されている」とも。パブロ・ピカソはかつてこう述べている。[8]「コンピュータは役立たずだ――答えしか教えてくれん」

実際、ＡＩはあらゆる種類の新たな好機を広げる。私たちの知るいまの世界が終わりを迎えようとしているのも、それが大きな理由のひとつである。ＡＩの幅広いアプリは、伝統的に人間の脳の領域だった、たとえば音声認識、視覚、意思決定などのタスクを実行する。それは自動運転の車やトラック、高効率で即座に反応するインフラ設備、スマートな医療システムや生活支援システムに組み込まれている。[9]この数十年のあいだに、ＡＩは加速度的に進化した。一九九七年、ＩＢＭのディープブルーは、チェスの世界チャンピオンだったガルリ・カスパロフを破った。一年後、タイガー・エレクトロニクスは、音声認識技術を使った電子玩具を開発する。二〇〇〇年、ホンダは多機能の生活支援型ヒューマノイドロボット「アシモ」を世に送り出した。二〇一一年、アップルは音声アシスタント機能のＳｉｒｉ（シリ）をスマートフォンに搭載した。ターゲットを絞ったソーシャルメディア広告から写真のタグ付けまで、ＡＩはすでにあらゆるところで使われている。中国公安部はＡＩの顔認識技術を使って、小さな村の住民の日常生活を監視カメラで見張っている。このプログラムは「シャープ・アイ」と呼ばれ、その目的は実際の行動に基づいて市民一人ひとりの信用スコアを算出することにある。ジョージ・オーウェルが『一九八四年』（早川書房）のなかで描いた、ビッグ・ブラザーを思い出させる不気味さではないか。

一部のビジョナリーは、「シンギュラリティ」が到来する時に文字通り、世界が終わると予測する。シンギュラリティとは、高度に洗練されて人間の能力を超えたＡＩが人間に取って代わり、人類全体を無用とする技術的特異点を指す。そのような未来では、機械がほかの機械をプログラムしてコントロールする。一九六五年にコンピュータ科学者のアーヴィング・グッドが論文で論じたように、それは「人類が最もつくり出す必要のない発明」になるだろう。グッドの同僚のアラン・チューリングは、第二次世界大戦中にナチスドイツの暗号機エニグマの解読チームを率いた、コンピュータ開発の草分けである。そのチューリングは一九五一年に、ＡＩが「我々のごとき貧弱な能力を凌駕し」「支配権を握る」ことになると述べた。理論物理学者のスティーブン・ホーキングは、「人類の終わりを意味するかもしれない」という自説をつけ加えている。

黙示録を思わせるその手の話はさておき、ＡＩが大変革をもたらすことは間違いない。こうしているあいだにも、何十万人というプログラマーが、機械学習とそのアプリの範囲を拡大し、ＡＩの能力を進化させているのだ。

＊＊＊

いっぽう、もっと卑近な話に戻すと、アメリカ中西部のとあるサービスエリアで、トラクタートレイラーの運転手が短い休憩を取っている。彼らは商品を全米中に輸送するという、経済に欠かせない仕事をしている。長時間労働のわりに賃金は低い。独立業務請負人（ＩＣ）であれば、なおさらだ。長距離輸送の運転手にとって、ひとつのコミュニティに属するのは難しい。トラック運転手の労働組合は、全米五〇州のうちの二九州で最大規模を誇る。例外はニューイングランド（北東部六州）、中部大西洋沿岸地域（ニューヨーク州、ペンシルベニア州などの八州）、カリフォルニアとテキサスだけであり、それらの州で最も規模の大きな団体は、ソフトウェア開発者、小学校教師、農業従事者、秘書、看護助手、小売店員、顧客サービス担当、弁護士の労働組合である。オバマ政権が委託したある調査によれば、自動運転技術の煽りを受けて失業の危機にある軽トラックと大型トラックの運転手は、一五〇万〜二二〇〇万人にのぼるという。[10] この数字は、二〇一五年の時点で雇用されている全運転手の六〇〜九〇パーセントに当たる。さらに、バスやタクシーの運転手、お抱えの契約運転手、自営業の運転手を加えれば、三〇〇〇万人を超える。

最近の自動運転車の実験から明るい未来が感じられるのは、人間が不注意で、いまひとつ信頼感に欠けるからだ。注意散漫になり、退屈し、疲れもする。コンピュータは複雑な移動を最適化し、混雑や道路状況に適応しつつ、しかも燃費よく走る。最も重要なことに、コンピュータどうしでコミュニケーションが図れる。人間の場合、運転手どうしはライトやクラクションや手を使った合図などの〝原始的な〟方法で意思を伝え合うが、自動運転車は近くの自動運転車と連携し、協力し合って集団で車の流れにうまく乗る（しかも不慮の事故を防ぐ）。

運転手だけの話ではない。製造業で見れば、一台のロボットが平均五、六人の雇用を奪うこともある。[11] 一九八三年にアメリカで二八〇〇万人を数えた「ルーティンの肉体労働者」は、二〇一五年にはたった三〇〇〇万人にしか増えていなかった。[12] そのあいだに導入された三〇万台のロボットが、ほぼ二〇〇万人分の仕事を行なっていた計算になる。本書の第三章で述べたように、アメリカのミドルクラスのうち「ルーティンの肉体労働者」と、ルーティンの非肉体労働者、すなわち「ルーティンの認知労働者」が低迷している理由のひとつは技術だ。そしていま、毎年三万五〇〇〇台のロボットが設置され、過去一〇年間にその影響は加速してきた。二〇三〇年になる頃には、製造業部門は、日雇いの労働者よりも、プログラマーと管理者をたくさん雇用しているだろう。

同じように、事務員や店員などの「ルーティンの認知労働者」も二八〇〇万人から三三〇〇万人へと微増した。対照的に、熟練した機械工などの「非ルーティンの肉体労働者」は一四〇〇万人から二七〇〇万人へと大幅に増え、教師、デザイナー、プログラマー、医療従事者などの「非ルーティンの認知労働者」は、二八〇〇万人から五七〇〇万人に激増した。少なくともまだいまのところは、創造的破壊を起こす技術の力の及ばない分野があるようだ。

とはいえ、事務仕事や管理作業などの「ルーティンの認知労働」が、ＡＩの影響を受ける日もそう遠くない。しかも、影響を受ける人数は、それ自体がビッグデータかと思うほど多い。ルーティン作業に従事する外科医や、訴訟準備を手伝う若い弁護士、入門コースを教える教授は、人工知能に仕事を奪われる恐れがある。[13] 次の、そしておそらく最後のステップでは、非ルーティンの一部の仕事まで奪われるだろう。シンギュラリティが実際に到来することにでもなれば決定的だ。

外科医による手術、それも特に一〇年近い高等教育と研修が必要な、世界で最も複雑で高度な手術について考えてみよう。[14] 二〇一六年、アメリカ電気電子学会は報告している。「ロボットによる画期的な手術において、ロボットは豚の小腸の縫合手術を、みずからの目、ツール、知能を使って自動で遂行した」さらに重要なことに「ＳＴＡＲと呼ばれるその自律型ロボットは、同じ作業を人間の外科医よりもうまくこなした」。外科医よりロボットのほうが縫合が一定で、縫合跡から浸出液が漏れる恐れもなかったのだ。調査に参加した小児外科医のピーター・キムの言葉を借りれば、「私たち外科医が手術を行なう自分の技能に誇りを持っていたとしても、手術結果と安全性の向上のために、人間と協力して働く機械があれば、著しく大きな利益になるでしょう」。キムの考えでは、ロボットはまず外科医を支援する役割を果たす。「まずは駐車から始まり、次に間違った車線に進まないように教えてくれる」自動運転車のようなものだという。その意味において、ロボット工学は必ずしも労働者を排除するわけではなく、人間がよりうまく仕事をこなす手伝いをするのかもしれない。

ロボットが持つ別の魅力的な特徴は、少なくともいまの時点で、ロボットが一方的な判断を下したりしないことだ。「私たちはアレクサやＳｉｒｉと話すことに、たくさんの時間を費やします」ジャーナリストのローラ・サイデルは言う。[15]「そのような人工のパーソナリティが、可愛くて愛すべきロボットのなかに組み込まれていたらどうでしょう」ＭＩＴの研究者アレクサンダー・レーベンは、ボクシーという名前のロボットを段ボールでこしらえた。ある日、レーベンはボクシーに悩みを打ち明けている男性の姿を発見した。その男性は「まるで人間に話しかけるみたいに、ロボットに話しかけてたんだよ」レーベンはアーティストで映画制作者のブレント・ホフとチームを組み、人がつい話を打ち明けたくなるような愛らしいロボットをデザインした。「もう完璧な笑顔なんだ」ホフが言う。「オープンで愛嬌があって、ボクシーが意見を言っても、できるだけ人間の気持ちを傷つけないようにしたんだ」そして初期の結果を見れば、うまくいった様子がわかる。ＭＩＴのヒューマン・マシン・インタラクションの専門家シェリー・タークルは、ロボットを前に人間に心を開かせることは難しくないと言う。「言ってみれば、私たちは安あがりなデート相手なんです」

インテリジェントマシン時代のトロリー問題

技術は恩恵をもたらすとともに、倫理的なジレンマも生む。こんな想像をしてみよう。無人の自動運転車が交差点に差しかかり、右折しようとする。右側にはバイクが走っており、そのバイクの動きを、自動運転車のセンサーが慎重に監視する。するととつぜん、よちよち歩きの男の子が母親の手を振りほどいて、通りに飛び出してくる。コンピュータはバイクの運転手かその子どものどちらの命を救うのかを、一瞬で判断しなければならない。それ以上のデータを集める時間もなければ、被害をどう最小限にとどめるか、どちらの命を優先するのかについて綿密に計算する時間もない。さて、コンピュータはどうするだろうか。

これは「トロリー問題」と（「トロッコ問題」とも）呼ばれる、典型的な思考実験を少しアレンジしたものだ。本来のトロリー問題はこうだ。線路の上を走っていたトロリーが制御を失って暴走し、五人を轢き殺しそうになる。もしあなたが分岐器を操作してトロリーの進路を変えたら、犠牲者はその進路の先にいるひとりで済む時、あなたはどうするか。トロリー問題は、単純な道徳的、あるいは倫理的理由では解決できない難しい問題を明らかにする。映画「ソフィーの選択」で、メリル・ストリープ演じる、ふたりの子を持つポーランド人の母親ソフィーは、ナチスドイツの占領下でレジスタンス運動に協力していた。やがてソフィーは捕らえられ、子どもたちとともにアウシュビッツ送りとなる。そこでナチスの将校に、息子と娘のうち、どちらをガス室に、どちらを強制労働収容所に入れるかを決めろと迫られる。ソフィーは、その場で恐ろしい選択をしなければならない。先に述べたトロリー問題の場合も同じである。そのような道徳的ジレンマを考えれば、軍用ドローンの操縦士が、従来の戦闘機パイロットよりも心的外傷後ストレス障害（ＰＴＳＤ）を発症しやすい理由がわかるだろう。軍用ドローンの操縦士は、数千キロメートルも離れた安全なコントロールセンターで、人の生死にかかわる意思決定を行なう。《ニューヨーク・タイムズ》紙上で、ジャーナリストのエヤル・プレスは、アーロンという名前のドローン操縦士の記事を書いている。[16]「アーロンの目の前で上映される光景は、不快なほど見慣れたものだった。ドローン攻撃のあとに通りを運び出される柩である」。経験を積んだ軍用ドローンの操縦士であっても、アーロンは気分が悪くなり、精神的苦痛を覚えるようになった。やがて吐き気、アレルギー、慢性的な消化不良などの消耗性の症状に悩まされるようになる。「私は本当に、ものすごく具合が悪かったんです」アーロンはエヤル・プレスにそう語っている。誰を殺し、誰は殺さないのかという決断を日常的に行なってきたせいで、アーロンは精神を激しく病んでいた。

二〇一六年と一七年、ＭＩＴが招集した世界的な研究者のチームが、「モラルマシン（道徳的な機械）」と名づけたプロジェクトを実施し、文化の違う人たちがトロリー問題のようなジレンマをどう解決するのかを探った。[17]オンラインプラットフォームを利用して、二〇〇を超える国と地域の二〇〇〇万人を超える回答者から、四〇〇〇万件近い回答が集まった。回答者が答える一三の設問では、必ず誰かが死ぬことになる。あまり迷わずに答えられる設問もある。たとえば「運転手はペットと人間のどちらの命を救うべきか」「大人数と少人数のどちらの命を優先すべきか」などである。だが倫理的、道徳的に非常に難しい状況もある。たとえば「健康な人間とからだの不自由な人間のどちらの命を救うべきか」「優先するのは、犯罪者かそれとも法に従う市民か」といった場合だ。そして明らかになったのは、動物より人間、少人数より大人数、年配者より若者の命を救う傾向だった。「その結果、その三つは、マシン倫理の最も本質的な構成要素と考えられるかもしれない」と、研究者は推論している。

そして予想通り、大きな違いも明らかになった。男女ともに女性の命を救う傾向があったが、女性の回答者のほうにその傾向が強かった。信仰の厚い人は、動物よりも人間の命を優先する傾向が強かった。調査は国による明白な違いも浮き彫りにした。「年配者より若者の命を優先する傾向は、東部クラスター（儒教の影響が強いアジア諸国と一部のイスラム教国）において低く、南部クラスター（ラテンアメリカとフランス語を話すアフリカ諸国）においてずっと高い（「西部クラスター」は、アメリカと欧州など、キリスト教の影響が強い諸国を指す）。地位の高い人の命を優先する傾向についても、同じく東部クラスターで低く、南部クラスターで高かった」南部クラスターでは「ペットよりも人間の命を優先する傾向がはるかに弱かった」。興味深いことに「どのクラスターでも同程度に共通していたのは、車の乗員よりも歩行者を優先するという（弱い）傾向と、法を守らない人間よりも法を守る人間を優先するという（中程度の）傾向のふたつだけだった」。個人主義の文化が強い国では若者の命を優先し、貧しい国では交通ルールを守る歩行者よりも、信号無視をして通りを横断する歩行者に寛容だった。驚いたのは、貧富の差が大きな国で、地位の高い人間の命を優先すると答えた回答者が多かったことである。

この調査の厄介なところは、「マシン倫理について考える人が、まるでロボットに対する完璧なルールをつくり出せるような印象を、人びとに与えてしまうことです」そう述べるのは、論文の共著者のひとりであるイヤード・ラフワンだ。「この調査で私たちがデータとともに示したのは、万国共通のルールではありません」別の共著者のエドモンド・アワドも指摘する。「AIが異なるグループの人たちに、異なる倫理的影響を与える可能性に、より多くの人が気づき始めました。人びとがこの問題に関心を持っていることは、将来に期待が持てると思いますね」アウディの自動運転車ユニットの責任者を務めるバーバラ・ヴィガは、こう述べている。「どのリスクを進んで冒すのかについて、社会的コンセンサスを築かなければなりません」

AIの普及がもたらす問題は、トロリー問題の道徳的ジレンマだけではない。ソナタ・ソフトウェアのCEOスリカー・レディと私が先頃、世界経済フォーラムのブログで論じたように、私たちは「義務論的倫理基準」と「目的論的倫理基準」とを区別する必要がある。[18] 前者は意図と手段に焦点を置き、後者は目的と結果に焦点を置く。どちらのアプローチが最善かは、技術と文脈によりけりだ。「自動運転車について言えば、間違いがなく、効率的で環境にも優しい輸送システムを実現するという目的は、様々な状況で運転する際の大規模なデータ収集を正当化するかもしれず、AIアプリケーションに基づいた実験の場合にも、同じように正当化するかもしれない」そのいっぽう、ビッグデータに基づく臨床試験は、目的論的な立場から正当化するのは難しい。何も知らされていない被験者を使って医療実験が行なわれた、おぞましい過去があるからだ。意図と手段に重点を置く義務論的なアプローチのほうが、理にかなっている。

自動化、AI、ビッグデータがもたらす倫理的、道徳的ジレンマはもはや無視できなくなりつつある。「人類の歴史において、誰が生き、誰が死ぬべきかについて、我々がマシンに自律的な判断を――即時に、リアルタイムの監督なしに――許したことはない」モラルマシン・プロジェクトに参加した研究者は、次のような結論を引き出す。「我々はいまにもその橋を渡ろうとしている」私の意見を信じるならば、その橋を渡るのは二〇三〇年の前だろう。「車に倫理的な決断をさせる前に、私たちは地球規模で議論をし、道徳のアルゴリズムを設計する企業と、彼らを規制する政策立案者に、私たちの考えを表明する必要がある」問題は、自動化の倫理と道徳は自動化もできなければ、アルゴリズムのかたちで設計することもできないことだ。

「3D印刷がある時代に、誰がパリ協定を必要とするのか」

この挑発的な問いを投げかけたのは、ダートマス大学タック・スクール・オブ・ビジネスで、戦略的マネジメントを専門とするリチャード・A・ダヴェニー教授だ。3Dプリンターでは、極めて薄いシートを連続して印刷し、一枚ずつ積み重ねることで三次元の物体をつくり上げる。専門的には「付加製造法」と呼ばれる方法だ[19]。この技術は無駄を削減する。なぜなら、プラスチック部品から人工歯、人間の代替組織まで、原材料は造形に必要な分だけでいいからだ。伝統的な製造方法と同じくエネルギー源は必要にせよ、「煤煙や有毒ガスの排出量は減る」。そして「3Dプリンター会社と小型工場を顧客のより近くに設置すれば、企業は出荷コストを大きく削減でき」、最大の利益が生み出せる。私たちはこれまで、製造業において、低価格商品を届けるためには規模の経済が欠かせない、という考えを当然のこととして受け入れてきた。一九八〇年代に小型工場と柔軟な生産方法から始まった動向を、3D印刷は加速させ、拡大させ、環境に大きな利益をもたらすだろう。「二〇世紀の使い捨ての価値観から脱することになる」ダヴェニーはそう予想する。「あまりモノを買わなくなり、手に入るものでより満足する——環境保護主義者が私たちにずっと告げてきたことだ。少ない原材料しか使わず、つくるモノも減ると、空気中に排出する二酸化炭素量も大きく減る」

別の言い方をすれば、もし経営者や顧客が古い考えを捨てて、過去の習慣を変えれば、3D印刷は広まる。だがそのためには、慣れ親しんだ領土を離れ、新たな可能性を思い描く必要がある。つまり、水平思考を働かせなければならない。せっせと在庫を製造する（そして倉庫に保管して、いつでも注文に応じられるよう準備しておく）代わりに、企業はリアルタイムの需要に応じる生産方法に慣れるべきだ。法人顧客のほうでも、本当に必要な時まで待つ方法を学ぶべきだ。「貨物輸送……が排出する二酸化炭素量は、豊かな国の全排出量の約四分の一を占める」貨物運送最大手のUPSは、全米に張り巡らせた倉庫ネットワークを生命線として、法人顧客のニーズに応えている、とダヴェニーは指摘する。「UPSは先頃、ケンタッキー州ルイビルにある同社の貨物取扱拠点に、巨大な3Dプリンターを一〇〇台設置した。倉庫スペースと輸送距離を削減するためだ。今後は、必要な分だけ部品を製造することが増えるだろう」二〇一七年、UPSはSAP（ドイツの技術系コンサルタント会社）と業務提携し、顧客の注文に応じて予備の部品を3D印刷する代行サービスに参入した。実質的に

「貨物運送会社ではなく物流会社として」、生まれ変わろうとしているのだ。

３Ｄ印刷技術は特別注文の部品にはうってつけだが、想像力を義歯に制限しないほうがいい。洪水の脅威が高まる都市部（前章を参照）では、３Ｄ印刷で岸壁をつくり、「その複雑なコンクリート表面によって波のエネルギーを様々な方向に分散させる」ことで、被害を抑えられるかもしれない。スウェーデンの自動車メーカー、ボルボは、オーストラリアのシドニーにある地元組織と協力して、マングローブの根の構造を模した、タイル製の人工サンゴ礁を護岸に取りつけ、本物のサンゴ礁が提供するような海洋生物の生息地をつくり出した。その結果、生物の多様性が生まれ、プラスチックなどの粒子状物質や重金属を海面から除去する役に立っている。そのタイルは、３Ｄ印刷のモールド（型）を使ってつくられた。

３Ｄ印刷を活用して、来たるべき最悪の気候危機を回避できそうな方法は、ほかにもたくさんある。建築家のプラット・ボイドは、従来の建築資材の制限にも、建築業界の無駄の多さにも苛立ちを募らせていた。そして、３Ｄ印刷の登場を機にブランチ・テクノロジーズを創業した。[20] 二〇一五年には、チャタヌーガにあるスタートアップのアクセラレーターの拠点に本社を移した。第五章で述べた通り、チャタヌーガは市全域で光ファイバー回線を敷設しており、ギガビット・ネットワークに接続できる施設はそこだけだったからだ。ブランチ・テクノロジーズでは「産業ロボット、高度なアルゴリズム、まったく新しい『フリーフォーム』の押し出し成形技術を組み合わせた革命的な技術」を用いている。「その技術を使えば、空間に押し出した材料を即座に凝固させることができます」ボイドは誇らしげに説明する。「セルラー・ファブリケーション（Ｃ‐ＦＡＢＴＭ）と呼ばれるその技術は、自然がかたちや構造をつくりあげる方法からヒントを得ています。これまでにないほど自由にデザインでき、資源も無駄にしないため、建築業界に革命を起こすでしょう」３Ｄ印刷には多様な利点がある。「我が社はデザインの自由を民主化し、より軽く、より強靭で、より迅速に現場で製造できる新たな建造物を開発しています。しかも、デザインも一〇倍も自由で（それまで主流だった除去製造法ではなく、付加製造法のため）本質的に廃棄が出ません」ブランチ・テクノロジーズの本社は、世界最大規模のフリーフォーム３Ｄプリンターを導入し、３Ｄ印刷でこしらえた構造物の世界最大記録も保持している。そのドーム状のオブジェは、国連が掲げる「持続可能な開発目標（ＳＤＧｓ）」を記念した、ナッシュビルの公園に設置されている。

アニー・ワンとザック・シムキンも、３Ｄ印刷から生まれる好機を掴むことにした。ふたりが知り合ったのは、ウォートン校でＭＢＡ取得を目指していた時だ。ほとんどのクラスメートと同じように、彼らも卒業後は典型的なキャリアパスを目指して、大企業か銀行に勤めるつもりだった。３Ｄ印刷のことはほとんど何も知らなかった。初めて３Ｄ印刷に遭遇したのは、二〇一三年の卒業直前にイノベーションの授業を取っていた時のことである。ＡＩと機械学習を組み合わせれば、３Ｄ印刷を使って部品を設計する法人顧客を支援できることに好機を見て取ったのだ。ワンはエスティローダーという、誰もが羨む化粧品会社の正社員の座を捨て、先見性はあるがリスクの高いプロジェクトに乗り出した。その五年後、ふたりが立ち上げたセンヴォルは、アメリカの防衛機関、海軍、民間企業などの顧客をたくさん抱えていた。センヴォルのような企業や事業、構想が数百も集まって、アメリカの製造業の復活に貢献しているのだ。

ほかにも、３Ｄ印刷の革命的な応用が期待できるのは、義歯の作製や「３Ｄ印刷した組織」の移植といった医療分野である。中国企業は家屋そのものを３Ｄ印刷しており、ハリケーンなどの災害後に迅速な復旧や復興が可能になるかもしれない。何といっても、気候変動の影響で自然災害の発生頻度は高まり、被害も悪化しているのだ。おそらく最も興味を掻き立てる３Ｄ印刷の可能性は、宇宙探査と惑星の植民地化だろう。人類の火星移住を想像してみよう。設備や部品を地球から輸送するよりも、３Ｄプリンターがあれば、現地調達の原材料を使って、必要なものを何でもこしらえることができる。地球から火星まで片道七カ月もかかることを考えれば、予算だけでなく時間の節約にもなるはずだ。

３Ｄ印刷の利益はたくさんあるいっぽう、スキルも賃金も極めて高いブルーカラーの職を、それもとりわけサプライチェーンの特定の部分を危険に曝すだろう。政治的影響の大きさも無視できない（考えてほしい。単純な銃器ならすでに3Ｄプリンターで製造できるのだ）。自動化、ＡＩ、３Ｄ印刷について理解する際に忘れてはならないのは、その三つが本当にゲームのルールを変えてしまうことだ。自動化は、人と労働の関係を新たに定義する。ＡＩは、人間が頭脳を使って行なう活動を機械学習に、人間の言語を自然言語処理（ＮＬＰ）に変えてしまう。３Ｄ印刷技術は、経済活動において購入者と供給者が相互に作用し合う方法を新たに設定し、既存の輸送エコシステムをつくり変えてしまうのだ。

保険をもっと刺激的で——公正なものに

保険会社は、安全を期すことが求められる。リスクを綿密に計算し、顧客を慎重に選りすぐる。保険会社は退屈な存在だ。なぜなら、その役割はあらゆる人間とものを破滅的な損害から守ることだからだ。製造業と違って、真に画期的なことは何も起こらない。そして、何世紀にもわたって「ハイリスク・カテゴリー」の相手に高い保険料を設定してきた。最近の例も含めれば、喫煙者や三〇歳以下の男性運転手、エクストリームスポーツの愛好家などである。そのような分類は、不利な立場に立つグループに対する偏見や、あからさまな差別を生みやすい。だが将来、データ収集をリアルタイムに行なうことで、運転手一人ひとりの実際の道路上の行動に応じて、保険料を設定できるようになる。「リスクの高い」特定のグループという、一般的なステレオタイプに応じた設定方法ではなく、性別や年齢に関係なく、運転が下手かリスクの高い運転手が、高い保険料を支払うことになる。不吉にもビッグ・ブラザーを思い出させるが、保険料が下がるとなれば、運転行動のリアルタイムの監視に多くの人が同意するかもしれない。

そのようなデータ収集が行なわれるとすれば、それを支えるのは「モノのインターネット（IoT）」だ。工場、鉱坑、エネルギーシステム、輸送システム、小売施設、車、家、オフィス――時には人――を動かすために設計されたデバイスと、センサーとを相互接続した仕組みを指す。モノのインターネットは保険ばかりか、経済と社会全体に大きな革命をもたらす可能性を秘めている。二〇三〇年頃には、二〇〇〇億ものデバイスがセンサーに繋がれているだろう。[21] それが最も早く進展するのは、工場、都市、医療、小売り、輸送部門だ。モノのインターネットを包括的に実行するために必要なエコシステムは広範囲に及び、そのなかにはデバイスそのものだけでなく、データ伝送、記憶装置、分析ハブ、フィードバックループも含まれる。その巨大インフラを支えるために大量の雇用が生まれることは、まず間違いない。その創造的破壊の波は、雇用の創出と削減の両方をもたらす。

頭脳を鍛えてもっとハッピーに、健康的に

数年前まで私は、ＶＲを好むのは依存症のゲーマーだけだと思っていた。[22] ところがＶＲは、はるかに実用的で画期的な技術であることがわかっている。医療分野において、外科医や助手はＶＲゴーグルを装着し、複雑な手術を遂行する最善の方法を視覚化するようになっている。心理学者はＶＲを活用して、高所恐怖所やめまい、不安障害、ＰＴＳＤに苦しむ患者の治療にあたっている。オックスフォード大学では、ふたりの研究者がＶＲを利用して、パラノイアの症状のひとつ、被害妄想の治療に挑んでいる。「最も効果的な方法は、彼らが恐れている状況が実際は安全であることを体験してもらい、その体験から患者が学ぶ手伝いをすることです」研究者はそう説明する。「安全だという気持ちが強まるにつれ、被害妄想は和らぎます」たった一回の治療でも、患者には大きな改善が見られる。「ＶＲはゲーム世界だけのものではありません」ふたりは指摘する。「ＶＲは将来、精神衛生センターで評価と治療の中心的役割を果たすでしょう」この技術は、歯科医院でも、あるいはＭＲＩ検査を受ける際の不安軽減のためにも活用されている。

脳の特定の領域を損傷した人の運動機能を刺激する際にも、ＶＲは大きな効果を証明しつつある。韓国の研究者の発見によれば、「ＶＲ機器を使用することで患者の神経系に重要で適切な刺激を伝え、それによって神経可塑性（外界の刺激によって、脳内の神経細胞に機能的、構造的な変化が現れる性質）をうまく利用し、脳の運動系と認知系を刺激できる」という。[23] ＶＲは同じように、自閉症に向き合う子ども

たちの役に立っている。[24]「子どもも大人も日常的にスマートフォン、コンピュータ、スマートウォッチ、テレビ、ゲーム技術を利用してただ楽しんでいます」そう書いているのは、ウェルビーイング分野でのＶＲ応用を専門とするウェブサイト「ＶＲフィットネス・インサイダー」である。「最小限しか、あるいはまったく口をきかない自閉症の子どもや大人のなかには、毎日、ｉＰａｄや音声アプリを使って自分の意思を伝え、それらを教育ツールとして使う患者さんもいます」ＶＲを使った治療中の脳の活動を観察することで、自閉症を抱えた子どもとそれ以外の子どもの行動の認知的側面と社会的側面を、医師は確認できる。そしてそれをもとに、今度は自閉症の患者が、顔の表情やからだを使った相手の合図を読み取る方法を練習し、社会的交流に伴う障害を克服できるよう、セラピストが手伝う。ＶＲはまた、自閉症の子どもが学校で社会的スキルを身につけ、授業内容をより容易に、より効果的に学べるようにする。二〇三〇年までには、医師やセラピストが蓄積してきた数十年の経験と、ＶＲなどの技術のおかげで、精神的疾患を抱えた患者の数は著しく減少しているかもしれない。

ナノ技術で気候変動にストップをかける

気候変動の大きな原因のひとつは被服産業だ。ある試算によると、その業界の二酸化炭素排出量は全排出量の八パーセントを占めるという。これは、国際航空便と海上輸送とを合わせた数字よりも大きい。新しいナノ技術分野を活用すれば、化石燃料を原料とする合成繊維に対する依存を、劇的に減らせるかもしれない。ポリエステルＴシャツの生産は、コットンＴシャツの二倍の二酸化炭素を排出する。排出量の問題をさらに悪化させるのが、数週間ごとに新たなデザインが登場する「ファストファッション」現象だ。「毎年、新たに生産される衣服はひとりあたり二〇着になり、私たちが買う服は二〇〇〇年の一・六倍に増えている」二〇一八年、《ネイチャー》誌は論説でそう述べている。「どの衣服も処分される前の着用回数が減った。衣服一着あたりの寿命が短くなったということは、製造過程での二酸化炭素排出量が相対的に増えたという意味だ……ミドルクラスが拡大し、その人口動態変化に応じて購買力が高まるにつれ、排出量は今後も増え続けるだろう」加えて、古着を買うことには悪いイメージがつきまとう場合もあった。いっぽう、目端の利く中古車ショップでは、新車ではないという意味で「以前に所有者がいた」という表現を使う。

　被服産業が気候変動の一因である問題に、ナノ技術が取り組む方法はほかにもある。[25] ナノ技術を使えば、原子、分子、超分子のスケールで素材を制御できる——すなわち、粒子を一〇億分の一インチ単位でデザインして、より強いか安いか、環境に優しい素材をつくり出せるのだ。ナノ技術の応用例として最も普及が期待されるのは、「プログラム可能な物体（プログラマブル・マター）」だろう。[26] つまり、シグナルかセンサーに反応して、かたちや密度、伝導性、光学特性などの物理的な特性が変化する素材である。二〇三〇年には、季節ごとにクローゼットの中身を変える必要はないかもしれない。同じ衣服が冬には暖かく、夏には熱を逃がし、気温に応じて色まで変化するかもしれない。MITの自己構築（セルフ・アセンブリー）ラボでは、「全天候型の衣服はもはやSF小説の夢物語ではない」と考える。[27] 研究者はすでに「気温に応じて、人間の皮膚の毛穴のように、布の網目が拡大したり収縮したりするスマートマテリアル」を開発した。その素材は、寒いと堅く閉まって断熱効果を持ち、気温が上がると緩んで通気性が増す。

　ナノ技術はまた、エネルギー効率を改善することで、二〇三〇年の気候のティッピングポイント

（閾値）を回避する一助となるかもしれない。より強度の高い合成物は、すでに飛行機や車からスキー板やテニスラケットまでのあらゆる製品に使われている。ナノ技術は、仕事を為すために必要なエネルギー量の削減に役立つ。より耐久性の高い省エネ資材を活用すれば、建設業界も変わるだろう。[28]「環境配慮型建物（グリーン・ビルディング）を実現する重要な戦略として、ナノ技術は確実に断熱性を向上させ、再生不可能な資源への依存度を減らす」と最近の研究は述べている。「壁の厚さを制限するナノ断熱資材（NIM）の応用は、既存の建物はもちろん建築遺産にとっても、省エネ効率を上げる高い可能性のひとつだ」

プログラマブル・マターは「汎用予備部品」にも使われる。国防高等研究計画室（DARPA（ダーパ））が特化するのは、軍事目的への応用だ。そのプログラムを率いるミッチェル・ザーキンは説明する。「将来、兵士は軍用車両の後部座席にペンキ缶のようなものを乗せているでしょう……その缶に入っているサイズやかたち、性能も様々な粒子は、（たとえば）小型コンピュータ、セラミック製品、生物システムなど、何でもユーザーが望むものに変わる潜在性を持ちます」戦闘中に「兵士が特定サイズのレンチが必要になった時には、（兵士が）その缶にそのメッセージを伝えます。すると粒子は自動的にレンチのかたちになります。レンチを使い終わったあとに、今度はハンマーが必要になったとしますね。兵士がレンチを缶に戻すと、レンチは元の粒子に分解したあと、今度はハンマーのかたちに組織化します」同様にプログラマブル・マターは、変化する飛行条件の下で飛行機がエネルギー効率よく飛べるよう、翼のかたちや密度、柔軟性を変えられるようにする。ナノ技術をそのように活用すれば、気候変動の速度を明らかに鈍化させることができるだろう。

そしてまた、幅広い疾病を診断し、治療する「ナノ医療」という新たな分野も登場した。[29] 二〇一八年、全米がん研究財団は、がん細胞に抗がん剤を高精度で届ける画期的な治療法の可能性を発表した。「プログラムしたナノロボットに患部まで低分子薬剤を運ばせ、がん細胞に栄養を供給している血流を止めることで、組織を殺して腫瘍を縮小させます」と米中の研究チームは説明する。卵巣がんであれば、ナノ技術はがんがわずか一〇〇個の細胞に影響を及ぼし始めた時点で早期発見が可能だ。また、プラスチックの代わりに生物分解性の安価な素材を用いることで、漁場の汚染を防ぐ。有害な微小プラスチック片は野生生物に害をもたらすと同時に、食物連鎖にも影響を及ぼしかねない。

電子書籍、ワイン、飛び越え

近年の技術的進化は、快進撃を続けているようだ。デジタルによる消費行動は、ニュース（紙の新聞）、音楽（レコード）、映画（DVDレンタルチェーンの「ブロックバスター」よ、安らかに眠れ）の伝統的な消費行動を隅に追いやった。一九七九年、英国のバンド、バグルスは大ヒット曲「ラジオ・スターの悲劇」で、そのような世の移り変わりを歌った。そのいっぽう、アメリカなどの先進国で、電子書籍はいまだ紙の本の地位を奪い取っていない。となると、ヨハネス・グーテンベルクの五〇〇年前の発明が持つ、とてつもない競争力の裏にはどんな秘密があるのだろうか。

電子書籍が紙の本を駆逐できない理由は、ミレニアル世代があまり本を読まなくなったせいではないかと疑いたくなる。[30] ところが、ピュー・リサーチセンターによれば、その世代はどのフォーマットにおいても、ほかの世代よりもたくさん本を読んでいる。[31] 別の可能性は、書籍の出版社が〝構造的慣性〟に陥っているという考え方だ。その力が働くと、ひとつの方法からより高いパフォーマンスを約束する別の方法へと円滑な移行を図ろうとする際、個人、組織、コミュニティが二の足を踏んでしまう。すでに定着した習慣やルーティン、方法があるために、構造的慣性が新しい方法への転換を渋る心理的、認知的、組織的なかたちで現れるのだ。だからこそ、スイスのメーカーは音叉時計やクォーツ時計の発明者でありながら、そのビジネスチャンスを逃してしまった。だが、紙の本が消えない別の理由は、それがギフトにも最適で、（活字中毒者には誠に残念なことだが）部屋のインテリアにもなるという、独特のフォーマットを備えていることと関係がある。

電子書籍が先進国市場で惨敗し、音楽や動画のストリーミングサービスが大成功した理由について、それで一般的な原則が導けるだろうか。技術評論家でベストセラー作家でもあるエドワード・テナーは、人が時に新しい技術を好まず、古い技術に固執したがる理由があると言う。その第一は、新しい技術に伴う潜在的な脆弱性だ。たとえば、ファックスはいまや博物館入りの代物だが、しばらくのあいだ、人はファックスを使い続けた。スキャンした文書をメールで送付することに対して、セキュリティ上の懸念があったからだ。考えうる第二の理由は、美意識とノスタルジアである。CDとストリーミングで激減したとはいえ、音楽愛好家のニッチ市場でレコード盤は売り上げを伸ばし続けている。オートマチック車は改善したが、マニュアル車にこだわるカーマニアも多い。

おそらく紙の本の強さを理解するカギは、エコシステムの一部を成す様々な技術に、浮き沈みがあることだろう。その技術自体や技術だけが原因のことはほとんどない。オープンイノベーションを通して、エコシステムを早急に発達させる必要がある。そうでなければ、新しい世代のユーザーにアピールできず、その過程でビジネス状況を変化させることはできない。ところが、電子書籍のプラットフォームは根本的に外部のイノベーターに対して、特にソフトウェア側においてクローズドのままだった。その結果、電子書籍の機能は限定されてしまっている。さらに調査から明らかなように、紙の本を読む時のほうが、電子書籍リーダーやタブレットで読む時よりも、読者は本の内容を理解しやすい。「自分が紙の本のどのあたりを読んでいるか、という暗黙の感覚は、私たちが思う以上に重要だとわかっています」英国にあるマイクロソフトリサーチのケンブリッジ研究所の研究者、アビゲイル・セーレンは述べている。「自分がいまどこを読んでいるのかがわからなくなるのは、電子書籍の場合だけですね。本（物語）全体のどのあたりを読んでいるかを、人がどのように目で把握するのかについて、電子書籍の製造業者は充分に考慮しなかったのではないでしょうか」

さらに《サイエンティフィック・アメリカン》誌の記事によれば、「スクリーンと電子書籍リーダーは、テキストを読み進める際のふたつの重要な側面を妨げる。すなわち、セレンディピティ（思いがけないものを発見する喜び）とコントロール感だ。ある文章によって、すでに読んだ箇所の記憶が甦る時、人は紙の本のページをあちこちめくって、その箇所を楽しみながら探そうとする」そのいっぽう、電子書籍はデジタルマガジンほど双方向性がない。二〇一一年、「紙の雑誌は壊れたｉＰａｄ」と題するユーチューブ動画がバズった[32]。「一歳の女の子がｉＰａｄの画面をスワイプし、並んだアイコンをシャッフルしている」次に女の子は、紙のファッション雑誌のページをスワイプし、ピンチし、指でつつくが、何の変化も起こらないために不思議がる。父親は生まれつきデジタル（ボーン・デジタル）な我が子について、ユーチューブ動画にこんなテロップを入れている。「一歳の娘にとって紙の雑誌は壊れたｉＰａｄ。

娘にとって雑誌は一生そのままだろう」第二章で紹介した「生まれつきデジタル」な世代は、電子書籍にはあまりワクワクしないらしい。なぜなら、ただ単に紙の本をデジタル化しただけにすぎないからだ。テキストをこしらえるプロセスそのものが進化しなければ、電子書籍の魅力は増えないだろう。「ライターのなかには」と、《サイエンティフィック・アメリカン》誌は書いている。「コンピュータプログラマーと組んで、より高度な双方向性を持つフィクションやノンフィクションをつくり出す者もいる。次に何を読み、何を聞き、何を目にするか、読者自身が選択できるものもある」

アメリカや裕福な国でこそ電子書籍は不振だが、開発途上国では天の恵みとなるかもしれない——ただし、大胆に水平思考する必要がある。アフリカが前へ進むうえでの大きな課題のひとつは、急増する人口をどう教育するか、だ。第一章で述べたように、二〇二〇～三〇年にアフリカで生まれる子どもは四億五〇〇〇万人にのぼる。これは、全世界で生まれる子どもの三分の一にあたる。南アフリカ共和国のスタートアップであるスナップリファイは、デジタル教育コンテンツのアフリカ最大級のプラットフォームと情報収集サイトを提供し、図書館も書店もない地域に本を届けることを使命にしている。[33]現在のところ、数百カ所の学校と一七万人の児童にサービスを提供しており、今後の成長がおおいに期待される。いっぽう、別のアプローチを取るのが、サンフランシスコに本拠を置く非営利組織のワールドリーダーだ。[34]開発途上世界のあちこちの学校が電子書籍リーダーや携帯電話を使って、電子書籍のライブラリーに無料アクセスできる活動に取り組んでいるのだ。送電線網に接続していない僻地において、太陽電池パネルやＵＳＢハブ、ＬＥＤ照明、電子書籍リーダー、電子ライブラリーへのアクセスなど、統合的な解決策を提供する。

アフリカは、世界有数の電子書籍ユーザーになるかもしれない。ほぼ同じようにして、アフリカはすでにモバイル決済の最前線に立っている。急速に発展する今日の世界で常識を覆す極めて意外な特徴のひとつは、未来を覗き込む時に、「開発途上にある」国や地域がしばしば最善のパノラマ式ウィンドウを提供してくれる点だろう。対する「先進国」に分類される国や地域は、考えるにしろ何かをするにしろ、従来の方法に拘泥しすぎて、なかなか過去と決別できない。だが、「一気に飛び越せば」遅滞者も追いつける。[35] 漸進的なイノベーションが起きた期間をすっ飛ばせばいいのだ。

本以外にも、古いフォーマットの〝健在ぶり〟を示す例はほかにもある。バーやレストラン以外の場所で販売されるワインのうち、オンライン売り上げが占める割合はほんのわずかだ。[36] アメリカで一・八パーセント。ドイツと日本で三・三パーセント。フランスでは四・三パーセント。ところが、ワインの世界最大の市場である中国は違う。全売り上げの一九・三パーセントがオンライン販売なのだ。同じようにオンライン販売が一〇パーセントを超える国は、ほかにあとふたつだけ。オーストラリア（一一・三パーセント）と英国（一〇・三パーセント）である。どちらもワイン好きであることを考えれば、別に驚かないだろう。

そもそも、消費者はなぜオンラインでワインを買いたがらないのか。これは、なかなか重要な問いである。衣服や靴のオンライン販売は、多くの国で全体の五〇パーセント以上を占める。ぱっと見たところ、変ではないか。なぜなら、衣料品店は客にいろいろ試着を勧め、ぴったり合うサイズを見つけるように促す。それなのに酒店は、店に置いてある限られた品揃えのなかから、たまにしか試飲を勧めない。消費者がワインをオンライン購入したがらない理由は、おそらくこういうことだろう。彼らはたいていワインの知識に乏しく、店員のお勧めを買いたがる。あるいは、オンラインで購入すれば配達の途中で割れてしまうことが心配かもしれない。消費者は気が短く、その場で購入したいのかもしれない。もっと説得力のある理由は、ほとんどの人がワインをぎりぎりのタイミングで買うことだ。つまり、特別な記念日の前日とかパーティに出かける直前に。これらすべてが、オンラインでワインを購入する可能性を妨げていることは間違いない。だからと言って、それが中国、オーストラリア、英国が例外である理由を説明しているわけではない。

中国では、ワインのリアル店舗の拡大が、第三章で紹介したミドルクラスの急増に追いつかなかった。それなら、オーストラリアと英国では？　その答えは、一部のワインはラベルで売られる（つまり、より値の張る洗練された、「その土地の土壌を反映した」ワインだ）が、それ以外のワインはブランド名で（より安価に）売られることにある。フランスには二万七〇〇〇ものワイン醸造所と、その数と同じだけのラベルがあり、どれも独特の個性と味わいを誇る。こうしてラベルで売られるテロワールワインは、そう簡単にはオンラインチャネルには乗らないが、ブランド名で売られる画一的なワインは、オンラインチャネルに適している。よく知られるブランドのひとつに、オーストラリアのイエローテイルがある。オーストラリア、英国、中国では、多くの顧客がワインをラベルよりもブランドで見る。なぜなら、これらの国で大量消費市場に火がついたのは、比較的最近の一九八〇年代になってからであり、新しいワイン消費者にテロワールワインの奥深い魅力を探る時間がなかったからだ。「いま、英国が世界最大規模のワイン市場であるのは」ワイン研究家のジュリー・バウアーは、《ビバレッジ》誌の最近の調査記事で述べている。[37]「初期のブランドと一九九〇年代になってから届いたブランド……が成功したことが大きい。大量消費市場に訴える生産者として、オーストラリアがフランスに取って代わった」のだ。電子書籍の場合と同じように、オンラインという選択肢は、非常に特殊な環境でしか消費者の心を捉えない。そして、その特殊な環境が揃わなければ、極めて便利か安価な技術でさえ成功は難しい。

発達させるか、開発し直す価値のある技術はどれか

人口の高齢化、地球環境の悪化、気候変動がもたらす困難を考えれば、二〇三〇年までに早急に開発すべき技術はどれかを、慎重に見極めたほうがいいだろう。文明の利器にアクセスできない人たちにとって、私のリストのトップを占めるのは、水を使わないトイレと電子書籍である。慢性の精神障碍や認知障碍を克服するために、VRを使ったセラピーも優先されるべきだ。ナノ技術は環境に有害な物質から私たちを解放し、3D印刷は無駄を削減してくれるだろう。だが、これらの技術が雇用を減らし、プライバシーを奪い、フェイクニュースの蔓延を促すならば、悲惨な状況をもたらしかねない。

私たちは古い技術についても考え、どうすれば古い技術を創造的な方法で再活用できるのかについても知恵を絞らなければならない。〝車輪を再発明する〟最近の例として極めて興味深いのは、フライホイール（弾み車）である。[38] このうまくできた装置は数千年ものあいだ、ろくろの一部として使われ、スムーズな回転を生み出し、整ったかたちの滑らかな土器を生み出す役に立ってきた。発明したのは、今日のイラクにあたる古代シュメールの人たちと言われている。一七七〇年代、ジェイムズ・

ワットはフライホイールの新たな利用法を発見した。蒸気機関のシャフトにディスクを取りつけ、ピストンの不規則な上下運動を、一定速度の回転運動に変換させたのだ。

二〇一〇年代、マサチューセッツのある企業が、フライホイールを使った計画を開発した。通常、無駄になってしまう余剰エネルギーを貯蔵して、地球をエネルギー不足から救うためであり、発電所の電気の流れを滑らかにして、発電効率を高めるためである。ニューヨーク州スティーブンタウンにある、フライホイールを導入した同社初の施設では、二〇〇台のフライホイールを使って最大二〇メガワットの電力を貯蔵でき、これを活用することで、ニューヨーク州で一日に必要となる電力消費量の一〇分の一が充分賄える。その目的のために、フライホイールは石やスチールではなく、軽量カーボンファイバー製とし、摩擦を減らすために磁石の力を利用して真空室に吊り下げてある。それゆえ、ジェットエンジンを上まわる速度で回転でき、運動量を維持できる限りエネルギーを貯蔵する。ブレーキをかければ、いつでも電力が必要な時に、フライホイールの運動エネルギーを電力に変換できる仕組みだ。またこの技術を使えば、曇りの日にも太陽電池パネルによる発電量を補い、風がないか微風の日にも風力発電所の電力量を改善できる。このようにフライホイール技術は、エネルギーに乏しく環境意識の高い現代において新たな用途を見つけ出し、新たな動向に対応して〝車輪を再発明した〟のである。

つまるところ、社会か経済ですでに進行中の傾向と共振する時、技術は広まり、取り入れられる。新たな技術が支持されるのは、それが成長とアクセスを可能にするからだ——アフリカで携帯電話と電子書籍が普及し、中国と英国でワインのオンライン販売が好調なのもそういうわけだからだ。世界を真に変革し、大きな転換をもたらすためには、技術イノベーションは人口動態的あるいは経済的な大波に乗らなければならない。これについては、次章で詳しく見ていこう。

第七章：所有物のない世界

波に乗る、ネットワーク効果、八五億人がつながる力

リンゼイ・ハワードは、九時から五時の仕事に就いておらず車も持っていない[1]。不規則な時間の仕事も引き受け、好機があれば喜んで働く。とはいえ、社会の不適合者ではなく、低賃金で働く派遣社員でもない。技術者であり、その生活の中心にあるのは、タスクラビット（作業代行サービスのマッチングサイト）のようなデジタル〝コラボ〟プラットフォームだ。そのプラットフォームを通して、世界中の企業が投稿した内容から仕事を選ぶ。いわゆるギグワークだ（空き時間を使って請け負う、単発や短期の仕事）。手早く正確に仕事をこなせば、時間あたりの支払い額は増える。仕事が終わると、彼女はよく食料雑貨店に向かう。そこまでは私たちと同じだが、彼女が店に行く方法はちょっと変わっているかもしれない。つまり自転車共有サービスを使って店に行き、荷物はすべて配車サービスで家まで運ぶのだ。二〇一八年にわずか二〇〇〇万人だった彼女のような働き方をする労働者は、アメリカだけで数千万人に増えた。ビラ配りや使い走りなど、からだを使う仕事をする者もいれば、彼女のように頭を使う仕事が専門の者もいる。二〇一八年、《エコノミスト》紙の論説は、過去を回想するかた

ちで未来の姿を描いた。「二〇二六年以降、ビジネス特化型ネットワークサービスのリンクトインは、どんな仕事でも適切な仕事人を六時間以内に見つけられる、と保証してきた。ウーバーとの連携によって、仕事人は一営業日以内に現場に駆けつけることができる」[2] 二〇三〇年になる頃には、私たちが共有するものの種類は、家、車、仕事だけでなく、数えきれないほど多いだろう。

近い将来のコラボ経済について、その規模と影響の予想は様々だ。ブルッキングス研究所の試算によれば、二〇二五年になる頃には二〇倍規模に膨れ上がっているという。[3] コンサルタント会社のプライスウォーターハウスクーパースによれば、成長率が最も高いのは、クラウドファンディング、オンライン人材派遣、P2P宿泊施設、ライドシェア、音楽や動画のストリーミングだという。[4] これらの動向から垂直に推測すれば、二〇三〇年頃には、コラボ経済は全労働と消費の三〇パーセント以上を占めることになる。

デジタルコラボプラットフォームの威力を最初に理解したのは、ウーバーやエアビーアンドビーのようなスタートアップの起業家たちだった。二〇〇九年一月一九日、バラク・オバマの歴史的な大統領就任式をひと目見ようと、二〇〇万人近い群衆がワシントンDCのナショナルモールに詰めかけた。外部から押し寄せた人びとを収容するだけの部屋数が、地元のホテルに足りないのは明らかだった。この時、駆け出しの起業家だったブライアン・チェスキー、ジョー・ゲビア、ネイサン・ブレチャージクの三人は、ウェブサイトで提供していたサービスを宣伝する、またとないチャンスを見て取った。そう、エアビーアンドビーである。彼らが思い描いていたのは、普通の人が自宅の空いている部屋を貸し出して、旅行者をもてなすビジネスだった。やがて三人は、宿泊場所を探す者（ゲスト）が、部屋を貸し出す者（ホスト）に連絡を取れる仕組みを提供することになる。二カ月後、スティーブ・ジョブズが、九カ月前に発売したｉＰｏｎｅで「アプリ」と呼ばれる特別なソフトウェアを起動させると発表した。グーグルマップのツールのおかげで、誰でもあちこち簡単に歩きまわれるようになっていた。あと必要なのは、それらの要素をすべてひとつのプラットフォームに組み込むという、ちょっとした水平思考だけだった。

二〇〇七年一〇月にエアビーアンドビーがサービスを開始した時、第一号の利用客が宿泊したのは、サンフランシスコのサウス・オブ・マーケット地区にあるテラスハウスだった。今日、エアビーアンドビーは、世界一九一カ国の六万五〇〇〇に及ぶ都市、町、村に、四〇〇〇万件を超える登録者（ホスト）を抱え、四〇〇億ドル近い企業価値を誇る。ブラッド・ストーンのベストセラー『アップスターツ――ウーバーとエアビーアンドビーはケタ違いの成功をこう手に入れた』（日経ＢＰ）は書いている。[5]「本当に優れた企業をつくりたいのなら、とても大きな波に乗る必要がある。そして市場の波と技術の波を、ほかの連中とは違う角度で、しかも瞬時に見て取る能力がなければならない」エアビーアンドビーの場合、市場の大波を引き起こしたのは、旅行と体験に対する考え方が変化したこと（第二章を参照）と、モバイル技術との交差だった。若い旅行者と、家を所有する年配層。エアビーアンドビーはその二方向のプラットフォームとして、両者をひとつのサイトに呼び集めたのである。

エアビーアンドビーの価値提案は、親密な体験が生み出す利益にある。「僕が思うに、エアビーアンドビーを構成する重要なカギは、僕たちがコミュニティであって、単なるコモディティではないことだ」共同創設者でＣＥＯのブライアン・チェスキーは、かつてそう述べている。[6]「僕が旅をするのはのんびりするためじゃない。新しくて面白い経験をするためだ」ニューヨークでフリーランスとして働く二三歳のリバー・タトライも言う[7]。「僕にとって価値があるのは、その土地に溶け込んで新しいことを学び、地元で友だちをつくって再びその土地を訪れ、コミュニティをつくることだ」これは、経済と私たち自身の習慣を変えつつある、水平思考のすばらしい例だろう。

共有と「古い規範」への回帰

コラボ消費と資産の共有は、これまで決してなかったわけではない。実際、有史の約九〇パーセントにおいて、私有財産、特に私有地なしには、人類は生き残ることはもちろん、繁栄することもなかった。農業革命前のコミュニティの考古学的記録と、現代アフリカの狩猟採集民の文化人類学的研究をもとに、研究者が主張するのは、財産を持つ人間は概して、持たない人間よりも幸福感が低いことだ。『サピエンス全史――文明の構造と人類の幸福』（河出書房新社）の著者ユヴァル・ノア・ハラリは書いている[8]。「たとえば農業の登場は、人間の集団の力を桁違いに増大させた。だからといって、必ずしも個人の幸福感を向上させたわけではなかった……農民はたいてい狩猟採集民より食べ物が劣り……人間の力は計り知れないほど増大したが、人間の幸せは同じようには増大してこなかった」放牧地を共有することで個人財産の所有を回避している、定住性の農業コミュニティもある。二〇三〇年になる頃には、コラボ消費が再び個人財産を上まわっているだろう[9]。

今日の若者は財産所有に背を向け、誰かほかの人の所持品を――無料で――使うほうを選ぶ。彼らは、財産をコラボ所有するものと捉える。それによって、最も個人的な所有物であっても、お互いの利益のために誰かと共有する。ほかの年齢層も、所有するよりレンタルするという考えに傾きがちだ。現在進行形の文化をいつも巧みに取り入れてきた「ザ・シンプソンズ」でさえ、妻のマージをウーバーの運転手として登場させた（そして、長老のバーンズ社長はウーバーを体験した）。共有経済の影響はまだ始まったばかりだ。二〇三〇年になる頃には、個人支出の半分近くが「コラボ消費」か「共有消費」になるだろう。そのアイテムも車、家、オフィス、機器やツール、あらゆる種類の私物にまで及ぶ。所有は時代遅れで、新しいのは共有だ。

「私の世代は『私（ミー）』文化から『ウィー（私たち）』文化へと移行しつつある」と言うのは、『シェア――〈共有〉からビジネスを生み出す新戦略』（NHK出版）の著者レイチェル・ボッツマンだ。[10] 最も重要なのは「常に接続している時代にあって、スマートフォンを使って共有することだ」。二〇一六年、ミレニアル世代の起業家カレン・マイオは次のように主張した。[11]「自分の家を持つというアメリカンドリームは、わずか一〇年でその輝きのほとんどを失った」その代わりに「当座の解決策と長く考えられてきた家を借りることが、アメリカ人の新たな選択肢として静かに浮上しつつある」また、《フィナンシャル・タイムズ》紙はこう指摘する。「ニューヨークやロンドンからニューデリーや上海まで、ミレニアル世代は家、仕事、遊びの境界線をますます曖昧にしている――彼らが空間を共有するのは、お金と時間を節約するためだけでなく、新しい友だちをつくるためでもある」《フォーブス》誌はその現象を、「オーナーシップ（所有）」ならぬ「ノーナーシップ（所有にノー）」と呼んだ。[12]「『車を二台所有する家族』（三台か四台かもしれない）はかつて、ステータスの印だった」と、ビジネス本のベストセラー作家バーナード・マーは主張する。[13]「今日、多くのミレニアル世代がステータスを見出すのは、車を一台しか所有しないか、まったく所有せずに、ウーバーやリフト、カーゴといった配車サービスを利用する家族のほうだ」

アメリカのミレニアル世代が世間を驚かせたのは、彼らが車を買いたがらないばかりか、運転免許さえ取ろうとしないことだ[14]。たとえば一九八三年には、二〇～二四歳のアメリカ人の九二パーセントが運転免許証を取ろうとしたが、二〇一五年には七七パーセントに減少した。いっぽう、一五～三五歳の年齢層は以前より民族的、言語学的に多様になった。最近の移民は出生率が高いという単純な理由からだ。そして移民とその子どもたちは結婚して、家を持ち、自分たちの車を運転したいという夢を持っている。それゆえ、アメリカと欧州の一部の国の若い消費者層が、二〇三〇年にどのような暮らしをしているかについては、まだよくわからない。移民の子どもたちが、同じ年齢層の少なくとも三分の二を占めることになるのだから、すべては彼らの行動次第である。

世界的な調査が示すのは、成人全体の最低でも三分の二が、持ち家や自家用車をアプリに登録しても構わないと考えていることだ。その比率は新興市場国で高い。共有経済を長きにわたって前へ進める力にとってはいい兆候だ。共有経済は、本質的に消費を強化する。その高い利便性と低いコストは、すなわち消費者が時代を先取りしているという意味だ。だがそれはまた、たとえばホテルやタクシーなどの伝統的な業界にあって現状にあぐらをかき、このところの強烈な変化の影響を受けている個人と企業に、とてつもない困難をもたらす。

さらには、今後の共有経済の成長を考える際には、第二章で述べたような世代間の力学に目を凝らす必要がある。たとえばエアビーアンドビーの報告では、ホスト登録が著しく増加しているのは六〇歳以上の年齢層だ。同じ傾向は、ウーバーやリフトのような、運転手と乗客という二方向の配車サービスアプリにも当てはまる。これらのプラットフォームの創業者が成功を摑んだのは、まぐれではない。彼らは鋭い水平思考感覚を発揮して、ミレニアル世代と高齢者というふたつの世代を、ひとつのプラットフォーム上で引き合わせたのだ。

さて、世界的な規模で見てみよう。共有プラットフォームが提供するサービスや商品を進んで利用するミレニアル世代は、アジア太平洋、中東、アフリカで世界の平均を上まわる。その反面、ラテンアメリカ、アメリカ、欧州では平均をかなり下まわる。[15] その違いは、サイレントジェネレーションとそれに続くベブーブーム世代、そしてミレニアル世代（Y世代）の前後にあたるX世代とZ世代には見られなかった傾向だ。明らかにミレニアル世代は特殊なのだ――まだ、いまのところは。

いろいろな意味で、共有経済は何世代も、あるいは何千年も続いてきた基本的な前提や、人びとの憧れと願望に疑問を投げかけた。もし、ものを所有したいという憧れや願望を取り去ってしまったら、つまるところ、「アメリカ式生活様式」とはいったいどのようなものだろうか。四〇歳以上のアメリカ人はみな、財産制度が当たり前の時代に、少なくともいわゆる自由世界で育ってきた。すべての経済要素は、財産を手に入れ、維持し、利益を得るためにある。法律制度のほとんどは財産保護のためである。多くの有名な作家や活動家はいつの時代も、誰がどのタイプの財産を所有しているかについて騒ぎ立ててきた。あらゆる種類の社会的問題を解決する方法として、私有財産の廃止を訴えた革命的な考えや宣言は多かった――カール・マルクスを思い出すのではないだろうか。私有財産は古くから社会序列の骨格であり、不平等の最も重要な一因であり、様々な種類の犯罪、特に戦争の背後に潜む動機だった。そして、財産は市場経済と経済交流の基盤である。住宅ローンは、アップルパイと同じくらいアメリカ的なものだ。ナポレオンはかつて「英国は小売店主の国だ」と評した。となると、アメリカは住宅所有者の国になったといえる。財産権とは「国、政治、法律、文化の様々な役割が明確に表れたものだ」。スタンフォード大学の社会学者アンドルー・ウォルダーは書いている。「財産権が中心にあり、そのまわりに、社会的不平等と経済的パフォーマンスのパターンがかたちづくられる」

私たちはかつて社会階級を、それゆえ功績や幸福を、所有物（あるいはその欠如）によって定義していた。たとえば、土地を所有する貴族、小売店主、中産階級の商工業者（ブルジョア）、家を所有するミドルクラス、プロレタリアート、物納小作人といった具合に。そしていま、技術による新たな社会的カテゴリーが生まれつつある。「共有階級」である。この階級を定義するのは、財産ではなくライフスタイルだ。世の中を変えるその動向の背後にあるのは、大部分が技術――と文化的価値観の変化――だ。「ウーバライズ（ウーバー化する）」という他動詞はすでに日常語のひとつになり、世の認知を得て『コリンズ英語辞典』にも掲載された[16]。こんな定義だ。「通例、モバイル技術を介した顧客と供給者間の直接的な接触を通して、オンデマンドでサービスを提供するビジネスモデルに（既存業界が）曝されること」

デジタルプラットフォームによって大きな脅威を受けるのが、家か車の共有だけであれば、世界を変えるほどの潜在的な影響力はないだろう。資産共有経済は、より大きな「コラボ経済」の一部に過ぎない。コラボ経済にはほかにも、P2P融資、クラウドファンディング、クラウドソーシング、リセリング、コワーキング、コフリーランシングなど、オンラインで協力する様々なかたちがある。コラボ経済かギグエコノミーの一部として世に送り出されたプラットフォームの共通点は、「通常、評価に基づくマーケットプレイスとアプリ内の決済システムを備えている」ことだ。《ザ・ニューヨーカー》誌のネイサン・ヘラーは続ける。[17]「これらは労働者に、定職に就くことなく、彼らの都合に合わせたスケジュールでお金を稼ぐチャンスを与える。そして、彼らは硬化症に陥った業界に足場を見つけ出す」そのようなコラボと共有のかたちは何世紀も存続してきたが、そこに新たな一面が加わった。参加する企業が「新しい考え方やサービスを象徴しているだけではない」。前述のバーナード・マーは続ける。「データを効果的に駆使して、ユーザーが望む時に望む場所でサービスを提供する、新たな方法をも象徴しているのだ」実際、アプリと、それを支えるアルゴリズムによるデータ処理システムなしでは、ウーバーもリフトもこれほどの成功は望めなかっただろう。共有経済に棲息する多くの企業は、調整（ファシリテーター）役とでも呼ぶのがふさわしい。企業自体はサービスを生み出さず、提供もしない。プラットフォームは取引コストを削減し、コラボに参加する利便性を高め、価格を手頃なものにする。「私たちは、人類の文明の次のフェーズに入り始めていると思いますね」起業家のケイトリン・コナーズは言う。「人間は（いま）個人どうしで活動でき、中間段階を省いてアイデアを共有し、ビジネスを共有できます」水平思考を働かせる時、二〇三〇年に向けて大きな問いが持ち上がる。程度の差はあれ、コラボ経済は世界を不平等にするのか。私たちの知る仕事を消滅させてしまうのか。環境問題の解決に役立つのか。

「そして世界は、ひとつになって生きる」

二〇一四年、フェイスブックは一九〇億ドルでワッツアップを買収した。[18] これといった有形資産もなく、従業員が六〇人にも満たないメッセンジャーアプリの企業は、買収対象としてどこにそれほどの魅力があったのか。それは、ワッツアップが一五億人もの幅広いユーザー基盤を築いていたからだ。ワッツアップは二〇〇九年に、ヤフーの元エンジニアだったブライアン・アクトンとジャン・コウムが創業した。アクトンはミシガン出身だが、コウムはウクライナ移民だ（第一章で紹介した移民の起業家（イミグレプレナー）」のひとりだ）。「おかしなヤツと会話できるエッチ系のアプリは、つくりたくなかった」かつてアクトンはそう話している。「そっち系じゃないんだ。僕たちが目指すのは、親密な関係が築けるほうだ」いっぽうのコウムはもっと野心的だった。「友だちや愛する人とコミュニケーションが取れる手頃で安全な方法を、地球上の人間がひとり残らず手にできるまで、僕たちはやめないよ」マーク・ザッカーバーグはかつて、人が人とつながっていたい理由を、こんな言葉で説明して議論を呼んだ。[19]

「みんなともっと接続していれば、もっと気分がいい。もっと豊かな人生が送れる」

いろいろな種類のビジネスは、いわゆるネットワーク効果（ある人がネットワークに加入すると、その人だけでなく、ほかの加入者の効用も増す効果）から利益を得る。実際、どの共有経済もネットワーク効果の上に成り立つ。加入者の数が増えると、ある加入者にとってネットワークの価値が高まる時、正のネットワーク効果が生じる。その典型的な例は電話だ。電話の加入者が増えれば増えるほど、ひとりの加入者の便益は高まる。なぜなら、電話をかけられる相手の数が増えるからである。すべての加入者が電話をかけ、またかかってくるという意味において、電話は一方向のネットワークである。対する二方向のネットワーク効果は、ひとつのグループの加入者が増えると、別のグループの加入者の価値が高まる時に生じる。コラボ経済にとって重要なのが、この二方向のネットワーク効果だ。自分の部屋やアパートメント、家を、エアビーアンドビーに登録するホストの数が増えれば増えるほど、そのプラットフォームに集まるゲストの数も増える。あるいはその逆もまたしかりだ。ジョン・レノンの「イマジン」の最後の歌詞にもこうある。「そして世界は、ひとつになって生きる」

二〇三〇年になる頃の重要な問いは、ネットワーク効果が経済を支配しているか、ではない。どのタイプのネットワーク効果が優位に立っているか、だ。この時、重要な次元は、そのネットワーク効果が「局所（地元）」「国家」「地域（アフリカ地域、アジア地域など）」「世界」の、四つのどのレベルで作用しているかだろう。ほとんどの人は、ネットワーク効果がどれも本質的に世界レベルで作用するものと考えるが、実際、世界レベルで作用する場合は極めてまれだ。たとえば配車サービスで欠かせないのは、局所的なネットワーク効果だ。配車サービスを利用したい時に私が気になるのは、近所をどのくらい多くの運転手が走っているかだ。同じようにほとんどの出会い系プラットフォームも、局所的なネットワーク効果の上に成り立つ。対照的に、マッチングアプリはたいてい国レベルだ。特定のプラットフォームは、おもに地域でのネットワーク効果を基盤とする。たとえばエアビーアンドビーがかなり前に気づいたのは、海外旅行という場合、地球の裏側へ出かけるよりも同じ地域内での移動が多いことだ（欧州地域内、ラテンアメリカ地域内、アフリカ地域内、アジア地域内など）。アメリカや中国などの大きな国の場合、観光旅行の大半は国内旅行だ。それゆえ、ウーバーは各都市で運転手と乗客の必要最低限の数をつくり出さなければならず、エアビーアンドビーは各地域で最小閾値を達成しなければならない。二方向のプラットフォームで本当に世界的なものは、比較的少ない。

アメリカ人は、エアビーアンドビーやウーバー、リフト、ウィワーク、イーベイのような企業を過大評価している。それらの企業がアメリカ市場を独占しているからだ。今後はもっと視野を広げるべきだろう。たとえば中国では地元企業が独り勝ち状態にあり、どの企業もアメリカの競合より規模が大きく、急速に海外進出を果たしている。ディディ（配車・自転車共有）、ウィーチャット（ソーシャルメディア）、トゥージア（民泊）、ユーコミューン（コワーキングスペース）などの巨大企業がそうだ。二〇一七年の時点で、共有経済業界のユニコーンの数はアメリカよりアジアのほうが多い。[20] 第三章で述べたように、二〇三〇年には、状況はますますアジア有利になっているだろう。根本的な理由は、ミドルクラスの急増にある。しかしながら、共有経済とコラボ経済は、ミドルクラスとはまったく別の種類の消費者と労働者とをつくり出しているのである。

万国のプロレタリアートよ、スワイプせよ！

カール・マルクスは、共著者で財政的な支援者でもあったフリードリヒ・エンゲルスとともに、労働者階級に団結せよ、と呼びかけた。既存体制を転覆させ、労働者の運命を向上させるためだ。ギグワーカーは、伝統的な労働者よりも暮らし向きがいいのか悪いのか。共有階級の登場は、不平等を削減するのか増大させるのか。[21] クリントン政権で労働長官を務めたロバート・ライシュは述べている。[22]ギグワーカーは「ウーバーの運転手、インスタカート（オンライン注文すると、ショッパーと呼ばれる契約者が食料品を購入して、即日配達する買い物代行サービス）のショッパー、エアビーアンドビーのホストだ。

タスクラビットの仕事人、アップカウンセル（法律サービスのオンラインマーケットプレイス）のオンデマンド弁護士、ヘルスタップ（医師のオンラインコミュニティ）のオンライン医師もそうだ。彼らは機械じかけのトルコ人だ」（一八世紀の〝自動〟チェス人形のように自動のはずが、実際は人がせっせと働いていることを指す表現）。彼らは好機を求めて画面をスワイプする。屈辱的で低賃金の〝仕事〟だ、とライシュは切り捨てる。「婉曲的に〝共有〟経済と呼ばれるが、もっと正確には〝残り物共有〟経済だ」と。

ライシュの考えでは、共有経済とは、企業が正社員を減らし、代わりに臨時雇い、派遣、呼び出し勤務、独立業務請負人、フリーランスを増やす取り組みの究極のかたちだ。より広いギグエコノミーは、非標準的な仕事で働く労働者の増加と密接に関わり合って発達してきた。労働者のなかには、プラットフォームの供給サイドで働く独立業務請負人も含まれる。経済学者のローレンス・カッツとアラン・クルーガー（オバマ政権の大統領経済諮問委員会委員長）は、二〇〇五〜一五年のあいだに、そのような労働者は全体の一〇パーセントから一六パーセント近くにまで増加したと見積もる。[23]

ライシュの批判に同意する者もいる。英国の経済学者ガイ・スタンディングは、彼らのような労働者階級を表す「プレカリアート」なる言葉をつくり出した（「不安定な」を意味するプレカリアスと、「労働者階級」を意味するプロレタリアートとの混成語[24]）。二〇一六年、ジャーナリストのスティーブン・ヒルは、共有スタートアップの進化にあるパターンを見て取り、ニュースサイトの「サロン」に記事を書いた。[25]「鳴り物入りで参入して、莫大な額のベンチャーキャピタルを従え、人びとの働き方と、P2Pの経済取引を社会が体系化する方法に、革命を起こすと誓ったあと」ヒルは続ける。「その多くは結局、昔ながらの人材派遣会社とたいして変わらないものへと劣化した（そうならなかった企業は、内破してブラックホールの虚無のなかへと消えた)。ヒルのベストセラー本のタイトルがすべてを言い表している。『不当な仕打ち――ウーバー経済と暴走する資本主義は、どのようにしてアメリカの労働者から搾取しているか』(未邦訳)。全米雇用法プロジェクト(労働者の権利擁護団体)の担当次長を務める、レベッカ・スミスは次のように述べる。ギグエコノミーのせいで、ほとんどの労働者が「仕事を下請けしていた」時代に連れ戻されたかに思える。当時、人は下請けシステムで働き、製造の材料は工場ではなく労働者の自宅に置いてあった。スミスの考えでは、ギグエコノミーのプラットフォームは「古い時代の労働力供給業者や日雇い労働センターのように作用しています」。

不安定な雇用には負の影響もあるが、共有経済が所得分布の底辺にある人たちの役に立っていることを発見した専門家もいる。車共有サービスのプラットフォーム「ゲットアラウンド」のデータを用いて、ニューヨーク大学の経済学者サミュエル・フライバーガーとアルン・スンドララジャンが発見したのは、消費者が――なかでも特に低所得者層が――、P2Pのレンタルマーケットプレイスの恩恵を得ていることだ。[26]「低所得者層は所有からレンタルへと切り替える傾向があり、P2Pマーケットプレイスにおいてより需要が高く、供給に貢献する傾向も強く、かなりのレベルの余剰利益を得ている」ひとことで言えば、共有経済は、経済的に恵まれない消費者(需要サイド)と労働者(供給サイド)の両方に役立つ可能性があるというのが、フライバーガーたちの結論だ。

しかしながら、ほとんどの人にとっては、ギグエコノミーで稼ぐお金はメインの生計手段ではなく、補助的な収入だという証拠もある。ボストンカレッジの社会学者ジュリエット・ショアは、エアビーアンドビー、リレーライズ（車の共有サービス）、タスクラビットのようなアプリから、実際に誰が利益を得ているのかを探ることにした。[27] 質的調査の結果、明らかになったのは、「サービスの供給サイドの学歴は非常に高く、その多くがかなり給料のいい仕事に就き、プラットフォームを使って収入の足しにしている」ことだった。次のような事実もわかった。「弁護士、政治家の選挙戦略家、経営コンサルタント、技術専門家、医療研究者、教師、会計士、大学教授、営業担当者」が、共有経済の供給サイドで働いていたのだ。

ジュリエット・ショアが指摘するのは押し出し効果だ。「たくさんの人がからだを使う仕事をしている。これには清掃や引っ越しなどの、従来、学歴のあまり高くない労働者が行なってきた仕事も含まれる」というわけだ。エアビーアンドビーのホストは受付や、ゲストがチェックアウトしたあとの清掃係のような仕事もこなす。作業代行アプリを使って清掃、運転、家具の組み立て、部屋の片づけ、修理、食料品の買い出しを有料で引き受けるタスクラビットの仕事人が実のところ、専門職に就く地位の高い人たちであり、弁護士、バイオテクノロジーの科学者、会計士といったフルタイムの仕事を持ちながら、からだを使う仕事をしていることがわかった。タスクラビットの顧客のために掃除をする、学生のヴァレリアは漏らす。「最初は掃除が下手だった。もう、ぜんぜんダメ。だからひどい評価ばかりつけられちゃって……だってわたし、実家ではベッドメーキングさえしないのに。家には掃除をしてくれる人がいたから」結局は所得の不平等が拡大している、とショアは結論づける。より学歴の高い人たちが本業の所得を補う収入を得ているからであり、スキルのない人たちの仕事領域がアプリによって侵害されているからである。

ギグエコノミーが不平等を生み出す別の原因は、エアビーアンドビーでゲストを受け入れれば大きな収入が見込めるにしろ、そもそも家を所有するだけの経済的基盤がなければ始まらないからだ。「お金を稼ぐにはお金が必要だね」エアビーアンドビーでホスト登録をしているキランは、ショアのインタビューにそう答えている。若い独身女性のシーラは、アパートメントを貸し出して年三万ドルを稼ぐ。彼女は驚きを隠せない。この数字は「ちょっと信じられないくらいすごくない?」ショアの調査に参加したエアビーアンドビーのホストのほとんどが、本業以上に稼いでいた。

副業でちょっと稼ぎたいという欲求の裏には、たいてい立派な目的がある。ギグエコノミーで働くたくさんの若者は、「プラットフォームで稼いだお金を使って、借金を減らそうとしていた」ショアは続ける。「ある夫婦はエアビーアンドビーで一万一〇〇〇万ドルを稼ぎ、夫の大学の学生ローンを完済した」だがショアの調査で最も目を引く発見は、多くの人がギグの仕事を「技術的に進んだ、新しくてクールなもの」と捉えていることだろう。ショアによれば「自分が環境に優しいことをしたり、社会的つながりを築いたり、他者を助けたり、文化交流を促進したりしている」と考えていた者もいたという。ネイサン・ヘラーは《ザ・ニューヨーカー》誌に、「エアビーアンドビーのおかげで学校に入り直してフルタイムの学生になり、パートタイムのカメラマンとして働いています」という、あるホストのインタビューを載せている。スンドララジャンは述べている。ギグエコノミーが提供するサービスが「成功したのは、人びとの時間をうまく利用しているからだ。彼らはいわゆる空き時間を収益化(マネタイズ)している」

多くのギグワーカーはただ、パーティションで区切ったオフィスの仕事スペースに一日中、座っていたくないだけだ。「ディルバート」（技術者のディルバートが、官僚主義の職場で働く様子を皮肉った新聞の連載漫画）にも同様の場面があった。「わたしには語りたい物語があり、それを文章で伝えたいんです。それができるのもウーバーのおかげです」と言うのは、カリフォルニア州サンタ・バーバラで、ウーバーの運転手として働く六七歳のカラ・オーだ。彼女は午前中に小説を書き、午後から夜に顧客を乗せてあちこち運転する。ウーバーの共同創業者で元CEOのトラヴィス・カラニックは、かつてこう指摘している。「運転手が重視するのはみずからの独立性だ――タイムレコーダーを押すかわりに（画面の）ボタンを押す自由。ウーバーでもリフトでも働く自由。一週間の大半か、数時間だけ運転する自由」それが、ほかのアナリストもギグエコノミーに見出す大きな利益だ。カウフマン財団のシニアフェローとボブソン大学の非常勤講師を務め、『ギグ・エコノミー』（日経BP）の著者であるダイアン・マルケイは述べている。[28]「伝統的なフルタイムの仕事は不安定でますます減り、そのうえ人生でもっと別のことがしたかったと願う従業員だらけだ」マルケイによれば、デジタルプラットフォームが「提供するのは、オフィス仕事に代わる、魅力的で興味深くてフレキシブル、さらには儲かって安定した選択肢」だ。彼女はこう考える。「かたちあるモノではなく、時間と体験をより重視する傾向が見られる。新しいアメリカンドリームが強調するのは生活の質であって、モノの量ではない」

ギグエコノミーで働くことを屈辱的に感じる者はもちろんいる。ロースクールを卒業したが、学位に見合うような仕事を見つけられなかったケイティは、タスクラビットで働くのは「本当にものすごく屈辱的です」と嘆く。プロフィールに学位のことを書くと、みな「哀れむように言うんです。他人のアパートを掃除しなくちゃいけないなんて、なんてことでしょう。せっかくロースクールにまで行ったのにね、って。わたし、それがとても嫌で……あの人たち、『まあ、こんなことしなくちゃいけないなんて、ひどいわ』って。だからわたし、『ええ、本当にひどいです。わざわざそんなこと言われなくても、自分でよくわかってます』みたいに答えるんです」。科学分野の修士号を持つヴェロニカは、八ドル払うからスターバックスまでコーヒーを買いに行ってくれと頼まれて断った。「できません。その重い腰を上げて、ご自分で買いに行ってください……わたし、嫌です。召使いじゃありません、って感じで言いました」

二方向のプラットフォームがこのまま拡大し続けると、二〇三〇年の労働市場は様相が一変しているかもしれない。スンドララジャンが主張するように、誰かが望むものをほかの人が所有するという事実や、こっちの人にはお金があり、別の人には時間があるという事実に対する効率的な答えは、二方向のプラットフォームだ、という考えは正しいのかもしれない。「最終的には、伝統的経済の多くの企業も、私たちがいまだ予想しない方法でアプリ中心の労働市場に適応するのかもしれない」前述のスティーブン・ヒルは「サロン」でそう考えをめぐらせる。「だがそれが意味するのは、アメリカの労働者が全員一律に加入できて、職場や職種が変わっても権利が失われないセーフティネットを整備する方法を考え出さなければならない、ということだ」

共有が定義するクラスシステムとは？

「私たちが住む世界を支配するのは私有財産の原則だ」[29]そう述べるのは、ジュリアン・ブレイブ・ノイズキャットだ。カナダのブリティッシュコロンビア州で暮らすカニム湖バンド（テスクエセンと呼ばれる先住民集団）の登録メンバーであり、南北アメリカ大陸の先住民の権利向上を目指す活動家である。「アメリカ、アフリカ、アジア、アイルランド、オーストラリアの先住民から収奪して分配した、何十億エーカーもの土地が産んだ果実によって、最初は英国、次いでアメリカという英語を話すふたつの帝国が興隆し、世界を支配した」そして、欧州の複数の国――デンマークからベルギーやイタリアまで、オランダからポルトガルやスペインまで――が、その恩恵に浴した。帝国主義者が去ったあとも、その子孫たちが引き続き広大な土地を所有し、政治制度を支配した。

世界中のほとんどの人と同じように、アメリカ人も長い年月をかけて所有との親密な関係を築いてきた。「財産は」ノイズキャットは続ける。「アメリカンドリームというユートピア幻想を広めた。勤勉、土地、家は、資本の支配から際限ない好機を得る――あるいは少なくとも、その支配から逃れる――プラットフォームだ」第三章で見たように、家と車の所有は、かつてアメリカのミドルクラスの証拠だった。選挙と政府の政策をしばしば左右してきたのは、財産を所有する（あるいは所有したいと切望する）者の利益だった。

欧州とアメリカの古いミドルクラスは低迷し、富の不平等が拡大し、世界の上位一パーセントの最富裕層が所有する富が、残り九九パーセントが所有する富を上まわる。その動向は、これまで大切にされてきた前提に疑問を投げかけている――すなわち財産権は、特に課税においてどの程度守られるべきか。「過去の世代は同様の危機に、共産主義を頼みの綱として対応した」ノイズキャットは指摘する。「だが今日、マルクス、レーニン、毛沢東の大鎌に、もはや資本主義の茎を刈り取るほどの鋭さはない」人びとは共有経済に参加することで、重圧に対応している。その共有経済は、財産を確保するだけの資源が足りないことで加速した。そしてまた、家や車のような資産をみなでコラボ利用するという新たな方法が、明らかに好まれて加速した。

持ち家や高価な資産の所有は、長く政治行動に影響を与えてきた。しかしながら、それによって人びとが、保守的な経済政策か社会政策をより支持するのかどうかは定かではない。調査から浮かび上がったのは、家を所有する人たちのほうが、選挙にも政治活動にも熱心なことだった。二〇三〇年には、これらの資産のほとんどが所有ではなく共有されているとすれば、市民が政治活動に熱心ではなくなり、投票もしなくなることが予想される。共有プラットフォームの需要サイドに若者が多いことを考えれば、政治活動に対する関心は、若者のあいだでいっそう強く落ち込むことになるだろう。

だが、ギグエコノミーが政治に及ぼす驚くような影響はそれだけではない。『巨大なリスク変化──新しい経済的不安定とアメリカンドリームの衰退』（未邦訳）のなかで、イェール大学の政治学者ジェイコブ・ハッカーは次のように論じた。[30] 政府と企業は数十年にわたって市民と労働者に対する責務を放棄し、自己責任の文化を提唱してきた。自己責任という概念は保守的な価値観を利用し、それはまた、最も大切にされてきた進歩的な理想を直接攻撃する。その理想があったからこそ、大恐慌以降、欧州とアメリカにおいて社会的セーフティネットが導入されてきたというのに。家事代行サービスのプラットフォーム「ザーリー」の創業者でCEOのボー・フィッシュバックは、かつてこう述べている。[31] ギグエコノミーがつくり出したのは「究極のオプトイン雇用市場だ。『仕事を見つける方法がわからない。どうやって始めたらいいのかわからない』と言う者に、弁解の余地を与えない」（オ

プトインは「選択」。「ユーザー側の能動的な行動」や「参加意志の明示」などを意味する）

共有階級の登場は、差別にまつわる政治論争に再び火をつけた。スンドララジャンは指摘する。既存のホテルと違って「エアビーアンドビーでホスト登録をしている人は、こう言うかもしれない。『ああ、ここは私の家だ。だから、空いてるベッドルームには特定のゲストしか泊めたくない』」と。ギグエコノミーは、何が差別かという従来の考えに疑問を突きつける。これもまた、伝統的なゲームのルールを放棄する別の方法のように思える。

仕事の共有プラットフォームが雇用市場を変容させているのならば、クラウドソーシングとクラウドファンディングは、政治家の選挙活動に革命をもたらしている。[32] 当時、上院議員だったバラク・オバマが、二〇〇八年のアメリカ合衆国大統領選のために繰り広げたキャンペーンは、新たなツールが絶大な威力を発揮した最初の選挙だった。当時はまだ、デジタルソーシャルネットワークがじわじわと広まる前だったにもかかわらず、オバマ陣営最大の成功は、テキストメッセージとインターネットを駆使しておおぜいのボランティアを募り、組織化したことだ。ある情報源によれば、マイスペース（ソーシャルネットワークサービス）に八五万人のフレンド登録があったオバマに対し、共和党の大統領候補ジョン・マケインは二二万人どまりであり、ツイッターのフォロワー数が一二万人のオバマに対して、マケインはわずか五〇〇〇人だった。「ジョン・F・ケネディにはテレビ。バラク・オバマにはソーシャルメディアだ」最も重要なのは、オバマの選挙キャンペーンがおもにクラウドファンディングを活用して、四〇〇万人から八億ドルという記録的な選挙資金を集めたことだ。ある調査はこんな結論を引き出す。「オバマの二〇〇八年の選挙キャンペーンは、全米中にヴァーチャル組織をつくり出し、三一〇万人の個人貢献者に呼びかけ、五〇〇万人を超えるボランティアの草の根運動を巻き起こした」この選挙キャンペーンを前例のないものにしたのは、新たな技術を包括的に活用して、様々な目標を達成したためだった。「オバマ陣営がこれらのツールを駆使したのは明らかに、市民を啓蒙して資金を集めるためだけではなかった。地上戦で市民を動員し、政治への参加を高め、投票所に足を運ばせるためだった」そして二〇一六年の大統領選では、普及したソーシャルネットワークを不正に操作して「フェイクニュース」がばら撒かれた。

共有階級の登場は、ほかにも重大な政治的変化をもたらすかもしれない。それは、ますます多くの労働者が、少なくとも完全には定年退職しない可能性だ。ギグワークと定年退職との関係を水平思考で考えてみよう。政治行動に——とりわけ投票行動に——ついて言えば、退職者は特有のグループだ。すでに述べたように、どの年齢層よりも投票所に足を運ぶ傾向が強い。ギグワークの普及によって、年金制度の資金不足がさらに悪化すると考える人は多い。だが彼らが見落としているのは、多くの人が、それもとりわけ融通の利く職業において、定年退職の年齢を過ぎても働くことだ。なぜなら、彼らは仕事を楽しんでいるからだ。それゆえ共有階級のギグワーカーは、フルタイムの従業員よりも退職時期を遅らせるか、部分退職する（年金を受け取りながら仕事を続ける）割合が高い。多くの高齢者がエアビーアンドビーでゲストを迎えるのは、彼らが新しい人との出会いを楽しんでいるからだ。

平均寿命が延び続け、公的年金と企業年金の両制度が圧迫される時代に、ギグエコノミーが実際、多少の安心材料となることは間違いない。アナリストは「定年退職計画を支援するギグエコノミー」について書いてきた。別の可能性は、「従来の九〜五時で働く従業員が、副業を利用して老後資金の不足分を埋めている」ことだ。

共有階級の消費者とギグワーカーは、差別、賃金平等、年金、社会的ソーシャルネットといった大きな政治問題について、異なる考えを持つ可能性が高い。スケジュールが柔軟であることを考えれば、彼らはまた、フルタイムの従業員よりも投票所に足を運ぶのかもしれない。自己を頼みとする、独立心旺盛な彼らのマインドセットが共鳴するのは、経済についてはリベラルな価値観であり、社会問題についてはより保守的な価値観かもしれない。もし二〇三〇年になる頃に、欧州やアメリカ、そのほかの世界において労働人口の半数以上がギグワーカーならば、実際、政治状況はその様相を一変させてしまっているだろう。だが、圧倒的マーケットシェアを誇る独占的デジタルプラットフォームは、労働者も消費者も搾取することになるのだろうか。

大きすぎて禁止できないという危険

サンフランシスコ市で配車サービスを創業した四カ月後、ウーバーはカリフォルニア州公益事業委員会と同市の運輸業規制当局から、営業停止命令を受けた。[33]《ウォール・ストリート・ジャーナル》紙のジャーナリストが、共同創業者のトラヴィス・カラニックにインタビューした時、営業停止命令を受けた際のウーバーの対応について、当たりさわりがないように思える質問をした。

「業務を停止したことは？」

「ありません」

「命令に従ったことは？」

「ありません」

「つまり、基本的には無視していると？」

「どういうことかというと、営業停止命令は『おい、お前たちは業務を中止すべきだ』と言っているようなもので、それに対してこっちは『いえ、そうは思いませんね』と言っているわけです」

カラニックは基本的に、シリコンバレーの古い原則に従っていた。「許可を得るよりは許しを請うほうがいい」という原則だ。

共有経済が議論を呼ぶ理由のひとつは、それがおもに規制されていないからだ。新しすぎて革新的すぎるために、既存のルールは当てはまらないらしいのだ。その意味において、私たちが知る世界は、最も重要な方法のひとつで終わりを迎えつつある。

二〇〇九年創業のウーバーは、車の所有者兼運転手と乗客の両方に利益をもたらす、二方向のプラットフォームだ。世界七三カ国の約九〇〇に及ぶ都市や大都市圏で、サービスを展開している。ウーバーの悪評ぶりはさておき、ここで目を留めるべきは、ウーバーが営業しているのは、世界には一〇万人以上の人口を抱える都市が四五〇〇にのぼることだ。従って、ウーバーが営業しているのは、そのうちのわずか五分の一の都市にすぎない。ウーバーは各都市で必要最低限の数の運転手を確保しようとし、運転手に忙しくなるぞ、次から次へとほとんど休む間もなく客を乗せることになるぞ、と約束する。いっぽうの乗客が気に入っているのは、スマートフォンのアプリでサービスが受けられる利便性や、車の捕まりやすさ、料金である。評価システムのおかげで透明性も保っている。

唯一の障害は、ほとんどの街が都市交通について厳格な免許制度を設けていることだ。配車サービスに最も強く反対の声を上げるのが、タクシー運転手とタクシー会社の経営者である。ウーバーは最初、営業許可を取るようにという当局の要求を無視した。営業を容認した都市もあった。なぜならウーバーが、手軽な料金で利便性の高いサービスを住民に提供すると約束し、それが混雑の解消に役立ち、税収増加につながると説明したからだ。だが、タクシー業界のロビー団体の圧力を受けた多くの都市では容認しなかった。ウーバーは規制の受け入れか、事業拡大の制限に同意せざるを得ず、一部の都市では営業中止に追い込まれた。シリコンバレーのジャーナリスト、マーカス・ウォールセンは、ウーバーをアマゾンになぞらえたことがあるが、その喩えは、ふたつの巨大企業の明らかな違いを無視しているように思える。「だが、ふたつの物語は似ている」ウォールセンは主張する。「不遜でカリスマ性あるCEOが率いるスタートアップが、旧態依然とした業界に不意打ちを食らわせる。事業は急成長し、人気は爆発し、ブランド名は企業が提供する破壊的サービスとほぼ同義語になる」競合か規制当局の反発に直面した時、ウーバーもアマゾンも前へ突き進んだが、その方法は明らかに違った。どんな計算だったのだろうか。

シリコンバレーの野心的なスタートアップはどれもほぼ例外なく、大きくなりたい。しかもスピード勝負だ――大きくなりたいのはスケールメリットのためであり、急ぐのはほかのベンチャーにビジネスモデルを真似されないためである。ウーバーが取った戦略は「大きすぎて禁止できない」だ。[34]すなわち、ウーバーのサービスから利益を得る人たちに協力を求めて、輸送を規制する自治体の要求と既得権益から、ウーバーを守ってもらおうというのだ。ウーバーが成長した「理由のひとつは、障害――競合企業であれ、当局の規制であれ――を、ブルドーザーで強引に排除すべき不都合とみなして対処したことだ」《ザ・ニューヨーカー》誌の専属ライター、シーラ・コルハトカーはそう書いている。[35] ウーバーの最も大きな成功物語のひとつである、ロンドンの例で考えてみよう。ウーバーがロンドンに上陸したのは二〇一二年。その夏のオリンピック開催を見込んでのことだった。ウーバーは現在、ロンドンに四万人の運転手（アクティブドライバー）と、驚くことに三五〇万人もの定期的な利用者を抱える。ウーバーは事業拡大中に、様々な種類の競合に悩まされた。「その業界を牛耳るのは、通りで営業できる御者たちの百戦錬磨の組合や、こっそり副業で生計を立てている臨時運転手や個人契約ドライバーたちの隠れた集まり」だ。二〇一四年六月、ブラックキャブ（正式な免許を持つロンドン名物黒塗りタクシー）の運転手たちが、ウーバー相手に初めて抗議デモを敢行した。「その日の午後、四〇〇〇台とも一万台ともいわれるキャブが一斉ストライキを起こし……ランベス橋に斜めにタクシーを駐めて道路を封鎖し、ウエストミンスターからピカデリー一帯の交通を麻痺させた……この騒ぎのせいで、ウーバーのダウンロード数は八五〇パーセントも上昇した」《ガーディアン》紙はこう報じている。[36] 「このタクシーの抗議は、そのお粗末な戦略ゆえ、不用意にもウーバーに絶好の宣伝機会を与えてしまった。消えゆく運命にある市場の現職者が、いかにもやらかしそうな失策に思える」

ウーバーの攻撃的な成長戦術は、その戦略の根底にある純粋な局所的ネットワーク効果の文脈で捉えなければならない。特定の都市で、ウーバーのプラットフォームを利用する運転手と乗客の数は多ければ多いほどよい。それゆえ、ウーバーのアプローチの中心を成すのは、支持基盤の一刻も早い拡大だ。「ウーバーが世界のタクシー業界にもたらす変化は、原理に基づいている」《ガーディアン》

紙は指摘する。「その市場に莫大な数の運転手と乗客を――流動性を――加えることで、タクシーは安くなると同時に、運転手はもっと稼げるようになるという原理だ」マーカス・ウォールセンが述べるように、「ウーバーがより多くの乗客を乗せ、乗客がスマートフォンのボタンを押す利便性に慣れれば慣れるほど、政治家はいつまでもウーバーの件にかかずらう気がなくなる」。重要なことに「料金の大胆な引き下げによって、ウーバーはただ顧客基盤を増やしているだけではない。支持者を啓発し……もし政治家相手の激闘を次々と制することができれば、ウーバーは巨大で、とてつもなく価値の高いグローバル企業に成長するだろう。投資家にとっては一〇億ドルの有効な使い途である」。二〇一七年、ロンドンがウーバーの営業許可を更新しないという決定を下すと、数日のうちに、およそ八〇万人が決定の取り消しを求める嘆願書に署名した。ウーバー側の不服申し立てが近い将来に決着を見るまで、規制当局は営業を認めるほかなかった。ウーバーがこれほど大きく成長できたのも、そのような水平思考のおかげである。もしこのまま営業禁止が決定してしまえば、運転手と乗客がウーバーを助けに来るはずだと確信していたのだ。ウーバーはすでに〝大きすぎて禁止できない〟までに成長していたのである。

共有経済が本当に革新的なのは、社会経済的な役割や関係に大きな影響を与える点だ。ウーバーは、低賃金労働者と定年退職者に副収入をもたらし、失業者を自営業者に変えると約束する。運転手は柔軟性と透明性を好み、ウーバーのアプリを自分たちを解放するものとみなす。なぜなら、もはや配車係の指示に従う必要がないからだ。そして乗客はより大きな選択肢を享受し、そのサービスは、まだ充分に行き渡っていない郊外やスラム街へも拡大される可能性がある。ウーバーはまた、同社が飲酒運転の減少に貢献していると主張する。[37]「飲酒運転の根絶を目指す母親の会」のような影響力の強い草の根団体でさえ、ウーバーと組んで、若者にとって重要な日の無料送迎を提供している。高校のダンスパーティやアメフトの試合の夜に、十代の若者が酔って運転するリスクを避けるためだ。

ウーバーは明確な社会動向をいくつか捉えて水平思考を働かせ、それらをひとつにまとめた。その話の流れで言えば、デジタルプラットフォームは気候変動の解決に役立つのだろうか。

地球を破壊するのか救うのか。デジタルコモンズの悲劇

二〇一七年、ある読者が《フィナンシャル・タイムズ》紙の編集者にこんな手紙を出した。「ウーバーは」コモンズの悲劇の「典型的な例です」[38]（共有地の悲劇とは、誰でも利用できる共有資源が乱獲されると、資源の枯渇を招くという経済学の法則）。その読者の頭にあったのは、サンフランシスコの例だった。観光客やビジネス関係者には、利便性の高い移動手段が必要だ。ところが、サンフランシスコは交通容量を制限してきた。「その結果、道路はウーバーの運転手が増えて過放牧状態となり、予想どおりの悲劇を生みました」運転手は賃金が低く、経験不足のせいでサービスは標準以下。道路は混雑し、大気汚染に拍車がかかるといった具合だ。《ガーディアン》紙の意見記事で、コラムニストのアルワ・マーダウィは次のように指摘した。[39]エアビーアンドビーによれば「短期の賃貸市場はコミュニティを育て、住宅街を活性化し、市民の収入を助け、世界平和をもたらすすばらしい方法だ」。そのいっぽう、エアビーアンドビーは、多くの人にとって住宅を手の届かないものにする。しかも、近隣住民が苦情を訴えるのは、家賃の値上がりだけでない。騒音に悩まされ、日常生活にも支障が出る。「その共有経済とやらをもっと正確に言うと、可能なものは何でもマネタイズする経済ということだ」持ち家は、もはやミドルクラスの地位の象徴ではなく、「マネタイゼーション」の格好の対象になってしまった。

この諸刃の剣は、バルセロナの街角からニューヨークの通りまで、世界中で見られる要素になりつつある。私たちはその破壊がもたらす、システミックでありシステマチックでもありうる負の側面を、よく認識しておく必要がある。

啓蒙時代のスコットランド人哲学者で、近代経済学の父と呼ばれるアダム・スミスは述べている。[40]「我々が夕食を（当然食べられるものとして）期待するのは、肉屋や酒屋やパン屋の慈善のおかげではなく、彼らが自己の利益に関心があるからだ」その水平思考が意味するところは、自由市場の「見えざる手」が、消費者と生産者にとって最善の取り決めを提供することだ。消費者は最善の取引を求めてあちこちの店をまわり、必要なものをすべて買い揃える。生産者は消費者のニーズに応えることで利益を得る。この基本的な考えは多くの状況において正しい。少なくとも、重要な（そして有名な）次のふたつの例外を除いては。

その例外のひとつを見つけたのは、映画「ビューティフル・マインド」で有名になった数学者のジョン・ナッシュである。ナッシュはこう論じた。もし複数の意思決定者の決断をそれぞれ単独で分析したら、彼らの選択の結果は予測できない。映画のなかで、その基本的な洞察は、バーで起きたある出来事を説明するために使われ、それがナッシュ自身の水平思考の引き金を引いた。彼は複数の男子学生が、ひとりの女性に声をかける場面について考える。女性は全員の誘いを断る。すると今度は、バーにいるほかの女性たちも同じように男子学生の誘いを断る。どの女性も自分が「予備の選択肢」に見られたくないからだ。これは男女どちらにとっても悪い結果だ、とナッシュは説明する。その例を使ってナッシュは、アダム・スミスの理論の欠点を指摘した。自由市場の競争行動はみなの利益になるという、広く認められた理論は間違いだ、と。

そして第二の重要な例外は、コモンズと呼ばれる共有資源システムである。共有財産を特定の個人が利己的に利用すると、みなにとって大切な資源が枯渇してしまう。この問題に最初に気づいたのは、一九世紀の英国の経済学者ウィリアム・フォースター・ロイドだった。彼は公有地で規制なく放牧し、牛が牧草を食べ尽くしてしまうことが、環境危機につながると論じた。哲学者、生態学者、人類学者、政治学者はすぐにロイドの考えを用いて、大気汚染や汚染された分水界から、水産資源の枯渇、溶けゆくグリーンランドの大陸氷河までについて研究した。一九六八年、《サイエンス》誌に発表した有名な論文のなかで、生態学者のギャレット・ハーディンは「コモンズの悲劇」という言葉を生み出した[41]。簡潔に要約するならば、次のようになる。「人口問題に技術的な解決策はない。必要なのは道徳性の基本的な拡大だ」ハーディンが何より懸念したのは、人口増加とそれが地球上の限りある資源の未来に及ぼす影響だった。思い出してほしい。第一章でも述べたように、かつて人びとは子どもの供給過剰が世界の破滅をもたらすと考えていたのだ。ハーディンにとって、問題は「善意」と「優れた制度」の供給不足にあった。

一部の人がウーバーとエアビーアンドビーに対して厳しい、時に暴力的な反応を示すのは、コモンズの悲劇が起きていると考えるからだ。彼らが恐れるのは、規制のない配車サービスが渋滞の悪化を招くことだ。ウーバーの運転手が、タクシー運転手より事故を起こしやすいことだ。プロ意識に欠ける運転手が乗客に嫌がらせをするのではないか、とも恐れている。彼らはまた、すでになおざりにされている公共交通機関が、配車サービスのアプリやサービスとの競争の末、ますます荒れ果てていく危険性を指摘する。たとえばニューヨークでは、マンハッタンの五九丁目以南（セントラルパークより南）でウーバーはタクシーの顧客を奪ってしまったが、市のそれ以外の地域では、ウーバーの登場前よりもタクシーの利用者数は四〇パーセントも増加した。そして交通問題のさらなる悪化を招き、公共交通に対する投資意欲を低下させた。同じように、エアビーアンドビーのサービスは多くの利益をもたらしたが、観光客を過剰に呼び込んだとか、近隣の環境や治安を悪化させたとか、家賃が高騰して元の住民が誰も住めなくなったなどの非難を浴びてきた。このように対になって生じると思える利益と課題点とを、どう捉えればいいだろうか。

デジタル共有プラットフォームを擁護するならば、水平思考をもとに次の三つの論点をあげたい。第一に、共有によって、たとえばいつでも使用可能な状態にある車を大量に保有する必要がなくなり、天然資源の濫用を防げるかもしれない。平均的なアメリカ人は、週のうち六～七パーセントの時間しか自家用車を使用しない。だからこそ、車の共有は実際、既存資源の有効活用になるのかもしれない。

第二に、人は共有商品や共有サービスに喜んでお金を払いたがるらしい。その理由は、それが彼らの生活の価値を高めるからだ。『ヤバい経済学』（東洋経済新報社）の共著者であるスティーヴン・レヴィットとその同僚が、アメリカの四大都市で消費者がウーバーエックス（通常の少人数用の配車サービス）を利用した、四八〇〇万回のデータをもとに試算したところ、消費者がウーバー利用で手に入れた思わぬ経済的利益は、料金のおよそ一・六倍にのぼった。数字に換算すると、その四都市だけで一日一八〇〇万ドルになる。「それが、ある日とつぜんウーバーが消えた時に消費者が失う一日の利益の額だ」

最も重要だと思われるのが、共有を支持する第三の論点だろう。共有資源にただ乗りできる機会が与えられると、必ずコモンズの悲劇が生じると考えられているが、それはまったく正しくない。優れた政治学者で、のちに女性初のノーベル経済学賞に輝くエリノア・オストロムも、第二次世界大戦中、多くのアメリカ人と同じように、母親と一緒に「ヴィクトリーガーデン」（戦時中の食料不足を補うために、各家庭や公園につくられた「勝利の菜園」）で野菜を育てていた（別のかたちの都市農業だ[42]）。その時の体験をもとにオストロムの頭に浮かんだのは、特定の状況で人びとが公益のために協力し合うことだった。人びとが資源を共有する様々な状況は、オストロムの生涯の研究テーマになり、そのなかには地域警備やロブスター農園、森林、灌漑施設、そしてもちろん放牧地も含まれた。オストロムはコモンズの悲劇は避けられるが、それは資源の枯渇と生態系の崩壊を避けるために、人びとがボトムアップで組織化する時だと主張した。そして資源共有の明確なルールを設定し、紛争解決の仕組みを確立し、違反者に対する段階的な制裁措置を定めて、地域社会が信頼に基づいて自主的に下した決定の実行を促進するように勧めた。

ある意味、オストロムが共有資源の利用者に促すのは、規制による政府主導の管理を待つことではなく、自主的な組織化によって共有資源を管理することだった。のちにオストロムの法則と呼ばれるようになる「実際にうまくいく資源管理は理論でもうまくいく」という考えは、公益の促進について言えば、草の根の取り組みに効果があることを示している。それこそが、共有経済がすべての人――参加する側とその影響を受ける側――にとって、確実に機能する最善の方法だろう。

「そのレタスは捨てないで――共有して」

「世界で生産される食料の三分の一は廃棄される」ジャーナリストのマーティン・J・スミスは書いている。[43] 食品共有アプリのOLIOを使えば、地元の企業やご近所どうしで食品の廃棄を減らせる。二〇一五年にデビューしたこのアプリも、いまでは四九カ国に広まり、二〇〇万人のユーザーを抱える。モットーは「もっとシェアして無駄を減らす」だ。たとえば食料品小売店は「賞味期限」が近づいた食品、なかでも特に農産物を廃棄せずに済む。小売店の売れ残りを長いこと受け取ってきたフードバンクとともに、デジタルプラットフォームも、食品廃棄と二酸化炭素排出量の削減に貢献できる。

同じように、アメリカのスタートアップ「レント・ザ・ランウェイ」が取り組むのは、衣料を購入するのではなくレンタルすることで、ファッションをもっと持続可能なものにする試みだ。「レンタルするたびに、新しい服の製造に使われる水や電気を節約でき、二酸化炭素の排出量を減らせます」と同社は訴える。「平均的な女性が毎年、廃棄する衣料は三七キログラムにも及びます」

食品と衣料の不要な廃棄を避ければ、地球の二酸化炭素排出量を一〇パーセントも削減できるかもしれない。実際、そのふたつの産業こそが、石油産業に次いで気候変動の大きな原因なのだ。「共有可能な世界において車の共有、衣料の交換、共同子育て、料理持ち寄り、共同住宅は人生をもっと楽しく、環境に優しくしてくれ、生活費も抑えられる」オンラインマガジンの「シェアラブル（共有可能）」は続けて言う。「共有によって、よりよい暮らしだけでなく、よりよい世界が可能になる」《サイエンティフィック・アメリカン》誌は、「共有は思いやり(シェアリング・イズ・ケアリング)」と題する記事を掲載している。

共有が環境にもたらす利益に関する調査結果は様々だ。ある調査によれば、クレイグリスト(不用品の売買などを掲載するコミュニティ広告サイト)が運営を開始した都市では、廃棄物の処理量が大きく減るという。ジップカーなどの車共有サービスも、渋滞や排気量を減らす役に立ってきた。輸送調査委員会は、アメリカにおいて「車一台を共有すると、少なくとも自家用車五台の代替になる」と報告している。五台ではなく一三台だと試算する調査もある。カーナビアプリのウェイズを使って道路状況や渋滞情報を共有する運転手は、渋滞の緩和とガソリン使用量の削減に貢献している。ウーバーやリフトなどの配車サービスは、効率性とクリーンな環境づくりに一役買っていると主張する。

とはいえ、カリフォルニア大学デイヴィス校の科学研究員レジーナ・クルーロー率いるチームの調査によれば、アメリカの主要都市で、配車サービスのプラットフォームは「交通量、移動、距離それぞれの増大」につながったという。なぜなら、より利便性の高い選択肢を利用できる時、市民は公共交通を敬遠するからだ。「移動の共有サービスは主要都市の市民を惹きつけ、バスや路面電車から遠ざけやすい(それぞれ六パーセントと三パーセントの利用の純減)」。それと同時に、配車サービスはほかの移動手段を補完する。たとえば、通勤列車の利用は三パーセント、徒歩も九パーセント増えた。しかしながら、正味の効果はマイナスのようだ。「主要都市において、配車サービスはいまのところ、より持続可能な公共交通手段の稼働率を下げる、という変化を促している」

同じようにエアビーアンドビーも、ホテルではなくホストの家に宿泊したほうが、旅行者が一回に使用するエネルギー量は格段に少ないと主張する。[44] エアビーアンドビーがコンサルタント会社のクリーンテックグループに依頼した調査では、「エアビーアンドビーの北米のゲストは、たった一年で、オリンピックサイズプール二七〇杯分の水を節約し、北米の道路で車三万三〇〇〇台分の温室効果ガスの排出を削減した」という結果が出た。EUでは、その数字はさらに高い。水の節約はプール一一〇〇杯分であり、温室効果ガスの削減量は車二〇万台分に相当する。エアビーアンドビーはまた、北米のホストの八〇パーセント以上が、省エネ家電を最低ひとつは利用していると主張する。調査はほかにも、公共交通や自転車を利用するか、徒歩で出かける観光客は、エアビーアンドビーのゲストのほうが、ホテルの利用客よりも一〇〜一五パーセント多いと報告した。とはいえ、エアビーアンドビーのゲストは平均して、ホテル利用客よりもずっと若い。これらの数字も、独立機関によって検証されたわけではない。

そしてまた明らかでないのは、充分に活用されていない資産の共有が、社会にとって最終的に利益なのかどうか、という点だ。もちろん多くの場合、車は九〇パーセントの時間使われていない。だが、もしその所有者がウーバーかリフトで働いて、車を収入源として活用したら、走行距離が伸びて車の寿命は短くなってしまう。もし車に早くがたが来れば、その分買い換え時期は早まる。一〇年以上にわたって五パーセントの時間、車を走らせるのと、五〇パーセントの時間、車を走らせて短い年数しかもたないのと、どちらがいいか。その問いに答えるのは難しい。なぜなら車は利用状態に関係なく、経年によっても価値を失うからだ。ひとつには、新型車の発売によって車は時代遅れになる。もし二〇三〇年になる頃に、全自家用車のうちのかなりの割合が、配車サービスのプラットフォームに登録されるなら、いまより暮らしやすい社会が実現しているかどうかは定かではない。たとえば、もし車の価値が早く下がるのなら、大量に発生する中古車のリサイクルや処分の方法を、具体的に考え出さなければならない。新車が通りに溢れるとなれば、なおさらだ。しかも配車サービスが成長すると、公共交通の利用は減るかもしれない。それゆえ、配車サービスは環境に負の影響をもたらす可能性がある。

宿泊施設の共有についていえば、配車サービスとのあいだに類似点もあれば相違点もある。多くの人が休暇や出張で、たびたび自宅を留守にする。多くの家には貸し出せる空き部屋がある。経済的観点から言えば、まったく使われていない資産を時々マネタイズすることは理にかなっている。家が車ほど早く価値が下がらない点も、伝統的な選択肢であるホテルよりも環境に優しい点も幸いしている。

おそらく配車サービスを除けば、共有経済は概して地球資源の保護に一役買いそうだ。オランダの金融機関ＩＮＧが実施した国際的な調査で、回答者が共有プラットフォームを利用する理由は、それが環境によく、コミュニティの構築に役立つと考えているからだった。共有アプリの普及が進めば進むほど、より多くの人が環境に及ぼすそのような利益を強く信じることになる。

共有と未来

本章の冒頭で紹介した、絵に描いたようなミレニアル世代のひとりリンゼイ・ハワードは、環境を保護し、二酸化炭素排出量を減らすために必要なことは何でも積極的に実践している。安定した仕事は諦め、ギグワークで働く。その理由のひとつは通勤せずに済むからだ。彼女は働く「失業者」の典型である。コラボ経済は仕事やオフィス、所有、アクセスなどの概念を曖昧にし、新たな現実をつくり出す。ネットワークでつながった社会において共有とは、かつてひとつの仕事だったことが複数の作業(タスク)に分解され、様々な人によって遂行されるという意味だ。しかも彼らはリモートで働いたり、コワーキングオフィスを利用したりする。財産は本来の意味の一部を失う。断片的なアクセスと利用が柔軟性を生み、コストを下げるからだ。根本にあるのは、もはや所有する文化ではなく、楽しみ、体験する文化であり、その世界観は、条件を公平に均(なら)して、より強いコミュニティを築くという考えと一致するようだ。オノ・ヨーコとジョン・レノンの歌詞を思い出す。「想像してごらん。所有物などない、と……」

これらの変化は人口動態と技術の大きなシフトと符合し、社会秩序の大規模な変化につながるのかもしれない。私たちは今後も、結婚や子ども、高齢化の影響、製造業の雇用数、住宅ローンや都市やパソコンを当然のものとみなせるだろうか。そして、最も広く普及した制度である、貨幣についてはどうだろうか。次章で詳しく見てみよう。

第八章：国の数より多い通貨

自分のお金を印刷する、ブロックチェーン、近代銀行業の終焉

国の通貨の発行権と管理権を私に与えるなら、誰が法律をつくろうが構わない。

——銀行家、マイアー・アムシェル・ロスチャイルド

今日、ほとんどの人が生まれ育った世界では、それぞれの国が主権国家であるという明確な象徴を有している。ひとつの国旗、ひとりの指導者、ひとつの通貨である。ところが二〇三〇年になる頃には、世界で最も重要な通貨のいくつかは、政府発行によるものではなく、企業か、さらにはコンピュータが発行したものになっているだろう。[1] だが今日、多くの人がその可能性を危険で異端的なことだと考えている。

一三世紀の終わり、中国で紙幣が使われているのを初めて目にしたマルコ・ポーロは、大いに驚いて次のように記した。「これらの紙幣は、まるで純金か純銀であるかのような厳粛さと権威をもっ

て発行されている」一二六〇年に、その不思議な紙を初めて流通させたのはフビライ・ハンだった。無慈悲なモンゴルの征服者チンギス・ハンの孫であり、元王朝の初代皇帝である。近代の紙幣が生まれたのはその数世紀もあと、英仏の戦いのさなかだった。[2] 一六九四年、イングランド国王ウィリアム三世の廷臣が、英仏海峡を挟んだ天敵とのいつ終わるとも知れない戦争の戦費を調達する、目新しい方法を思いついた。こうして民間企業であるイングランド銀行が創設され、民間から金塊を預かったり、銀行券を発行してお金を貸し出したりする独占権を獲得した。

ある意味、国の数より通貨の数が多いことは過去に例のないわけではなかった。一九世紀後半まで、銀行やさらには企業の商業手形が、返済の繰り延べや決済のために通貨として流通することは珍しくなかったのだ。銀行家も躊躇せず、新たな技術を利用した。伝えられるところによると、一八一五年のワーテルローの戦いで、銀行家のロスチャイルドは伝書鳩を使って、ナポレオン率いるフランス軍の敗北をロンドンの誰よりも早く知り、その貴重な情報を利用して債券市場で巨万の富を手に入れたという。[3]

領土内で使う通貨の管理に手を焼き、たび重なる銀行危機にも苦しめられ、約一五〇〇年前から、あちこちの政府は紙幣の印刷と流通を国の独占制度として構築することにした。二〇三〇年になる頃には、そのような独占制度は廃れているだろう。航空事業、電気事業、電気通信事業と同じ運命をたどるというわけだ。国の通貨が優位を占めることには違いないが、デジタル通貨も通用するだろう。

伝統的な通貨、仮想通貨（暗号資産）、同じ発達段階にあるほかのタイプのトークンの未来を描くためには、まず貨幣がどのように機能するのかを理解する必要がある。その例として面白い話を紹介

図9

しよう。二〇世紀を代表する芸術家であり、シュルレアリスムの先駆者であるサルバドール・ダリのエピソードだ。今日、彼の油彩には数千万ドルの値がつく。ダリはまた、才覚のあるビジネスマンでもあった。おおぜいの友人をニューヨークの高級レストランでもてなした時のことだ。いざ支払いの段になると、この奇矯な画家は水平思考を働かせて、ちょっとした実験に及んだ。署名した小切手の裏に、ダリ独特のスタイルで落書きをしたのだ。その下に署名をして本物だというお墨付きの印とし、ウェイターに渡して、ウェイターがそれをレストランの支配人に手渡した。通常であれば、レストランがその小切手に裏書きをして、銀行に持って行ってはじめて口座に代金が入金される。ところが、それは普通の小切手ではない。落書きを見てそれを描いた芸術家の正体に気づいた支配人が、小切手を額に入れ、誰でも見られるよう壁に飾ったのである（図9）。

　ダリは大喜びして、同じいたずらを何度も繰り返した。そして、額に入ったダリの落書き小切手は、あちこちのレストランの壁を飾った。これが実際、どれほど特殊な状況か、考えてみればいい。食事の代金がレストランの銀行口座に入ることはなく、小切手は芸術品に早変わりして、別の命が与えられたのだ。ダリにとっては天才的なアイデアだった。自分のお金を刷ることができ（彼の線画には価値があった）、レストラン側はそれを決済のかたちとして喜んで受け取った。もちろん実際の通貨でも生じるように、ダリは小切手をたくさん〝印刷〟しすぎて価値を下げてしまい、落書きの価値が食事代よりも下がり始めた。レストランの支配人はついにそのことに気づいた。[4]

この話の重要なポイントとして、誰でもお金を印刷でき、決済のかたちとして流通させることはできるが、そのためには、それが信用の置けるものであり、使い勝手のよいものでなければならない。投資手段として使われる、貨幣のほかのかたちもあるかもしれない。つまり、時とともに値上がりすると考えられる貨幣だ。だが国の通貨と同様に、どんな貨幣も需給の法則からは逃れられず、過剰供給はその価値を切り下げ、人の利用意欲を削ぐことになる。

＊＊＊

国際的に最も重要な決済通貨、計算単位、準備通貨として、世界はいまもアメリカドルを使っている。[5] 国際債務、貸し付け、外貨準備高の半分以上が、そしてまた外為取引高と国際決済の約四五パーセントがドルである。貿易について言えば、請求書の八〇パーセント以上がドルだ。だが二〇三〇年が近づくにつれ、国際金融と貿易においてドルの絶対的優位は揺らぐだろう。

新興市場はすでに世界経済の半分以上を占める。さらに、中国はすでに最大の貿易国であり、最大の経済国になろうとしている。だが人民元は——中国国内においてさえ——信用されていない。兌換可能でなく、自由な取引もできず、資本移動の自由化も実現していない。世界一の経済大国にならんとする国が、その地位に見合うだけの通貨を持たないのは史上初めてのことだ。[6] 古代ローマが地中海世界を支配した時代には、アウレウス金貨が君臨した。ビザンチウムの全盛期には、商人はソリドゥス金貨（個人的には、通貨に与えられた最もふさわしい名前だと思う）を称えた。フィレンツェが商業の中心だった時代には、フィオレンティーノが広く流通した。オランダのギルダー、スペインのレアル・デ・ア・オチョ（初期のアメリカで広く用いられ、「スペインドル」とも呼ばれた）。英国のスターリング・ポンド。そしてもちろんアメリカドル。その時代を支配したどの経済か帝国にも、誰もが信用して利用した通貨があった。

「フリーランチというものはない」

二〇世紀を代表する経済学者のひとりミルトン・フリードマンが述べたように、どんなものもただ（フリー）ではない。[7] 貨幣は信用のうえに成り立つ、特殊で創意に富んだ発明品だ。政府発行の通貨は時に、ゴールドのような有形資産に裏打ちされており、まさしくその戦略によって、英国は様々な時期に信用を高め、政治家による使いすぎと借りすぎを防いできた。もちろん、そのためには実際にゴールドが必要になり、英国は南アフリカで二度もボーア戦争（一九世紀後半〜二〇世紀初頭。ダイヤモンドとゴールドをめぐる帝国主義戦争）を起こしている。アメリカも第二次世界大戦末期の一九四四年に、世界の金融システムの安定を図るために金本位制を採用した。その後、双子の赤字が急増し、ＦＲＢは紙幣を印刷し続け、一九七一年にリチャード・ニクソン大統領は金本位制に終止符を打つと発表した。それ以降、世界中で激しい為替変動、投機、危機が繰り返されてきた。

私は授業でよく学生にこう言う。お金の価値が身に沁みてわかるのは、ハイパーインフレ（物価が急激に上昇して、通貨の価値が暴落する）状態にある国で、実際にそれを体験する時だ、と。そしてこんな質問をする。ハイパーインフレの国で、タクシーとバスのどちらに乗るか。ほとんどの学生は、物価が急激に上昇するのだから、価格が安いほう（バス）だと答える。だがインフレ率が三桁に及ぶ時、重要なのは相対価格ではなくタイミングだ。すなわち、タクシーに乗ったほうがいい。なぜならバスは乗る時に支払うが、タクシーの場合は通貨の価値がさらに下落した、降りる時に支払うからだ。そのようにインフレが問題になるのは、バスよりもタクシーに乗ったほうが相対的に〝安くなる〟時だ。同様に、インフレになると借り手は得をし、貸し手は損をする。

ミルトン・フリードマンはかつて述べている。「経済生産のペースを超えて貨幣量が急増することによってのみ発生する、あるいは発生の可能性があるという意味において、インフレはいつ、どこにおいても貨幣的な現象である」と。言い換えれば、多すぎるお金が、絶対数の足りない商品を求める時にインフレは発生する。ゴールドラッシュ時代のアメリカ西部か、最近の例で言えばシェールオイルブームに沸く大草原地帯（ロッキー山脈の東側に広がる大平原）の、にわか景気の町がそうだ。市民の経済的幸せに関心がある政府なら、賢明にも貨幣供給を管理し始めることになる。これは金融政策（一国の中央銀行が行なう通貨や金融の調節）の考え方のひとつだ。フリードマンのアプローチに同意する経済学者がいるいっぽう、同じくらい多くの経済学者が、彼の正統的学説は景気循環の波に対処するには厳しすぎると考える。だが「インフレは代表者のいない課税」であり、市場をめちゃくちゃにし、意思決定者を混乱させ、最終的に国民を貧困にするという主張において、フリードマンは正しかった。彼は、貨幣供給量を一定比率で増やすルールを提唱した。そして金融政策を管理するうえで、FRBよりもコンピュータのほうが優れた仕事をすると考えた。

仮想通貨をインプットする

二〇三〇年に近づくにつれ、技術は貨幣にまつわる新たな考えを提示しているように思える。一国の政府でない限り、紙幣を印刷することはかつて面倒で、費用がかさみ、たいてい違法だった。仮想通貨（暗号資産）は面倒でなく費用もかさまず、政府が禁止しない限り、つくり出せ、急速に普及しやすい。現在、使用されている仮想通貨の総額は数千億ドルに及ぶ（とはいえ、正確に見積もるのは明らかに難しい）。この数世代ではじめて、国の数より多い数の通貨が出まわっている。そして毎年、多くの仮想通貨が発行されると、その差はさらに広がる――とはいえ、束の間の命で消えるものもあるだろう。仮想通貨が真に革命的なのは、それが中央政府の権威を必要とせずに発行され、広く流通するからだ。必要なのは、コンピュータネットワークのみ。それは実際、真に革命的であるとともに破壊的でもありうる。

「FRBをコンピュータに差し換える」というフリードマンの夢を、少なくとも理論上は、仮想通貨も実現する。すなわち、政策金利や貨幣供給について意思決定するFRBの代わりに、コンピュータのアルゴリズムが仮想通貨を管理する。

仮想通貨の刺激的な新世界は、いったいどんな意味を持つのだろうか。投機は一部の人に莫大な富を、ほとんどの人に激しい失望をもたらす。なぜならこれまでのところ、仮想通貨は頻繁に激しい値動きを見せてきたからだ。もし政府が将来的に、もはや貨幣価値も資産と負債の価値も管理しないとなれば、仮想通貨が政府と市民との関係をどう変えるのかについて考えてみればいい。私たちの知る金融や銀行業の慣行は、大きく変わってしまうに違いない。

仮想通貨は、送信者が暗号を用いて取引を認証するデジタル資産である。決済と残高は一種の電子台帳に記録され、誰でも見ることができる。記録を管理するこの仕組みは、ブロックチェーンという興味深い名前で呼ばれる。実際、非常にシンプルなアイデアだ。まずは、一マイルの長さのレンガの壁を思い浮かべてほしい。様々な種類の記録が、壁の前を通る人たちによって、一つひとつのレンガに書き込まれる。それは、自分の名前と壁を訪れた日付かもしれない。愛する者の名前や愛読書のタイトルかもしれない。唯一のルールは必ず連続する次のレンガに書き込み、絶対にあいだを空けてはならないことだ。そんなふうにして、いちばん上の段のレンガが全部書き込まれたら、今度はそのすぐ下の段へ移って書き込み、それを続けていく。いったん書き込まれた記録は消すことができず、誰でもどの記録でも見ることができる。その想像上の壁のレンガがすべて書き込まれたら、同じ長さの二番目の壁が並行して建てられ、同じプロセスが繰り返される。壁はいろいろな目的に使われる。たとえば、あるホテルのそれぞれの部屋に誰が宿泊し、一人ひとりの宿泊客が会社の経費を毎日どれだけ計上し、チェックアウトの際にいくら払うのかを記録する。あるいは、流通している硬貨や紙幣を誰が所有し、決済のためにいつ使われるのか、など。

これらの記録を残す実際の壁に代わりに、連結した、改ざん不可能なデジタル台帳をつくることができる。それがブロックチェーンだ。台帳にアクセスする複数のコンピュータが、それぞれの取引を検証し、求められる透明性をシステム全体に与える。各コンピュータは、ブロックチェーン全体のまったく同じ台帳を共有する。取引記録を修正する際には、ネットワーク内にある半数以上のコンピュータの承認を必要とするため、安全性がさらに確保できる。見たところ、安全性が極めて高いのはビットコインのブロックチェーンだ。パワーボール（六つの数字を選んで予想するアメリカの宝くじ）で一等に当選する確率は、二億九二〇〇分の一。ビットコインのプライベートキー（暗号コード。秘密鍵とも呼ばれる）では、二五六ビットの暗号化を用いているため、ハッキングされる確率はわずか二の二五六乗分の一、あるいは一一五×一〇の七五乗分の一。これは、パワーボールに九回連続して一等当選する確率に相当する。

透明性を確保するこの分散システムこそ、サトシ・ナカモトを名乗る人物が、暗号学のメーリングリストに投稿した有名な論文「ビットコイン：P2P電子通貨システム」で提案した仕組みである。[8]投稿された二〇〇八年一〇月三一日という日付は重要だ。なぜなら、リーマン・ブラザーズが上場廃止した約一カ月半後だからだ。論文は革命的な概念を提案していた。「純粋なP2P電子通貨によって、金融機関を介さずに利用者どうしの直接的なオンライン決済が可能になるだろう」

貨幣と銀行業の発明以来、いかなる金融活動も信用を中心に成り立ってきた。ビットコインの論文のなかで最も大胆な主張は、ブロックチェーンを介して運用される仮想通貨が、「信用に基づかずに電子取引を可能にするシステムだ」と論じた点だ。ナカモトにとって、「ネットワークは非構造の単純性において堅牢だ」。そのシステムのなかで、各ノードは「CPU（中央処理装置）パワーを使って承認か拒絶を表明し、有効なブロックの承認を表明し……必要な、いかなるルールもインセンティブも、この合意メカニズムに従って実行される」。コンピュータのキーを一打することで、ナカモトは数千年かけて発達してきた金融の歴史に、あっさりとピリオドを打ったのかもしれない。

　ナカモトが目指したとされるのは、金融サービスの民主化だった。そしてその目標を、仮想通貨のビジョナリーや熱烈なファン、起業家が共有した。「我々の使命は、世界にとってオープンな金融システムを築くことだ」そう述べるのは、仮想通貨取引所コインベースのブライアン・アームストロングCEOだ。[9]「貨幣のオープンなプロトコルがさらなる革新、経済的自由、平等な機会をつくり出すものと信じている。インターネットが情報公開にもたらしたのと同じような効果だ」ここでもやはり目にするのは、技術の解放が世界をよりよい場所にするという提案者の約束だ。

　しかしながら、仮想通貨には信奉者よりも――激しい敵意を抱くとは言わないまでも――、懐疑的な人間のほうがはるかに多い。「ビットコインを買うような〝間抜け〟は」JPモルガンチェースのCEOジェイミー・ダイモンは述べている。[10]「いまにその代償を支払うはめになる」また二〇〇八年の世界金融危機を予言したことから、「終末博士（ドクター・ドゥーム）」なる異名を取るようになった経済学者のヌリエル・ルービニは、仮想通貨の世界を「悪臭漂う汚水溜め」と呼ぶ。[11]報じられるところによると、彼は次のように発言したという。「あの役たたずの暗号通貨、シットコイン（くそ）に本質的な価値があるだなんて、まったくお笑い種だ」しかもルービニは「もしエネルギーを貪り、環境を破壊する、仮想通貨の負の外部性を正しく評価するならば、仮想通貨の本質的な価値はゼロか実際、マイナス……」だと考えている。そして、（ビットコインを支える）ブロックチェーンを運用するためには、人口九〇〇〇万人近いオーストラリア全体の年間の電力量と同じだけのエネルギーを消費する、という事実を指摘する。

ビットコインは乱高下を繰り返し、二〇一七年末に二万ドル近くまで高騰したあとで暴落し、一年後に二五〇〇ドルを割った――ビットコインを支えるデジタルインフラは持ちこたえた。その理由は、典型的な「二重支払い問題」に対して、ブロックチェーンがシンプルで要を得た、効率的な解決策を提供したからだ。すなわち、取引で一度使用した仮想通貨を再使用するという問題をどう防ぐのか。偽造紙幣を使えなくするのと同じようなことだ。ブロックチェーンはその問題を、デジタル台帳を公開して透明にし、参加者が検証可能とすることで解決した。そうすれば、同じビットコインの二重使用は防げる。信頼性を高めるために、仮想通貨の供給量については成長率を一定に、比較的遅く抑え、予測可能で安定したコンピュータアルゴリズムによって常に管理する。ビットコインにはまた、別の魅力的な特徴がある。ナカモトの言葉を借りれば「各ノードは、ネットワークを任意に離脱して再接続できる。各ノードが再接続時に、最長のプルーフ・オブ・ワーク（取引承認システム。ＰoＷ）を受け入れることで、離脱中に何が起きたかを把握できる」

そのような徹底した技術的基盤にもかかわらず、ビットコインは信頼性と利便性の高い取引手段としての地位をほとんど確立できなかった。ましてや、計算単位や価値保蔵の手段たる地位はもちろんだ。その理由は複雑だが、おもに次のふたつにある。第一に、政府が仮想通貨をどう規制するのかが不透明であり、第二に楽して儲けようという投機家の飽くなき欲望と関係がある。リップル（ＸＲ

P)、イーサリアム、ライトコイン、ジーキャッシュ、メーカーなど、人気のあるほかの仮想通貨も同様に苦戦している。いまだ現金通貨の地位を奪い取った仮想通貨はないが、ブロックチェーンは私たちが知る世界を、すでに本質的な意味で変え始めている。

「あらゆるものをトークン化する」

グローバル市場経済では毎日、膨大な数の取引が行なわれている。その一回ごとに、少なくともふたつの取引相手が存在する。たとえば売り手と買い手。保険者と被保険者。貸し手と借り手。より広い視点で見れば、人間は両者が存在するあらゆる種類の取引を行なう。そのなかには結婚や離婚、あるいは死後に財産分与する遺言のような法的取り決めも含まれる。ブロックチェーンなどの技術を使えば、そのようなプロセス全体がより簡単で安価に行なえる。それだけではない。仮想通貨の専門家であるジョセフ・バソーンが主張するように、ブロックチェーンは「あらゆるもののトークン（暗号）化」につながるかもしれない。つまり株式、商品、負債、不動産、芸術、出生、シビルユニオン（同性間、異性間を問わず、婚姻に近い法的権利を認められるパートナーシップ関係）、学位、投票などの証書や書類を、基本的にデジタルで作成するのだ。データであってもトークン化は可能であり、それはグーグルやフェイスブックのような破壊的技術になるかもしれない。

公的記録はこれまで、ユーザー全員が委ねた組織か個人が一元的に管理するか、たいてい国が作成してきた。文字による世界最古の記録は五〇〇〇年前に遡るが、記録保存と記録共有のビジネスは、印刷された本と、もっと最近ではコンピュータによって大きな変化を遂げてきた。分散化と改ざん不可能という特徴を持つブロックチェーンは、それ以上に革命的な変化をもたらしそうだ。

EUの報告によれば、デジタル台帳技術は「医療給付金や生活保護費の支給など、あらゆる種類の公的サービスで好機」を生み出し、また「ブロックチェーン開発の最先端において、自動執行契約は、人間の介在なしに運営する企業への道を切り拓いている」という。[12] ブロックチェーンの最も先駆的な可能性は、「技術との日常的な相互作用に対するコントロールを、中央のエリート層からユーザーに再分配する」ことだ。「そうすることで、より透明性が高く、おそらくより民主的なシステムが誕生する」そうなれば、数世紀にわたる中央集権化の流れを逆転させ、政府と市民との関係を白紙に戻し、私たちの知る官僚制度の解体につながるかもしれない。

ブロックチェーンの優れた点は、水平思考を使ったあらゆる用途への拡大が可能になることだ。期待される可能性のひとつとして、デジタル通貨をスマートコントラクト（契約の自動化。決められたプログラムによって、契約条件の確認や履行が自動的に実行される仕組み）、デジタル記録管理、自律分散型組織（DAO）と組み合わせれば、通常の階層構造を抜きにした意思決定が行なえる――そして、そのすべてをブロックチェーンで支援する。「契約の進展に伴い、ブロックチェーンがその契約のあらゆる権利と義務を追跡し、決済を自動的に履行する。決済をオフラインで催促する人間は必要ない」と《MITテクノロジー・レビュー》誌のマイク・オーカットは書いている。[13] ブロックチェーンに記録されたすべての取引から、政府の役割を自動的に差し引けば、徴税もはるかに単純化できるかもしれない。契約執行、記録管理、追跡、代金回収、在庫補充のメカニズムを組み合わせれば、一般的にサプライチェーン管理の簡素化と迅速化が図れるだろう。

ブロックチェーン技術は、特定の商品の製造過程を追跡するためにも使われる。消費者がますますそのような透明性を求めるのは、いまの時代、企業が労働力や資源を搾取しているという話が溢れているからだ。たとえば被服業界では、すべての衣類に特定のデジタルトークンを取りつける企業もある。トークン化によって、消費者は原材料の調達先から流通業務までの全サプライチェーンを確認でき、児童就労や禁止された原材料の使用をやめるよう働きかけることもできる。

私の教え子のひとりマイケル・ベネディクシンスキーは、デクシオを立ち上げた。ブロックチェーン技術を使って、ダイヤモンドの原産地を追跡し、それが「ブラッド・ダイヤモンド」――労働力を搾取し、紛争の資金源として取引される血塗られた宝石――ではないことを望む顧客に、その保証を与えるベンチャー企業である。別の学生のアジャイ・アナンドが注目したのは、婚約指輪を購入する顧客に、その指輪の具体的な情報を提供することだった。論文の調査のために、アナンドはクラスメートと一緒にインド、バングラディシュ、フィリピンを訪れ、児童就労の実態を調べた。子どもの権利を守る活動家、カイラシュ・サティヤルティ（二〇一四年にノーベル平和賞を受賞することになる）にも面会した。この時の活動によって、アナンドは起業を強く意識し始めた。そして、国連でのインターンシップに刺激を受け、非営利組織の管理業務の最適化に貢献するシストマップを立ち上げた。いまでは五〇カ国で事業を展開し、ゲイツ財団から資金提供を受けている。それで、婚約指輪の話はどうなったのか。アナンドの頭の上で電球が明るく灯ったのは、彼が婚約を決めた時だった。どのダイヤモンドの指輪にするか選ぶのが非常に難しく、時間がかかったのだ。市場の不透明性にも驚いた。そのいっぽう、購入を考える人が、価格と質の情報を是非とも手に入れたがっていることもわかった。そこでアナンドはＡＩと機械学習を使って市場動向を分析し、二〇一六年一〇月にレア・カラットを創業した。「ダイヤモンドの価格を予測できます」アナンドは言う。「不動産情報サイトのジローが家の価格を予測する以上に正確ですね」アナンドはそのアイデアを、ＩＢＭグローバル・アントレプレナーのコンテストに応募して上位五〇のひとつに選ばれ、資金を手にした。そしてブロックチェーンを用いて、ダイヤモンド取引の情報の透明性を高めた。今日、彼の会社は三〇人の従業員を抱え、一億ドルの収益を誇っている。

暗号天国で最高のコンビネーション

ソフトウェア、動画、音楽、そのほかのタイプのデジタル商品やサービスが、デジタル革命によって簡単に盗めるようになるまで、特許、商標、著作権といった古い保護システムはかなり効果が高かった。だが、そんな時代はもう終わった。そして技術革新の加速とともに、特許、商標、著作権の申請の流れも加速する。二〇一八年、《フォーブス》誌は問いかけた。「どうすれば知的財産権は、ブロックチェーンを使って『よりスマート』にできるだろうか」

大きな課題のひとつは、前章で紹介したような共有プラットフォームにある。ライセンス対象でない音楽や動画のオリジナルコンテンツは、オンラインで共有でき、ブロックチェーンを使って使用料を割り当て、分配する。どれが使用できて、どのくらい多くの人がそのコンテンツを使用するかを、ブロックチェーンが追跡する。企業もまた、所有権をほかの当事者に移転させ、確実に決済する方法として、ブロックチェーン活用の可能性を探っている。ブロックチェーン技術は「（著作権）侵害を最小化するとともに、あらゆるＩＰ（知的財産）に対する電子的管理の連鎖（ＣｏＣ）を提供する」。この方法において、「特定の作品の信頼性と価値」を公に判断できると、《フォーブス》誌のアンドルー・ロソフは書いている。[14]デイトン大学法学部教授のトレイシー・ライリーによれば、「著作権のある楽曲をグロックスターやナップスター、ｉＴｕｎｅｓなどのプラットフォームでデジタル化することは、何も新しくない。だが、著作権の所有者にとって新しく、極めて刺激的なのは、ブロックチェーン技術の持つ莫大な可能性である。その技術を使って、まもなく実際的なデジタルフットプリントをつくり出すことができ……とりわけソーシャルメディアサイトについて……デジタル不正使用のより効果的な取り締まりを支援する」さらに言えば、ブロックチェーンによって、アーティストや映画製作者、プロデューサーは、彼らの仕事に伴うライセンスの許諾手続きが容易になる。

ベーカー・マッケンジー法律事務所の弁護士ビルギット・クラークは、ブロックチェーンと知的財産は「暗号天国で最高のコンビネーション」だと主張する。[15]彼女の考えによれば、次のようなブロックチェーンの使い方が想定されるという。「創作者である証明。知的財産の所有者である証明。知的財産権の登録と使用許諾。登録済み（あるいは未登録）の知的財産の管理と流通追跡。商業か通商において、あるいはその両方において、真正な使用か一次使用か、あるいはその両方だという証拠の提供。デジタル権の管理（オンライン音楽サイトなど）。知的財産に関する契約の締結と履行。スマートコントラクトを介したライセンス付与、あるいは排他的流通ネットワークの設定。知的財産権所有者に対するリアルタイムでの送信決済など」である。改ざん不可能なブロックチェーンを活用することで、特定の知的財産に関連するありとあらゆる履歴が、記録できるというわけだ。

知的財産の規制者と認証者という現在の組み合わせが設定されたのは、技術の急速な進歩を誰も予想できなかったデジタル化以前の時代だ。オンライン雑誌「インフォメーション・エイジ」の編集者ニック・イスマイルは、ブロックチェーンは、ブレーンストーミングから所有権の確定やライセンス供与までの、イノベーションにまつわる全サイクルの最適化に役立つと述べている。[16]特にそれが当てはまるのは、車やコンピュータといった複雑な製品や、ソフトウェアや音楽、動画といった無形コンテンツの場合だろう。

「グローバル化経済において、知的財産の管理は非常に難しい」イスマイルは指摘する。「企業はアイデアの保護をどこに求めるかを決め、関連する国や地域で個々に保護を申請する必要がある」デジタル台帳の大きなメリットは、それが「最初のアイデアをブロックチェーンに書き込み、その後アップデートする好機を提供する」ことだ。この新しい技術は、クリエイティブなプロセスに不可欠な要素になるかもしれない。「最終的に、ブロックチェーンはこれまで金融サービス業界に与えてきた以上の影響を、知的財産業界に与える可能性がある」イスマイルは続ける。「難しいのは、その技術を採用する正しい道を築くことだろう」

官僚仕事を効率化する

ブロックチェーンを水平思考で応用する別の方法は、政府機関と市民、企業と株主、政党と党員、政府と有権者との相互作用に関するものだろう。たとえば、世界中の選挙はいまでも、たいてい紙の投票用紙かごく簡単な自動投票機を使っている。ブロックチェーンを使えば電子投票が可能になり、投票所も不要になり、利便性もぐんと上がる。有権者登録を行なった市民はみな、ブロックチェーンに記録される。そして〝個人鍵〟を使って認証を済ませて投票する。デンマークでは、一部の政党はそのシステムを使って党内の投票を実施し、エストニアでは企業が株主の電子投票の集計に活用している。それ以外にも電子投票の大きな利点は、投票者に対する違法な重圧を排除できることだろう。選挙への関心や投票率も高まるかもしれない。とはいえ、懸念されるのは、デジタル機器を使えるかどうかによって不平等が拡大する可能性だ。実際、ブロックチェーン技術によってさらに投票率が上がるのは、より高学歴で教養があり、すでに投票率が高い層かもしれない。国政選挙の結果は重大な影響を及ぼす。「選挙結果を公正で正当なものとするには、電子投票の技術は充分ではない」と、欧州議会の調査は訴える。「たとえ結果が意に染まないものであっても、全有権者は、選挙のプロセスが合法的で信頼できるものであることを受け入れなければならない。そのようなものとして、（電子投票は）実際の安全性と正確性とを提供するだけにとどまらず、信頼と信用とを引き出さなければならない」

ここで水平思考を働かせてはどうだろうか。次のような興味深いケースを考えてみよう。事前に合意した特定の状況になった場合に、ブロックチェーン技術を使って、選挙公約を政府関係者が自動的に守るように強制できたとしたら？　つまりこういうことだ。選挙が終わったあと、特定の政策が「スマートコントラクト」によって実施されるか、予算が特定のカテゴリーに計上される。あるいは、政府がいくら支出しているか、きちんと公約を果たしているかどうかを市民が追跡できる。スマートコントラクトは経済全般で活用される可能性がある。そのなかには、政府の政策立案に関するものだけでなく、複数の政党が合意し、一定の条件が満たされた時に自動的に発動される取引に対する指示も含まれる。単純な例は、市場金利が下がれば住宅ローンの保険料も下がる貸付契約だろう。欧州議会の言葉を借りれば、そのような契約は「自己完結的、自己遂行的、自己強制的」だ。だが、そこには「国家の法は、法体系に刻まれた『法』よりも常に上位にある」という要件を組み込んでおかなければならないだろう。

「（ブロックチェーンの）創造を可能にするアルゴリズムは、強力で破壊的なイノベーションだ」二〇一六年の英国政府主席科学顧問の報告書は、そのような冒頭で始まっていた。[17] ブロックチェーンは「幅広い用途を通して、公的及び私的サービスの提供に変化をもたらし、生産性を向上させる可能性がある」。特にこの報告書は、ブロックチェーン技術を利用してコストを削減し、コンプライアンスを支援し、説明責任を促進することで政府サービスの改善を図るように提案している。その技術はまた、徴税や利益分配を容易にし、市民とのより円滑な関係を築く一助となるだろう。

デジタル共和国

二〇三〇年に、政府と市民との関係はどうなっているだろうか。それを知りたければ、エストニアを訪れてみるといい。そこは世界最先端の電子政府の本拠地であり、世界に「電子エストニア」というイメージまで発信している。[18] 人口一三〇万人のこの小さな国の市民は、オンラインで給付金を申請でき、処方箋を入手でき、事業を登録して、投票し、それ以外にも三〇〇〇近い政府のデジタルサービスにアクセスできる。《ワイヤード》誌は、エストニアを「世界で最も進んだデジタル社会」と名づけた。《ザ・ニューヨーカー》誌のネイサン・ヘラーは「デジタル共和国」と呼び、「政府はバーチャルかつボーダレスでブロックチェーン化され、安全だ」と述べている。[19] そしてそのプロセスを、「エストニアを国家からデジタル社会へと転換させる、政府一丸となった取り組み」と評した。

エストニアのモデルを真似る国や地域は多い。スペイン東部のカタルーニャ自治政府は、効率的でデジタル化した国家構造を築く方法を、エストニアから学ぼうとしている。とはいえ、いまのところ、スペインから独立して国民国家を築く努力は身を結んでいない――実のところ、エストニアが目指すのはカタルーニャとは正反対の試みであり、彼らは「国家」という古い概念の先へ進もうとしている。その証拠に、エストニアは「デジタル居住権」プログラムを展開する。つまりログインすれば、外国人もエストニアに住んでいるかのように、銀行などのサービスが受けられるのだ。もちろんユーザーには便利であり、政府の歳入源にもなるが、そこには予期せぬリスクもたくさん潜んでいる。エストニア国民は実際、ボーダレスでポストモダンな初の仮想国家をつくろうとしているのだ。「電子居住権」を申請した外国人はすでに三万人近くにのぼる。エストニアは、経済と社会全体にわたってブロックチェーンを水平思考で応用する、新たな分野を切り拓いてきた。

ガーナやケニアといったアフリカの一部の国は、モバイル決済や都市農業においてだけでなく、技術を使って政府を国民にとってより身近にする試みにおいても、世界の最前線にいる。世界銀行によれば「電子ガーナプロジェクトという、ICT（情報通信技術）の先駆的な設計プロジェクトは、官僚主義を削減し、国のサービスを国民がもっと利用しやすいものとし、多くのアフリカ諸国がその取り組みを真似ている」。[20] ケニアの試みを評価した独立の調査チームは、こんな結論を導いた。[21] ガーナが「つくり出した、様々なことを可能にする政治的、法的環境やビジネス環境は、電子政府……の実現に適し」ており、次のような利益をもたらす。「官僚主義を削減し、サービスに二四時間アクセスでき、迅速で利便性の高い取引を約束し、透明性と説明責任を高め、職員の生産性を改善し、情報の流れを円滑にする」実際、ガーナとケニアは今後も情報技術の活用において、とりわけ医療、モバイルマネー、行政の三つの分野で最先端を行く。しかしながら、デジタル格差の問題は解消されないいまだ。調査は報告する。「農村部では、政府のオンラインサービスにアクセスする能力がなく、またインフラ整備の遅れから、権利を奪われたままのグループが存在する」

ブロックチェーンの中心を成す特徴を、政府は充分に活用している。ビジネス界での活用と同じように、「ブロックチェーンはデータの改ざんが不可能……という事実は、透明性と説明責任とを提供する」と、欧州議会の調査は指摘している。プライバシーとデータ保護が保証される限り、ブロックチェーンは市民生活を容易にし、政府職員の仕事を簡素化する。とはいえ、そのせいで職員は余剰人員になってしまうかもしれない。それについては後述しよう。投票の箇所で述べたように、学歴が高く、インターネットに簡単にアクセスできる人が最も恩恵を受けやすいという状況は、新たにデジタル・インクルージョン（誰もがコンピュータやインターネットを使え、その恩恵を享受できるようにする活動）に取り組むことでしか、克服できないのかもしれない。

「ブロックチェーンを使った銃規制問題の解決策」

これは二〇一七年一一月に、ワシントン州立大学の公衆衛生学教授トーマス・ヘストンが発表した論文のタイトルだ。[22] ヘストンは水平思考を働かせて、ブロックチェーンの新たな用途を提案した。「ブロックチェーン技術を活用すれば、現行法を変えることなく、銃規制の問題を改善できるかもしれない」ヘストンは続ける。「銃器をより効果的に追跡し、リスクの高い銃所有者をより正確に割り出すことで……この技術の進歩によって、個人の素行調査も、犯罪で使われた銃器の追跡も容易になるだろう」ヘストンは次のように単純に考える。「ブロックチェーンに基づく銃のデジタル保管庫は、現行の銃規制法の施行を改善し、プライバシーを維持しながら、銃規制の効果も高めるだろう」

実情として、アメリカには銃を一元管理する登録制度がないため、銃犯罪を防ぎ、犯罪捜査する法の執行機関の能力を著しく制限している。世界全体の四・五パーセントを占めるアメリカの人口のうち、市民の四二パーセントが銃を所有する。銃所有の権利を謳う擁護者は、データベースの作成を連邦政府に委ねてはいない。「登録の中央集権化に対する当然の解決法は何か。登録の分散化だよ」カリフォルニア大学バークレー校でコンピュータ科学を学ぶルーク・ストルガーは言う。「銃所有コミュニティが記録を保持できるプラットフォームをつくるってことだね、言ってみれば」ストルガーの目標は、銃規制論の賛成派も反対派も納得できる解決策を見つけ出すことだ。

もっとも、いまのところはまだ見つかっていない。それどころか、銃所有の権利を謳うロビー団体は懸念をあらわにしているらしい。登録の分散化というアイデアにひどく危機感を募らせ、行動を起こすことにした議員もいたようだ。二〇一七年四月、銃の追跡にいかなる種類のブロックチェーンを利用することも禁ずる法律を、アリゾナ州が全米で初めて可決した。続いてその同じ年、ミズーリ州の下院議員ニック・シュローアが同様の法案を提出してこう主張した。「誰がいつ、どの時点で何発発砲したのかを、第三者か〝ビッグ・ブラザー〟が監視するという考えに、議会のメンバーはいまなお極めて強い不安を覚えている」ブロックチェーン技術で銃を規制するという約束は、今後も妨害が続くだろう。アメリカのあちこちで、銃の購入に規制をかけようという様々な取り組みに対する妨害があとを絶たないように。

トークン化で貧困を撲滅

先述したマイク・オーカットは《MITテクノロジー・レビュー》誌でこう指摘した。「サトシ・ナカモトは、銀行か政府を介さずに人びとが金融取引する方法として、ビットコイン・ブロックチェーンを発明した」さらに続けて「皮肉にも、ブロックチェーンの世界最大の推進役……は世界銀行だ」と述べた。[23] 世界銀行はブロックチェーンを利用して、資金提供国(ドナー)の資金が教育振興にどう使われているかを、ドナー国自身が確認できるようにしている。また、ブロックチェーン債を発行して八〇〇〇万ドルを調達し、持続可能な開発イニシアティブに役立てている。世界銀行は開発プロジェクトの資金として、年間六〇〇〇万ドルを債券発行のかたちで調達しており、ブロックチェーンを使えば、資金調達プロセスで必要な多くの中間段階を省け、集めた資金の大部分を現地の人びとの利益に確実につなげられる。[24] その技術はまた、徴税、請求、決済の手続きを効率化することで、財政難にあえぐ地方自治体を救えるかもしれない。

経済発展の大きな障害のひとつは、世界の大部分の人が正規の金融部門にアクセスできないことだ。アフリカや南アジアの一部では、人口の五パーセント未満しか、あるいは小規模や零細企業の約半数しか銀行口座を持っていない。ゲイツ財団は「貧困層に対する金融サービス」プログラムの一部として、「レベルワン・プロジェクト」を立ち上げた。その目的は、ブロックチェーン技術を使った、全国的なデジタル決済システムの構築にある。既存のシステム下で携帯電話を使った決済とは違って、ブロックチェーンを使えば、人も中小企業も、どの通信会社に加入しているかに関係なく資金を動かせる。「私の夢はアフリカ全体が、相互運用できる、ひとつの巨大な決済プラットフォームになることです」プロジェクトを率いるコスタ・ベリックはそう述べている。

ソマリアは「破綻国家」の典型だが、人口の六〇パーセント近くが遊牧民か半遊牧民のため、モバイル決済のプラットフォームが普及しつつある。[25]この国では、一六歳以上の一〇人に九人が携帯電話を持ち、一〇人に七人が携帯を使って月に最低一度はモバイル決済を行なう。銀行システムが機能していないため、それ以外の決済方法がないのだ。マイナス面として、この同じシステムは資金洗浄やテロ活動の資金供与にも使われる。ブロックチェーンの分散型台帳を使えば、責任の有限性を改善し、携帯電話の取引履歴をもっと追跡可能にできるかもしれない。

地球を救う

二〇一八年、チリ最南部の海岸に、体長二〇メートルのシロナガスクジラの死骸が打ち上げられた。リオセコ自然史博物館の研究員ガブリエラ・ガヒードは、死んだ哺乳類の上に乗ってセルフィーを撮る人びとや、クジラのからだに残る落書きを、信じられない思いで見つめた。この時の光景はウイルスさながらに世界中に拡散した。プエルトリコで、絶滅危惧種の保全活動を続けるアレッサンドロ・

ロベルトは問いかける。「これらの危惧種をどうやったら人間から守れるだろうか」ウガンダのNGO「ケア・フォー・アンケアド（保護されないものを保護する）」はブロックチェーン技術を使って、シロナガスクジラ、ベンガルトラ、ラッコ、アジアゾウ、パンダのような絶滅危惧種を追跡調査し、標識を装着して保護している。[26]「その記録はブロックチェーンの技術で公的にアクセスできることになります」NGOでスポークスマンを務めるベイル・カブンバは言う。「それが私たちの行動を変え、自然と交流する方法を変えるでしょう。その記録が最終的には、種が絶滅する決定要因を理解する役に立つのです」ケア・フォー・アンケアドはまた、ビットコインのプラットフォームを立ち上げ、寄付金を募っている。

チップとセンサーを相互接続したモノのインターネットと組み合わせることで、ブロックチェーンは環境保全にも貢献するかもしれない。考えうる重要な提案のひとつは、カーボンクレジット（取引可能な二酸化炭素などの温室効果ガスの排出削減量。排出枠）をデジタルトークン化して取引できるようにし、企業と個人に、環境に配慮した行動を心がけるよう促すことだ。

ブロックチェーンを使って環境に利益をもたらす方法はほかにもある。やはり、水平思考を用いるのだ。たとえば自宅の太陽電池パネルで発電した余剰電力を地元の電力会社に販売する際にも、ブロックチェーンは煩わしい書類仕事を省いてくれる。[27] 欧州のスタートアップ、ウィパワー（再生可能エネルギーの取引プラットフォーム）が提案するのは、ブロックチェーン技術を使ったP2Pネットワークを通して「電力を誰にでも取引可能でアクセス可能なものにする」ことだ。《ファスト・カンパニー》誌のベン・シラーは「その取り組みは、人びとにより多くのコントロール力を与えている」と書いている。ウィパワーの共同創業者のひとり、ニック・マーティニュークは主張する。「エネルギー生産の分散化がさらに進むと、グリッド（送電システム）はますます分散化するだろう。ブロックチェーンの性質を考えれば、そのふたつは密接に関連して発達する」

エナジーマインも、ブロックチェーンを活用したスタートアップだ。公共交通を利用したり、古い家電を省エネ家電に買い替えたり、家に断熱材を入れたりして、カーボンフットプリントを削減した時、エナジーマインはトークンの〝ご褒美の金星（ゴールドスター）〟を贈る。「トークンには市場価値があるからだ。トークンを使って光熱費を支払い、電気自動車を充電し、〝正規の（非デジタルの）通貨〟と交換できる」と《フォーブス》誌は書いている。また別のスタートアップはブロックチェーンをつくって、より容易な取引を可能にし、企業のカーボンクレジット管理を手伝っている。カーボンクレジットは二酸化炭素排出量の削減に価格を設定するが、「共通台帳なしには、自分がどれほど多くの二酸化炭素を使用したのか、あるいは――排出量を相殺する場合――自分の削減がどんな具体的影響を及ぼしたのかを、簡単には追跡できません」。そう言うのは、エコスフィア＋のＣＥＯリサ・ウォーカーだ。[28] 企業も政府も、自分の商品やサービスがつくり出したカーボンフットプリントの大きさを、追跡できるようになるだろう。そうすれば今度は消費者が、自分の選択が環境に及ぼす影響を理解できるようになる。「小さな取引もたくさん積み上がれば、全体でとてつもない影響を及ぼします」気候変動を阻止するために、ブロックチェーンは大きく貢献できるかもしれない、とウォーカーは期待を寄せる。

だが、情報技術を利用して地球を救うことにはマイナス面もある――情報技術が気候変動の重要な要因であることが明らかになったのだ。予測によれば二〇三〇年には、電力の二〇パーセント以上が情報通信インフラを支えるために使われると《ネイチャー》誌は報じている。「データセンターの二酸化炭素排出量は全排出量の約〇・三パーセントだが、情報通信技術のエコシステム全体――個人のデジタル端末、携帯電話ネットワーク、テレビを含む広い定義――で見ると、世界の全排出量の二パーセント以上を占める。つまり、情報通信技術のカーボンフットプリントは、航空業界の燃料の二酸化炭素排出量に相当する」だがそれは、おびただしいエネルギーを消費する、仮想通貨取引で見込まれる増加分を含んでもいない。「我々の社会は莫大な量のデータを必要とする。我々はもっと、もっと、さらに多くのデータを使い、それらがもっと、もっと多くのエネルギーを使うことになる」[29]アメリカでは、データトラフィックの三分の一以上がネットフリックスのストリーミングのために使われ、同じく三分の一ほどが高解像度の写真を共有するために使われる。環境に優しい生活を送らない限り、カーボンフットプリントは軽減できない。アメリカのほとんどの大手デジタル企業は、自社のデータセンターを太陽光や風力で賄っている。しかしながら、いまのところ中国はそうではない。

トークンは銀行業界を（さらにほかの業界も）殺すのか

「シリコンバレーがやってきます」二〇一五年、ＪＰモルガンチェースのジェイミー・ダイモンは、株主向けの年次書簡でそう述べた。「頭脳も資金もたっぷり備え、様々な選択肢に取り組み、伝統的な銀行業に取って代わろうというスタートアップがたくさん登場しています」自動化とブロックチェーンの活用によって、銀行部門の数百万もの雇用が危機に瀕している。[30]「コンピュータがよりスマートになると、中間段階の人間はもはや必要ありません」フューチャー・トゥデイ研究所の創業者エイミー・ウェブはそう主張する。[31]「取引が基盤の専門職は機械に奪われるでしょう。それは間違いありません。しかも、その時期はもう目の前に迫っています」今日の「銀行」「銀行業」「銀行員」のうち、ブロックチェーン革命を生き延びるのはひとつだけだ、と専門家は指摘する。まず、銀行は窮地に立たされている。事務・管理部門にブロックチェーン技術が入り込み、若い世代がアプリを好むからだ。次に、銀行員の仕事はロボットが担う。「ロボアドバイザー」（最適な資産運用を自動で行なうサービス）の流れを見れば一目瞭然だろう。となると、生き残るのは銀行業だけとなり、銀行も銀行員もいない銀行業が誕生するのかもしれない。

ブロックチェーンが労働市場に及ぼす影響は、第六章で論じた、ロボット工学が労働市場に及ぼす影響と同じくらい深刻なものになるだろう。理由はまさしく、ブロックチェーンがゲームのルールを変えてしまうからだ。歴史的に言えば、現在の契約法と記録に基づくリベラルな資本主義は、経済や金融取引の幅広い側面を扱う様々な種類の職業を生み出し、それらは中間段階としての役目を果たしてきた。たとえば売買取引、清算、照合、履行、決済、記録管理などである。世界中で、何千万人もの人間がそれらの職に就いている。オンラインに存在して誰でもアクセスできる、分権的でパブリック（管理者が存在せず、取引が公開されているタイプ）かつ分散型のブロックチェーンは、彼らのような職の人間を迂回するだけで、多くの中間段階を排除することになる。金融サービス部門は永遠に変わってしまうのかもしれない。給料のいい仕事に就いているからといって、その影響を免れるわけではない。

先に述べたブロックチェーンを使ったスマートコントラクトは、たくさんの弁護士や会計士を不要な存在にしてしまうかもしれない。二〇一〇年以降、アメリカではロースクールの入学者数が二九パーセントも落ち込んだ。その理由のひとつは、弁護士の過剰供給を生む一因にもなり、かつては若い弁護士の担当だった証拠開示手続きを、現在はＡＩで行なうためである。スマートコントラクトは、法曹界の雇用にさらなる打撃を与えるかもしれない。だが、その意見に異議を唱える専門家もいる。「ロボットに仕事を奪われるのではないか、と弁護士は案じていました。その彼らが現在行なっているのは、大半がスマートコントラクトを補完する仕事です」そう指摘するのは、暗号資産のコンサルタント会社グローバル・フィナンシャル・アクセスを共同創設したニック・サボだ。[32]「スマートコントラクトでは、以前には無理だった新しいこともたいてい可能になります」彼の考えによれば「伝統的な法律は手作業が必要で、局地的で、不確かなことも多い」が、「パブリックなブロックチェーンは自動化され、グローバルで、作業が予想可能です」

会計の仕事はブロックチェーンの深刻な影響を受けるだろう。ドイツの調査会社スタティスタによると、アメリカでは二〇一八年の時点で、およそ一三〇万人の会計士や監査人が雇用されていたという。照合、確認、受取勘定、支払勘定といった比較的簡単な作業は、人ではなくブロックチェーンが担い、それ以外の監査、証明、税務報告といった作業は、ブロックチェーンの助けを借りて、さらに効率よく行なえるかもしれない。その場合にも、会計士や監査人はやはり必要だ。「ブロックチェーンの話題は、専門の会計士のあいだに不安と興奮を同じくらい掻き立てる」《アカウンティング・トゥデイ》誌は続ける。「だがどちらに転ぶか、いつまでも不明なままではない」

ブロックチェーンは二〇三〇年の世界を変えるだろう。なぜなら、多くの元帳を不要にするからであり、莫大な書類仕事と――雇用も――排除してしまうからだ。

ブロックチェーンと仮想通貨の未来は？

すべては、通貨を暗号トークンに変えることから始まった。二〇三〇年になる頃にはデジタル通貨は極めて重要になり、ブロックチェーンは幅広い分野で応用されているだろう。ほんの数例をあげてみても、行政サービス、知的財産、貿易取引、偽造品規制、銃規制、貧困削減、環境保全まで様々だ。関心をそそるこれらの例は、どれも水平思考の産物だ。私はこんなふうに考える。仮想通貨は多くのユーザーと、おそらく規制当局の想像力を刺激する。だが、それは仮想通貨が、お金に対する私たちの考え方やお金の使い方を変えるからである。そしてまた、ビジネスのためや個人の資産を管理するためだけでなく、私たちの生活をよくするために、新たな地平と可能性を切り拓くからである。デジタル通貨が単に現金に置き換わるだけなら、私たちは落胆するだろう。だが、高いコストなしで現金を移動できるとともに、資源保護かカーボンフットプリント削減の動機を個人に与えるならば、私たちは金融世界の構造的転換を目撃し――同時に地球も救えるかもしれない。秘訣は、仮想通貨の採用と、望ましい行動の変化とをうまく結びつけることだろう。人は、社会の全構成員が被る長期利益（二酸化炭素排出の削減など）だけでなく、短期利益（利便性や一回ごとの取引コストの削減など）も受け取る必要がある。たとえば、もし私がデジタル共有プラットフォームを使って、食品や衣類を無駄にする行為を減らしたら、私が保有する仮想通貨の金利が上がるといったようなことだ。

しかしながら本書で紹介しようとしたように、人口動態的、地政学的、技術的な力はすべて、否が応でも進行中であり、しかも密接に関連し合っている。私たちがそれらにどう対処するかは試金石となって、やがて訪れる新たな世界を決定づけるだろう。

結論：二〇三〇年を生き延びる――水平思考の助言と秘訣

（外部の動向と）戦う時、おそらくあなたは未来と戦っている。その動向に乗じよ。そうすれば追い風が吹く。

――アマゾン創業者、CEO、ジェフ・ベゾス[1]

二〇一九年、研究者のチームが、ブラックホールが存在する初めての証拠を画像で捉えたと発表して、世界を驚かせた。[2] 一九一五年にアインシュタインが一般相対性理論を唱えてから、一〇〇年以上が経っていた。その画像は実際、世界各地に設置された八つの電波望遠鏡を連動させ、四日間にわたって撮影された、おびただしい数のスチール写真を組み合わせたものだ。「見ることは不可能だと考えられていたものを見たのです」このプロジェクトを率いた宇宙物理学者のシェパード・ドールマンは、高らかに言った。

見ることが不可能なものを見ることが、本書において私の使命だった。言ってみれば、隠喩のブラックホールを――変化する人口動態や地球温暖化、技術的破壊、そして地政学的混乱によってつくり変えられ、誕生する新たな世界を――可視化する試みである。私たちは破滅に向かっているのだろうか。

未来を予測できる者は誰もいない。だが、未来に賢明にアプローチすることはできる。そのためには、水平思考を働かせ続けなければならない。次に、水平思考を働かせるための七つの原則を紹介し、それぞれについて詳しく見ていこう。

一、岸辺を見失え
二、目的を持った多角化に乗り出せ
三、小さく始めて成功を摑め
四、難局に備えよ
五、不確実性に楽観主義でアプローチせよ
六、希少や不足を恐れるな
七、波に乗れ

一、岸辺を見失え

「岸辺を見失う勇気を持って初めて、新たな水平線に向かって泳ぐことができる」作家のウィリアム・フォークナーはそう書いている。[3] 未知なるものを恐れていては、二〇三〇年の先に待ち受ける巨大な変化の好機は摑めない。第一の原則については、史上最も危険で信じがたい冒険のひとつである、スペイン人のメキシコ征服を例に説明しよう。[4] 一五一九年、無慈悲な探検家のエルナン・コルテスは、現在のメキシコシティにあたる、アステカの首都テノチティトランに向かっていた。そして、メキシコ湾岸のベラクルスに上陸したあと、自分の船団の一一隻をすべて破壊するように命令を下した。ある兵士によれば、コルテスは二〇〇人以上の部下が誰も「キューバに逃げ帰ら」ないようにしたかったのだという。彼らには「何事にも屈しない強い心で、勇敢に戦い抜いて」ほしかったのだ。

その記録を残した兵士のベルナル・ディアス・デル・カスティリョは、私の生まれ故郷であるスペイン北西部の町から、さほど遠くない土地で生まれた。そして一五一四年、一八歳の時に新大陸へ渡り、多くの冒険譚を生涯にわたって書き記した。彼の記述が教えてくれるのは、現地の地形も、政治的な状況もほとんど把握していないコルテスが、わずかな勝算にもかかわらず部下を奮い立たせた方法である。キューバ総督のディエゴ・ベラスケス・デ・クエリャルは、遠征を中止して港に戻るようコルテスに直接命令を下したが、コルテスはそれに背いた。ディエゴ・ベラスケス総督は「私的な伝令をふたり急派した……彼らが携えていたのは、コルテスを隊長から解任して、船団を引き留め、その身柄を捕らえてサンティアゴに連行し、投獄する命令と権限だった」ディアス・デル・カスティリョはそう綴っている。

だがコルテスは、ただの無謀な愚か者ではない。遠征が失敗に終わった時のために常に水平思考を働かせ、責任を問われない方法を考えていた。「私たちが話し合いのなかでコルテスに提案した、船を破壊する件は」ディアス・デル・カスティリョは記している。「すでにコルテスが心のなかで決めていたが、彼は私たちから持ち出されたようにしたがった。そうすれば船の賠償金を要求された時にも、あくまで兵士の進言に従ったまでであり、私たち全員が補償の責任者だと主張できるからだ」コルテスの大胆な賭けは功を奏した。キューバを出航してほぼ一年後の一五一九年一一月八日、一行はテノチティトランに到達する。先住民との相次ぐ衝突、策略、陰謀の末、天然痘が決定打となり、一五二一年八月にアステカ帝国は滅亡した。

アフリカの人口増加、移民、自動化、あるいは仮想通貨を、ほとんどのアメリカ人は課題と脅威に満ちた危険な展開と感じる。なかには根拠のない懸念もあるにしろ、恐れは新たな環境への適応を促すどころか、かえって妨げとなってしまう。コルテスの逸話が教えてくれるのは、行く手を見据え、背後に遠ざかる岸辺を見失う勇気を持つことで、恐れを克服しようという教訓だ。移民が雇用を奪っていると決めつけるのではなく、ほんのちょっと水平思考を働かせれば、彼らが果たしている経済的な貢献に気づくはずだ。アフリカの未来を悲観するのではなく、二〇三〇年までの一〇年間に、彼らとパートナーを組み、生まれてくる四億五〇〇〇万人の子どもたちに教育機会を与えたほうがいいのではないか。自動化と仮想通貨の背後で働いている力が圧倒的なものに思えたとしても、技術的破壊の現実を受け入れ、イノベーションを活用して、誰ひとり取り残さない世界を実現しよう。

二、目的を持った多角化に乗り出せ

不確実な状況にある時、恐れは人を多角化へと導く。自分が脅威に曝されているという不安を希薄化するためだ。古いことわざにもあるように、「すべての卵をひとつのカゴに盛るな」というわけだ。投資家、経営者、そして幸運にも年金基金に加入できる人は、日頃からその助言に従い、不確実な市場の荒波を泳ぎ渡ろうとする。だがその原則がいろいろな状況で役に立つのは、目的を持って多角化に乗り出す時だけだ。

　レゴのケースで考えてみよう。[5] レゴの製品は、子どもも大人も同じように夢中にさせてきた。デンマークの風情のある村に本社を置くこの家族経営の会社は、一九九〇年代、ビデオゲームや電子玩具の成功に沸く競合の陰で、業績不振にあえいでいた。そこで〝ライフスタイル〟企業として生まれ変わろうとし、レゴブランドの服からアクセサリー、時計まで幅広く手を広げた。また自前のビデオゲーム会社とテーマパーク部門も立ち上げた。だが、すべては無残な失敗に終わる。二〇〇一年、新しくＣＥＯに任命されたヨアン・ヴィー・クヌッドストープは原点の「ブロックに戻って」、目的を持った多角化戦略を推進した。読みは当たった。売り上げが急増し、競合のハズブロとマテルを抜いて、世界最大の玩具メーカーに躍り出たのである。〝玩具界のアップル〟と称えられた。レゴは戦略をどう変えたのだろうか。

　事業の多角化が失敗するのは、ファンの姿を、そしてそもそも最大の強みを見失う時である。レゴは一九三二年に創業し、一九四九年にあの誰でも知っているプラスチック製ブロックの製造を始めた。創業者の息子のゴッドフレッド・クリスチャンセンが、他社の「自動結合ブロック」に改良を加えたのだ。一九五八年、レゴはアメリカでブロックの特許を申請する。基本的なアイデアはその互換性にあった（新しく発売されるブロックは、どのブロックとの連結も可能だ）。「レゴ製品の登場前は、本当の意味でつなげて遊べる玩具のセットはありませんでした」そう書いているのは、数学教師でライターであり、熱烈なレゴファンのウィル・リードである。「レゴブロックの多彩な使い方のおかげで、ユーザーは何でもつくりたいものをつくれます。恐竜、車、建物、未来にしか存在しないようなものでも」そのアイデアは極めてダイナミックだ。「たった六個のブロックで、九億一五〇〇万通り以上もの組み合わせが可能だ」と、著者のデイヴィッド・ロバートソンは『レゴはなぜ世界で愛され続けているのか――最高のブランドを支えるイノベーション7つの真理』（日本経済新聞出版社）で書いている。レゴは玩具とゲームを新しく定義した。レゴのCMO（最高マーケティング責任者）ジュリア・ゴールディンも次のように述べている。「重要なのは問題解決です。協力なんです。スキルを身につけ、子どもたちが世界でもっと強くなり、もっと成功するために、そのスキルが役に立つことなんです。お子さんの成長の観点で言えば、私たちは子どもたちの生活に大きな役割を担っていると考えています」

持続可能な成功の処方は世代間のギャップを橋渡しすることにある、とレゴは理解した。これは、二〇三〇年に向けた重要な学習ポイントだ。レゴは組み立て可能なアクションフィギュア、ボードゲーム、そして「レゴムービー」「レゴスター・ウォーズ」「レゴバットマン」「レゴニンジャゴー」などの、ファミリー向け映画やテレビシリーズを展開している。「年齢や能力に関係なく、誰でもレゴブロックを使って、存分に想像力を働かせることができる」と言うのは、二〇一一年に弟のジョシュアとともに「レゴユーチューブ」を開設した、テレビプロデューサーのジョン・ハンロンだ。「レゴは健全で、電子的でないお楽しみを提供して、若者と年配者をひとつに結びつけてるんだ」

だが二〇三〇年以降にも成功するためには、目的を持った多角化に、より深い方法で臨まなければならない。[6]「アイデアとはうさぎのようなものだ」作家のジョン・スタインベックは書いている。「つがいのうさぎを手に入れ、その飼い方を学べば、すぐにでも一ダースのうさぎが生まれる」その流れで言えば、レゴの大胆な多角化は、インスピレーションの源泉と大きな関係があった——これは将来、誰もが取り組まなければならない課題である。彼らが展開している「レゴアイデア」オンラインコミュニティ（レゴ作品のオリジナルアイデアが提案できるサイト。ユーザー投票を行ない、人気の高いアイデアを製品化する）には、一〇〇万人近い大人が集う。レゴはそうやって、自社の事業にデジタル革命を組み入れた——レゴ製品を変えるのではなく、積極的にユーザーを巻き込んだのだ。ジャーナリストのジェイムズ・スロウィッキーによるベストセラー本のタイトルを一部借りれば、レゴが頼りにするのは「みんなの意見」だ。「次から次へと破壊が起きる世界で機能したいのなら」レゴのソーシャルメディア・ビデオ部門責任者のラーズ・シルバーバウアーは言う。「その時に自分がしていることについて、できるだけたくさん異なる視点を持たなければなりません」レゴは一種のクラウドソーシングを実行して、コアなファンのウォンツとニーズを定義する権限を、彼らに与えてきたのである。

二〇三〇年の世界に立ち向かうためには、たくさんの新しいアイデアにオープンな心で臨まなければならない。長年、正しいと思ってきた信念ややり方を忠実に守っていればそれで安心だ、という考えは完全に間違いだ。そのような考えにしがみついても、平均寿命の延びや人口高齢化の進展、ＡＩの持続的な進化がもたらす影響をうまく乗り越えられない。「時が正しさを証明してきた」ものは、今後の不確定要素だらけの世界では、実際「時代遅れ」なのだ。だからこそ、たとえばスマートマシンの時代に、定年退職や仕事をどう定義し直すかなどについて、新しい考えを受け入れる必要がある。

三、小さく始めて成功を摑め

同じく逆効果を生むのは、大きな変化に対処する際に、大きな行動が成功につながるという考えだろう。恐れの感情に呑み込まれた時、人は過剰反応しやすい。史上初めて時価総額一兆ドルを突破したアップルは、大きなブレークスルーを狙うよりも、はるかに優れたアプローチがあることを証明した。すなわち、小さなアイデアから始めて段階ごとの開発を繰り返し、水平思考を働かせて徐々に前へ進むやり方だ。アップルは、コンピューティングや電気通信から音楽やエンターテインメントまでのあらゆるものを破壊し、もはやそれらなしの生活は考えられない様々なガジェットをもたらした。それでいて、アップルのアプローチの基盤にあるのは、既存の製品やサービスに小さな変化を漸進的に加えることであり、彼らは常に新たな組み合わせや変更、水平思考の関係性を探ってきた。《ザ・ニューヨーカー》誌に掲載された「微調整する者（トウイーカー）」という記事のなかで、専属ライターのマルコム・グラッドウェルは、ウォルター・アイザックソンのスティーブ・ジョブズの伝記について考察し、ジョブズはデジタル音楽プレーヤーもスマートフォンもタブレットも発明しなかったと指摘した。[7] ジョブズは、すでに世の中にあるものを改良したのだ。「開発者に次のバージョン、そしてまた次のバージョンをつくるよう、全部で二〇回も要求し、次から次へと微調整を繰り返すように迫った」基本的にアップルが顧客に約束したのは、彼らの製品が時間をかけて改善を重ねることである。その漸進的な改善は、大規模な計画にのっとって行なわれるのではない。新たな市場と技術の変化を先取りすることで、また顧客のフィードバックを取り入れることで行なわれる。それは、設計と現実のあいだで連続するフィードバックループのように働く。ジョブズは知っていたのだ。目まぐるしく変化する状況に対処する最善の方法が、前もってすべてを計画しておくことではなく、油断なく目を光らせて改善の方法を探りながら、ものごとを進めていくことだ、と。

漸進的アプローチが機能するためには、自分がいつ、どこで間違ったのかをオープンな心で認めなければならない。開発中のモデルと矛盾するフィードバックを常に探し出し、真剣に受け入れ、適切に方向転換する。「前科を改訂する」と呼ばれるその作業は、開発を進めながら、新しい情報を積極的に組み入れていくことを意味する。

自分のやっていることがうまくいっていない証拠を目の当たりにしながら、その同じやり方に固執し続ける危険性について考えてみよう。何の役にも立たないそのアプローチは、「努力の泥沼化」と呼ばれる。[8] カリフォルニア大学バークレー校ハースビジネススクールの心理学者、バリー・ストウがつくり出した言葉だ。わかりやすく言えば、負の結果が出ているにもかかわらず、正当化か自己弁護によって、その意思決定にますます拘泥し、さらなる負の結果を招いてしまう状況を指す。方向転換して好ましい結果を出すという選択肢は、まったく思い浮かばない。そんな考えは、頭からすっぽり抜け落ちてしまっているのだ。

「努力の泥沼化」に陥り、方向転換しない危険性がよくわかる絶好の例は、アフガニスタンに軍事介入した国の打ち続く失敗だろう。英国、ソ連、アメリカがそれぞれ、中央アジアに位置する、この広大で険しい山岳地帯の国に関与を強めていった。ワーテルローの戦いでナポレオンを破り、フランス皇帝の輝かしい戦歴にとどめを刺した、天才軍人ウェリントン公爵の警告を無視したのだ。ウェリントン公はかつて述べている。[9] アフガニスタンでは「小さな軍隊は全滅する。大きな軍隊は餓死する」。アフガニスタンに侵攻したどの軍も、その助言に従わなかった。戦争は延々と続き、まったく先は見えず、侵攻側はさらに多くの部隊を投入したが、何の甲斐もなかった。どの軍もこの厄介な国を抑え込めなかった。なぜなら、彼らは勝ち目のない行動に固執していたからだ。将軍たちがまんまと陥ったのは、ギャンブラーがカジノで犯しやすい基本中の基本の過ちだった――このまま戦い続ければ、いつかきっと連敗に終止符が打てるはずだ、という思い込みである。ルーレットで一〇回続けて赤に賭けて負け続けても、次こそ赤だという保証はない。二〇三〇年が近づくのに伴い、同じ選択肢に賭け続ければよい結果につながる、とは思わないことだ。大きな変化に必要なのは固執ではない。漸進的なステップを踏むことなのだ。

四、難局に備えよ

行き詰まり、壁にぶち当たり――恐れの感情を掻き立てられる状況では――、水平思考を働かせた動きも、漸進的な軌道修正も難しい。選択肢を残しておけば、ゲームのルールが変わった時にも適応できる。この原則は、世間一般の考えとは一致しない。リーダーシップの考え方や行動でも、日々の様々な状況にアドバイスするたくさんの自己啓発本でも、そんな原則は謳っていない。たとえば二〇一一年の《ファスト・カンパニー》誌の記事は、「なぜ選択肢を残しておくことは最悪のアイデアなのか」だ。[10] 私の意見は違う。選択肢を残しておくことは、非常にいいアイデアだと思う。将来の見通しがまったく立たない状況に陥ったら？　人口動態、経済、技術の大規模な変化の影響が読めないとしたら？　何事も当たり前ではない時代に、そしてまた未来の世界情勢について確実な予想が立てられない時に、選択肢を残しておくことは、ものごとを進める上で理にかなった方法ではないか。事前に立てた未来予想が間違っているとわかった時には、方向転換できるほうが望ましいではないか。

選択肢が残っていることは有害だという先の記事の主張は、ハーバード大学心理学部教授のダニエル・ギルバートの調査から借りている。ギルバートは、取り消し可能な意思決定が、その人の満足度を下げることを実証した。人間はどうやら、自分が正しい選択をしたかどうかを常に確かめようとするらしい。だが、それがエネルギーの浪費につながり、自分が正しい軌道に乗っているか、つい疑うことになる。選択肢を残しておくと、パフォーマンスの低下につながると言うのだ。なぜなら、あなたはどれかひとつの選択肢に、覚悟を決めて取り組んでいないからだ、と。

だが、それは本当だろうか。

「オプション思考」（常に選択肢を持って問題解決にあたる考え方）が、日常生活でどう機能するかについて、私の子ども時代の体験を例に説明しよう。私の家族は毎年のように夏を祖父母の家で過ごした。大人が出かけてしまい、子どもだけで家に残されると、いとこや近所の子どもたちを呼んで、よく隠れんぼをして遊んだ。しかも、スリル満点にするために暗闇で行なうのだ。五～一五歳の三〇～四〇人ほどの子どもたちが集まり、家の電気をひとつ残らず消して隠れんぼをする。それが怖いのだ。だがそこには、電気を消したこととは関係のない、別の種類の不確かさや恐ろしさがあった。それは年上の子どもたちが、ゲームのルールをまったく変えてしまい、年下の子どもたちを家中追いかけまわして、震え上がらせたからだ。暗闇だけでも充分怖いのに、ゲームのルールが変わったことで、年下の子どもたちは本物の恐怖に向き合わなければならなかった。

視界の利かない、あるいはまったくの暗闇で隠れんぼをすることは、経済の急変に為す術もなく巻き込まれて、未知なる脅威に襲われることに怯える多くの人たちの窮地の隠喩だろう。五歳の子どもが年上の子どもに捕まって、パニックを起こす様子を考えてみればいい。五歳の子どもは部屋に入り、クローゼットに逃げ込み、じっと身を潜める。もちろん、まだほんの幼い子どもは年上の子どもに見つかって、容赦なく引っ張り出される。だから、年下の子どもたちは逃げまわるほかない。

その運命を避けるために、小さな子どもがマッキンゼーのコンサルタントに助言を仰ぐとする。さて、彼らはどんな助言を授けられるのだろうか。

小さな子どもたちの運命を改善できそうな秘策はいくつもある。まず、小さな部屋よりも大きな部屋を選ぶこと。できれば、ドアが複数ある部屋のほうが望ましい。次にドアは開けておき、ドアとドアのちょうど真ん中に立っていること。テーブルの下やクローゼットのなかに隠れてはいけない。以上のような決断を下すことで、小さな子どもは選択肢の価値を最大限にできるだろう。だがクローゼットに隠れてしまえば、どんな選択肢も取れなくなってしまう。

それが、選択肢を残しておく際のいちばん肝心な点だ。すなわち、みずからを窮地に追い込み、逃げ道を塞いでしまうような意思決定だけは絶対に下してはいけない。水平思考の次なる手段を妨げるような決断はしない。撤回できないか、取り消しコストの大きな意思決定は避けよう。リアルオプション（金融オプションの考え方を参考に、投資の意思決定を行なう手法。将来的に不確実性の高い状況で、段階的な意思決定を行ない、事業の継続や縮小、撤退などを決定する方法）に賭けよう。不確実性が増せば増すほど価値が増大するという点で、金融オプションに似ている。

マッキンゼーのコンサルタントに、その論理を説明してもらおう。「リアルオプションは重要かもしれません。なぜなら意思決定者は、時の経過に従って自己の決定を最適化し直すことができ、相当額にのぼる埋没費用（サンクコスト）を負担せずに済むからです」（埋没費用とは、事業に投入された資本のうち、回収不可能になった費用）。マッキンゼーでかつて戦略プラクティスチームの副主幹を務めたヒュー・コートニーはそう述べる。[11] 秘訣は「すべてかゼロか」「いまか二度とないか」というジレンマの克服だ。そのためには、「何もしない」と「プールに飛び込む」という両極端のあいだにはたくさんの選択肢がある、と気づくことだ。「選択肢は、より大きな不確実性がつくり出す潜在的なプラス面を維持したまま、マイナス面を制限してくれます」オプション思考はある意味、より全体的なアプローチであり、幅広い選択肢のなかの特定のケースとしてひとつの活動に取り組む。コートニーは次のような結論を導く。「そういうわけで、最善の戦略的意思決定者は、リアルオプションとフルコミットメントの選択肢に体系的に取り組むべきであり、『選択肢を残しておく』かどうかの決断について言えば、『選択肢は残しておく』べきですね」ここでの教訓として、私たちは一人ひとり、選択肢の保持に焦点を絞るべきだ。行く手に待ち受ける変化に不意を突かれて、方向転換できなくなってしまわないためである。

五、不確実性に楽観主義でアプローチせよ

「毎日が新しい好機だ」伝説の投手ボブ・フェラーは言った。「昨日の成功を積み上げることもできれば、昨日の失敗を忘れて一からやり直すこともできる」不安定な状況を恐れる気持ちは非常に強いストレス要因となって働き、百戦錬磨の選手でも「競技不安」に呑み込まれて緊張する。[12] 競技場で思わぬ事態に見舞われ、平常心を失った時はなおさらだ――相手チームに信じられないほどの大量得点

を許したとか、凡ミスのせいで守勢に立たされた時がそうだろう。ミュージシャンや俳優が「舞台負け」と呼ぶ、緊張のあまりガチガチになってしまう現象だ。

エリート選手や名演奏家と同じように、私たちも周囲の環境に対するコントロールを失ったと感じる時、自分の将来についてより強い不安に襲われる。人間は失敗するのではないかという不安を覚えると、勝利を確実にするよりも損失を回避しようとする。第一章で紹介した「損失回避バイアス」である。このバイアスのせいで、同額の利益を確実にするよりも損失を回避するほうを選んでしまう。

何が言いたいのかというと、マイナス面よりも好機に焦点を合わせれば合わせるほど、二〇三〇年に待ち受ける困難にうまく適応できる可能性が高いということだ。ウィンストン・チャーチルは言った。「悲観論者はあらゆる好機に困難を見出す。楽観論者はあらゆる困難に好機を見出す」たとえば気候変動は解決が困難に思えるが、どんな問題にも行動を起こす好機はあるものだ。

六、希少や不足を恐れるな

二〇三〇年になる頃には、飲料水やきれいな空気、居住に適した土地が不足する問題と戦わなければならないだろう。もしかしたら、重大な環境危機を克服しなければならなかった過去の社会から、ひとつかふたつ水平思考の秘訣を学べるかもしれない。絶海の孤島と呼ばれるイースター島の例を考えてみよう。[13] 面積わずか一六三平方キロメートルのこの小さな火山性の島では、かつて芸術、宗教、政治が非常に発達し、驚くほど高度な文明が栄えていた。一〇〇〇体以上もの、巨大なモアイ像の建造もそのひとつである。最大のものは八〇トンを超え、高さ九メートルにも及んだ。

イースター島の文明は、島の資源基盤を使い尽くしたあとに崩壊した。一七二二年に、欧州人が島にたどり着くはるか以前のことである。「イースター島と現在の世界との類似は恐ろしいほど明らかだ」ジャレド・ダイヤモンドは、ベストセラー『文明崩壊――滅亡と存続の命運を分けるもの』（草思社）のなかで述べている。「太平洋に浮かぶ孤島、先住ポリネシア人時代のイースター島は、今日の宇宙のなかの孤立した地球と同じ境遇にあり」、逃れる場所もなければ、外部に助けを求める相手もいなかった。「だからこそ人は、イースター島社会の崩壊を、人類の未来に待ち受ける運命の隠喩であり、最悪のシナリオだとみなすのだ」

ジャレド・ダイヤモンドをはじめとする専門家が論じた一般的な説によれば、島の文明の崩壊は、十二に区分された領地の氏族が、狂信的な競争を繰り広げたことが原因だという。「時とともに巨大化した石像が示すのは、敵対する首長どうしが相手よりも大きな像を建造する競争を……モアイ像は相手を出し抜いた証拠として建てられた、と考えずにはいられない」ダイヤモンドの主張はまず、人口増加とモアイ像の建造競争から始まり、集約農業とモアイ像運搬のための森林伐採、生物多様性の喪失、食料生産の縮小へと展開し、最終的に「飢餓、人口激減、カニバリズム」へと続く。

だが、人類学者のテリー・ハントと考古学者のカール・リポが、共著『歩いた石像』（未邦訳）のなかで披露するのは、まったく違う仮説である。[14]「島の森林を消滅させ、生態学的な秤を破滅へと傾けたのは、モアイ像に対する無謀な執着心ではなかった」森林を破壊したのは島の人間ではなく、彼らがカヌーで渡ってきてこの小さな島に入植した時、一緒にやってきたネズミだった。氏族は争わなかった。その証拠に、彼らが使った武器には殺傷能力がなく、致命傷の痕が残る頭蓋骨は比較的少なかった。そして、不毛な土地で増加する人口の食料を賄うために、島民は水平思考のイノベーションに取り組んだ。「島は果てしなく続く菜園に姿を変えていった」という。石壁で囲った二五〇〇ほどの菜園である。

どちらの主張に説得力を感じるかはともかく、理解すべき重要なポイントは、この石器時代の文明がそもそも繁栄した理由が、豊富な資源が手に入ったからではなかったという点だ。それどころか、そのような資源には恵まれなかった。「イースター島の物語は生態的自殺の話ではない。革新的なアプローチを用いた島民が、粘り強さを発揮し、逆境を撥ね退けた物語である」そのうえで真の謎は、なぜこのポリネシア社会が崩壊したかではない。これといった天然資源もないこの小さな絶海の孤島で、数百年にもわたってどうやってあれほどうまく暮らしてきたのかにある。

島民のイノベーション能力を最もよく表すのは、巨大なモアイ像を設計し、車輪も役畜も用いずに運搬した技術である。実験の結果、わかるのは、わずか二〇人ほどで巨像が「歩く」ことだ。島で唯一の採石場から、細心の注意を払って建造された道路の上を、何十トンもの一枚板の石像を直立させたまま、ロープを使って交互に引っ張り、何キロメートルも左右に揺らしながら歩かせることが可能だ。その様子は、まるで逆向きの振り子を思わせる。島民はおそらく、木材を使った橇（そり）やころやスライダーは用いなかったのだろう。

驚くことでもないが、地球温暖化は現在、イースター島の文化に大きな脅威を及ぼしている。海岸近くの台座に立つモアイ像は、海面上昇による水没のリスクに曝されている。「それについては無力感を覚えます。祖先の遺産を守ることができないんですから」そう漏らすのは、ラパヌイ国立公園を運営する先住民組織のリーダーを務めるカミロ・ラプだ。「ひどく心が痛みます」だが、計画を率いるセバスチャン・パオアは慎重ながらも楽観的だ。「自分たちの環境が破滅に向かっていたことは、当時の島民にもわかっていました。だからといって、彼らが戦いを諦めたわけではありません」パオアは続ける。「今日の気候変動も同じです」世界的に見て現在の気候危機は、温室効果ガスの排出量を削減し、より少ない資源で何とかやっていかなければならないという意味だ。だがそのいっぽうで、世界のミドルクラス消費と都市は拡大し続けている。

おそらく最もうまく言い表しているのは、考古学者のポール・バーンと植物学者のジョン・フレンリーの次の言葉だろう。[15] ふたりは、イースター島の歴史にはふたつのメッセージがあると書いている。「私たちの惑星にとっては教訓であると同時に、希望に満ちた前例でもあります。イノベーションをもたらし、逆境に打ち勝つ人間の能力の現れです……島民は新たな環境にかなりうまく適応できていました」バーンたちはこんな結論を引き出す。イースター島に特有の教訓は、その衰退と関係があるのではない。「一〇〇〇年にもわたって島を支配してきたと思われる平和」と関係があるのだ、と。人類学者のデール・シンプソン・Jr.によれば、それぞれの氏族のあいだには、競争や紛争のようなものはなかったようだという。それどころか「最小限の資源を最大限に活用するパターンを続けてきたことから、一種の協力関係にあったことがわかり」、それによって氏族たちは、必要に応じて資源を分け合っていた。「より巨大な像をつくろうとして、彼らがいつも張り合っていたという崩壊モデルには矛盾すると思いますね」シンプソンは強く主張する。[16]

イースター島は、生き残りをかけて文化まで変えた——現代の私たちも真似すべき点かもしれない。

彼らは「神格化した祖先を祀る宗教（典型的なポリネシアのパターン）」から「単一神へと、創造神マケマケへと」転換を図り、「ほとんどの儀式や祭祀の中心に、人間の多産性を含む肥沃と豊穣とを置いた」。新たな文化的行事のひとつとして、年に一度、各氏族の男たちが参加する競技会を催した。「その年、渡り鳥が産んだ最初の卵を採りに行く儀式的な競技で、最初に卵を持ち帰った勝者」が「鳥人（バードマン）」に選ばれ、次の一年間、島を治めた。減少する資源基盤に対処する、なかなか平和的で効果的な方法だ。このようにして島民は、労力や資源を消耗する大掛かりな建造作業から遠ざかり始めた。欧州人が島にたどり着く数世紀も前のことである。「推測によると、一五〇〇年以降に建てられた石像はまったくないか、非常に少なかった」鳥人の競技会は、希少な資源を氏族間で分配する管理運営上の解決策であり、第七章で紹介した、エリノア・オストロムが提案するコモンズの悲劇の解決策を思い出させる。こんな結論が導けるのではないか。地質学者のデイヴィッド・ブレッサンも言うように、先史時代のイースター島は、「多くの未来の可能性が奪われた社会」であり――ちょうどいまの私たちの地球のようだ、と。[17]

二〇三〇年に近づくにつれ、私たちは選択肢の減少の阻止にマインドセットを向けなければならない。そのためには、イノベーションを起こし、限りある富を維持する必要がある。日常生活の調整と水平思考は、気候変動などの地球規模の脅威に大きな効果があるが、それも私たちがもっと環境に優しい行動を取ってはじめて可能になる。

七、波に乗れ

ゲームのルールは絶えず変わる。変化に対応できる唯一の方法は、変化に対応する方法そのものを変えてしまうことだ。変化が現れた際に、ただ損失を最小限に食い止めようとしたり、一度にひとつずつ不足を克服したりすることでは、規模の大小にかかわらず、いかなる変化にもうまく対応できない。最後の原則は〝サーファー〟になろう、だ。そして人口動態的、経済的、文化的、技術的な変化の波が押し寄せた時には、しっかりと準備をしてその波に乗ろう。シェイクスピアの戯曲『ジュリアス・シーザー』のなかで、ブルータスは非常にシンプルな台詞でその原則を言い表している。「好機を前に、その流れに乗らなければ、我らが大事業も虚しく終わる」

変化の波に乗る重要性は、経済と技術の幅広い分野で明らかだ。私たちはよく、次にやって来る企業や技術の大きなブレークスルーは何だろうか、と考える。ところが発明の歴史に溢れているのは、追い風となる動向に恵まれずに輝く瞬間が訪れなかった、多くのアイデアの残骸だ。実際、たくさんの起業家が成功を摑んだ時、それは長く忘れ去られた考えや工夫を忘却のかなたから引っ張り出し、新たな命を吹き込んだだけだったことも多い。それが最初に考え出されたか発見されたのは、何年も、何十年も、それどころか何世紀も前だった場合もある。「テクノロジー業界を長く見ていると」ジャーナリストのロン・ミラーとアレックス・ウィルヘルムは書いている。[18]「同じアイデアの再利用に気づくようになる。最初のアイデアが成功できなかったのは、タイミングが早すぎたせいかもしれない」一九九〇年代に登場したウェブヴァンが破綻したのは、オンライン注文による食料品の宅配サービスが時代を先取りしすぎていたからであり、二〇年後にはスタートアップが次々と誕生してその市場を征服した。一九九二年に発売され、タッチスクリーンキーパッドを装着したＩＢＭサイモンというスマートフォンは、ｉＰｈｏｎｅより一五年先んじていた。「インフォメーション・ライツ・マネジメント（ＩＲＭ）」という概念が登場してから、クラウドコンピューティングの普及までには数年のギャップがあった。マイクロソフトのタブレットPCは、ｉＰａｄより一〇年早かった。ポイントキャスト（プッシュ型情報配信サービス）が、メッセージの文字数を制限するアイデアを考え出してから、ツイッターが登場したのは一〇年もあとのこと。「オリジナルなアイデアではないからといって、成功しないわけではない」ミラーたちは続ける。「企業が最初に試した時よりも、世界もその概念を受け入れやすくなっているかもしれない」早すぎた企業は流れに乗りにくいが、潮時を待ち、タイミングをうまく摑んだ者は成功する。「時宜にかなったアイデアには抵抗できない」そう指摘したのは、フランスの作家ヴィクトル・ユーゴーだった。

＊＊＊

二〇三〇年に向けて準備をするのにはまだ手遅れではない。まず不可欠なステップとして理解すべきは、私たちの知るいまの世界が、私たちが生きているあいだに――おそらく今後一〇年のいつかの時点で――、取り返しがつかないほど消失してしまうことだ。そう覚悟しておけば、世間の常識を疑うようになり、これまでの前提や考えを重視しなくなる。そしてその代わりに、水平思考の相互作用に目を向けることになる。そのための方法は本章で述べた通り、岸辺を見失い、アイデアを多角化させ、漸進的なステップを踏み、選択肢を残しておき、楽観主義に焦点を合わせ、希少や不足を恐れず、追い風に乗ることだ。

これまでのマインドセットを変えなければ、二〇三〇年の困難を乗り越えることはできない。直線的で垂直的なマインドセットは、もはや役に立たない。目の前に迫る変化に備えるためには、まだ手遅れではない。うまく乗り越えるためには、前述した七つの原則の難しいバランスをうまく取る必要がある。そして肝に銘じてほしい。もはや元に戻ることはないのだ。私たちの知る世界は変わろうとしている。私たちの世界が近いうちに元に戻ることはあり得ない。ルールは変わりつつある――そう、永遠に。

「すばらしいゲームだ。幸せを追求するゲームだ」劇作家のユージン・オニールは書いている。[19]

二〇三〇年の到来を歓迎し、その好機を摑むのだ。

あとがき

COVID-19のようなブラックスワン的出来事は、本書で論じた動向にどのような影響を及ぼすのか

二〇一九年一一月一七日、中国の武漢市において、新型コロナウイルスによる急性呼吸器疾患（COVID-19）の最初の感染例が確認された。翌二〇二〇年三月半ばには、ウイルスは一〇〇カ国以上に広まり、WHOが世界的なパンデミックの発生を宣言する。この原稿を書いている時点（二〇二〇年三月）で、パンデミック（世界的な感染拡大）の規模は完全には明らかになっていないが、数百万人ではないにせよ、世界中の数十万人に影響を及ぼすことは間違いない。すでに消費者市場と金融市場に重大な影響が現れ、各国政府は大規模な財政、金融政策を講じて被害を最小限に食い止めようとしている。本書がアメリカで出版される二〇二〇年夏には、長引く景気後退と失業者の急増が、世界の現実の一部になっているかもしれない。イントロダクションで述べたように、将来に何が待ち受けているかを知るのは不可能だ。だが今回の危機は、世界を揺るがす予期せぬ現象が、本書で述べたようなテーマにどのような影響をもたらすかを探るうえで、類のないケーススタディとなる。

ほとんどの人はこんなふうに考えるだろう。大きな危機は目の前の動向を「それ以前」と「それ以降」のように明確に分断する、と。新型コロナウイルスのパンデミックもそのような大きな危機のひとつだが、世間一般の考えとは対照的に、今回の出来事は、本書で分析した動向を弱めるどころか、さらに拡大させ、加速させる可能性が高い。第一章で述べた出生率の減少を例に見てみよう。パンデミックは、出生率の減少傾向に拍車をかける。その理由として、次の三つが考えられる。第一に、将来の見通しが立たない時、人は大きな決断（子どもをつくるなど）を先延ばしにしやすい。第二に、子どもをつくることには財政的な責任が伴うため、景気後退の脅威を前に、多くの人は子どもをつくるタイミングについて再考を迫られる。大恐慌が吹き荒れた一九三〇年代にも、二〇〇八年の世界金融危機の余波に苦しんだ時にも、同じ現象が見られた。第三に、戦争や自然災害、パンデミックのような出来事は、日常生活の習慣や優先事項を大きく変えてしまう。子どもを持つという決断もそのひとつである。

第二章では、世代の体験が分岐している動向について論じた。そして、その動向もまた加速する。本稿を執筆している時点では、六十代以上や持病のある人など、免疫力の低下した患者は重症化しやすいと考えられている。ウイルスはまた、年齢層に異なる影響を与えていると見られ、今日、世代間の交流が一般的である傾向を考えれば、その影響はなおさら厄介だ。そしてまた、ウイルスは不平等の拡大をも招く。特にワーキングプアやホームレスは手厚い医療を受けにくく、偏った食事や不衛生な生活環境のせいで、すでに免疫系が低下している恐れもある。確かにウイルスは収入や医療保険に加入しているかどうかで差別はしないが、社会経済的ピラミッドの底辺に属する人たちは、感染の影響をはるかに受けやすい。

私たちはまた、今回の危機がもたらす深刻な経済的影響についても考えなくてはならない。たとえば、パンデミックが多くの欧州諸国を襲ったのは、二〇〇八年の世界金融危機の影響からいまだ回復半ばという、最悪のタイミングだった。特にイタリアとスペインはパンデミックの大きな被害を受けたが、公共部門が深刻な資金不足に苦しんでいることから考えても、政府が打てる対策も限られてしまうだろう。第三章で述べたように、欧州のミドルクラスはすでに新興市場国のミドルクラスに後れを取っている。この動向は、パンデミックのあいだに加速の一途をたどるだろう。すでに政情不安定か経済的に弱い、たとえばイランのような国では、今回の危機は一国のリーダーにとって厳しい試金石となる。ただでさえ不安を抱えた、あらゆる立場の国民から政府に強い圧力がかかるからだ。

私たちはたいてい、地震やハリケーンのような身近な自然災害に社会全体で備えている。国民や企業向けのガイドラインもある。商業ビルや住宅などのインフラは、そのような災害にも耐えられるように建てられている。だが、パンデミックに対して同様の備えはあっただろうか。ＷＨＯが二〇一一～一七年に記録した、地域的なアウトブレイク（集団発生）は一三〇七例を数える。概して、世界は四〇～七〇年ごとに世界的なパンデミックを体験してきた。一八五五年にペストの三度目のパンデミックが発生し、一九一八年にはスペイン風邪が大流行した。一九八〇年代初めにエイズの世界的流行の兆しが見られ、二〇二〇年が新型コロナウイルス感染症である。大地震も同じような周期で発生している。サンフランシスコのベイエリアに甚大な被害をもたらした過去二度の大地震は、一九〇六年と一九八九年に起きている。地震の緊急時対応計画と同様に、感染症がパンデミックに発展した際に有効に対応するためのプロトコル（手順）を、公共部門も民間部門も設定しておき、人びとの激しい動揺と不安を緩和すべきである。そのなかにはもちろん医療システムも含まれ、公衆衛生の危機に対応し、状況に応じて取り組みを拡大・強化できる、充分な数のスタッフと設備とを備えておかなければならない。

政策決定のほかにも、ソーシャル・ディスタンシング（物理的距離を取る）や〝自宅避難〟といった、コミュニティにおいて感染拡大を防ぐために必要となる個人の責任ある行動は、都市のような人口密度の高い地域ではとりわけ重要だ（第五章で論じたように、人口が都市に集中する傾向は二〇三〇年以降も続く）。現在の状況によって、次のような動向がさらに強まる。オンラインショッピング（アマゾンは需要の急増を見越して、大量雇用と全倉庫係の残業代の引き上げに踏み切った）。ヴァーチャルコミュニケーション（リモートワークから社会的つながりの維持へ。ほとんどの人が、ズームかワッツアップなどを利用して、連絡を取り合うようになった）。デジタルエンターテインメント（たとえば映画、書籍、音楽の製作者は、リアル店舗ではなく、オンラインに顧客を見出さざるを得ないだろう）。すでに破壊的な力を持つ共有経済は、今回の危機によってさらに加速する。そして、どの産業がその煽りを受け（輸送など）、どの産業が急成長するのか（デジタルプラットフォームなど）は、私たちの暮らし方、働き方、相互交流の方法に永続的な影響を、そしてまた経済にもしばらくのあいだ、影響をもたらすだろう。

これらの動向がどのように強まるのか、そしてまたその動向がパンデミックのような事態によってどう変わるのかは、まさにいま私たちの目の前で繰り広げられているところだ。出生率の低下から世代間の力学、技術の活用までのほとんどの動向は、今回のパンデミックを契機に加速するだろう。だが、私たちがみずからに問うべき重要な問いがある。つまり、今回のような事態（あるいは予期せぬ次の危機）を教訓に、私たちはすでに進行中の集団的変化に、さらにうまく備えられるのか。それとも今回のような事態のせいで、その集団的変化を見逃してしまうのか。本書で述べたように、それらの集団的変化は、今後一〇年のあいだにティッピングポイント（閾値）に達するだろう。

謝　辞

書き手というものは誰もぽつんと存在する島ではなく、また本書は完成を見るまでに長い時間を要した。調査を始めたのは七年も前のことである。そのあいだ、ペンシルベニア大学とウォートン・スクールの刺激的な知的環境の恩恵を得て、本書の調査に集中することができた。

幸運だったのは、非常に親切で一緒に働くのが楽しい、出版界の人たちから助言を得られたことだ。イーヴィタス・クリエイティブ・マネジメントのジェーン・フォン・メーレン、セント・マーチン・プレスの担当編集者プロノイ・サルカー、プロダクション・エディターのアラン・ブラッドショー、原稿整理編集者のスー・ワーガ、そして、フィンパートナーの私の広報担当チームであるポール・スライカー、モンティロ・カンパニーのルイーザ・バクスレー、ステイシー・トパリアン。カートウェル・スピーカーズ・ビューローのフランシス・ホックも、本書とその概要に関する情報の発信を手伝ってくれた。彼らのプロ意識と純粋な知的意欲は、常に私のインスピレーションを掻き立て、私を励ましてくれた。ジェーンは、私にとって出版界のまったく新しい可能性の宇宙を開いてくれた。プロノイはこれ以上望みようのない優れた編集者だった。優れたアイデアと、そのアイデアを読者に伝える最善の方法を重視してくれた。またミシェル・キャッシュマン、ガビ・ガンツ、ローラ・クラーク、ポール・ホッチマン、アーヴィン・セラ、そしてセント・マーティン・プレスのそのほかのメンバーにも礼を述べたい。彼らは、情熱を傾けて本書の完成に取り組んでくれた。

何千人にものぼる学生、経営者、政策立案者の方々には非常に感謝している。本書の内容をベースにしたプレゼンテーションの場で、彼らは難しい質問を投げかけてくれた。また、コーセラ（スタンフォード大学）とウォートン校のオンライン講座で私の授業を受けた何万人もの人たちから、励みになるフィードバックも届いた。ベニート・カシネロ、ホセ・マヌエル・カンパ、カルロス・デ・ラ・クルズ、アルバロ・クエルボ、モハメド・エル・エリアン、フリオ・ガルシア・コボス、ジェフリー・ガレット、ヴィクトリア・ジョンソン、エミリオ・オンティベロス、サンドラ・スアレズ、ジョセフ・ウェストファルは、本書で論じた幅広いテーマについて、優れたヒントや助言をたくさん与えてくれた。

執筆に没頭し、資料を求めて絶えず出張する私を、妻のサンドラ、娘のダニエラとアンドレアは大目に見てくれた。本書をその三人に捧げる。

日本語版あとがき

歴史的に見て、経済危機とパンデミック（世界的な感染拡大）は既存の動向を鈍化させることが多かった。さらには逆転させたケースもある。新型コロナウイルス感染症はその例には当てはまらない。なぜなら、パンデミック以前の動向をたいてい加速させているからだ。高齢化を考えてみればいい。パンデミックとそれに伴う景気後退によって、若い男女が子どもを持つことを先送りするようになり、人口ピラミッドの高齢世代が徐々に膨らんでいく。また、パンデミックは東アジアの新興市場国の台頭を加速させた。というのも感染者数、入院患者数、犠牲者数のどれをとっても、世界のほかの地域、とりわけ欧州とアメリカよりも少ないからだ。さらにパンデミックは、技術を使って働き、学び、買い物をし、楽しむ傾向を強めた。その結果、本書で分析した人口動態的、経済的、技術的な動向は加速し、本書で描いた二〇三〇年の世界はより早く到来する。

自称専門家たちによれば、パンデミックは小売りを消滅させ、通勤や通学を終わらせ、グローバリゼーションの逆転をもたらすという。コロナ危機の傷痕は生涯、そしてその先まで消えないだろうというのが私の考えだが、様々なデータが揃うまでは多くの転換を大袈裟に取り上げたり、唱えたりしないことが重要だ。オンラインショッピング、リモートワーク、そして保護貿易主義や外国人排斥といった反グローバル化の動向は実際、極めて重要だが、だからといって必ずしも自称専門家たちが提唱する方向に向かっているわけではない。もっと視野を広げれば、グローバリゼーションのプロセスは減速しているのでも逆転しているのでもなく、変化しているのだ。これから見る日本の例でもそれは明らかだろう。

長い目で見れば、日本は今回のパンデミックの影響を、世界のほかの地域ほどはネガティブに受けないだろうと私は考えている。日本はすでに超高齢化社会であるため、高齢化の動向はほとんど加速しない。日本はまた、製造業とサービス業においてますます統合が進む、ダイナミックな東アジア経済に属している。同様に、企業が将来的な業務の中断を回避しようとして自動化の気運が高まったが、日本はすでにロボット工学の分野で世界的なリーダーだ。

だが、未来は不透明だ。私は一九九〇年代中頃に一度だけ日本を訪れたことがあり、自動車、電子機器、鉄鋼、銀行、保険など多くの企業を視察した。日本企業は以前と変わらず革新的であるにもかかわらず、経済は長期にわたって低迷している。人口の三分の一以上を六〇歳以上が占めることによる財政的、経済的な課題が、地平線の上に大きく迫っている。本書で紹介した様々なメッセージのなかで、とりわけ日本に当てはまるものがふたつある。ひとつは、移民がもたらすダイナミックな影響についてだ。日本には移民の伝統がないことは、私もよく理解している。おそらく、日系移民がブラジルの企業や経済部門に果たした中心的な役割に注目することが重要だろう。ブラジルにはいまも、日系移民の子孫が多く暮らしている。移民について考え方を切り替えるのは難しい。特にあちこちの国が移民に厳しい態度をとっている時代であればなおさらだ。だが、日本も移民を受け入れることで、アメリカが移民から大きな恩恵を受けたのと同じくらい、大きな利益を得られるはずだと私は確信している。

日本に対するふたつ目のメッセージは、技術そのものは強い影響を及ぼさないという点である。ほとんどのイノベーションは、既存技術の新しい創造的な活用方法を見つけ出すことにある。日本企業はデジタルプラットフォームやデジタル経済全体を裏で支える、多くの技術を発明したり完成度を高めたりしてきたが、世界規模の日本のデジタル企業はほとんどない。私の意見では、日本経済が一九七〇～八〇年代の全盛期に戻ることが重要だ。当時の日本は、製造現場での斬新な生産方式、ずば抜けた製品、輸出の伸びにおいて世界を牽引していた。

日本はリモートワークとギグエコノミーのリーダーになれる可能性がある。そのどちらも、六〇歳を過ぎても仕事を続けたい、少なくとももっとフレキシブルにパートタイムで働きたい人たちに、非常に好まれる働き方だからだ。日本は世界でも極めて生活水準が高く、平均寿命もトップレベルだ。日本経済復活の秘訣は、あらゆる世代の才能と経験を結集し、一丸となってグローバル経済で競争することだ。

本書のなかで私は、女性が社会と経済に果たす新たな役割について強調した。日本は、世界でも女性が握る富の割合が高い国のひとつである。日本の女性の平均的な教育水準は並外れて高いにもかかわらず、中間管理職や経営陣として活躍する女性の数はいまも限られている。多くの女性が家庭の外で働く国のほうが経済が速く成長し、高い生活水準をもたらすことは、秘密でも何でもない。移民のほかに、日本が二一世紀の課題に人口動態的な方法で取り組むふたつ目の方法は、女性の活躍にある。

新型コロナウイルス感染症が経済に及ぼした影響が最も明らかなのは、技術の世界である。パンデミックは、遊び、学習、仕事、ショッピング、エンターテインメントの分野で、デジタル・プラットフォームの利用を大きく加速させた。だが、コロナウイルスによって発達が進んだ技術はそれだけではない。自動化の傾向が強まったのだ。今回のような公衆衛生上の緊急事態も含めて、自然災害に見舞われた時には、人間の労働者よりもロボットのほうが信頼性が高いことに企業は気づいている。ソーシャル・ディスタンシングの時代に、サービス部門において顧客と従業員とのやりとりのあり方は変更を迫られ、自動化は新たな好機を提供する。こうして私たちは、ロボットの数が労働者の数をしのぐことになる新たな時代を目撃している。大きな成長が見込まれる別の分野はナノ技術、すなわち分子と分子以下の構造を操作する技術である。その目的は、より耐久性に優れ、高効率で用途の広い原材料をつくることだ。

私は本書のなかで、二〇三〇年になる頃には、人間の脳よりも多くのコンピュータ——正確に言うと、マイクロプロセッサー——が世の中に溢れているはずだと予測した。モノのインターネット、ブロックチェーン、そのほかの革新的な技術は経済を変え、企業や組織が内部で機能する方法を変え、サプライヤーや顧客と関わる方法も変える。重要なのは、人間をＡＩや機械学習に置き換えることではなく、人間とデジタル機器との労働の役割分担が、より高い生活水準をもたらす方法を見つけ出すことにある。しかしながら、自動化とＡＩの複合的な効果によって、おおぜいの人が仕事を失う可能性があることも事実だ。技術に仕事を奪われる現象は、もはや未来の可能性ではなく、厳しい現実である。だからこそ、本書で述べたようにベーシックインカムの導入や、もしくはロボットに税金をかけるような政策には効果があるだろう。

最後に取り上げるのは、世の中を変える可能性が最も高い破壊的技術（ディスラプション）のひとつだ。私たちは将来、政府や中央銀行が発行した少数の通貨ではなく、様々な仮想通貨を使って、決済したり貯金したりしているだろう。世界を根本的に変えた発明は数えるほどしかない。だが、火の利用、車輪、印刷機、蒸気機関、抗生物質と並んで、お金はそのとても短く特別なリストに名前があがる発明品だ。お金を使わない物々交換は、はるかに低い生活水準しかもたらさない。そうは言っても、仮想通貨自体はそこまで成功しないだろうというのが私の考えだ。その理由は、金融政策や貨幣供給のコントロールを失うことを恐れて、政府が仮想通貨の普及に歯止めをかけるだろうからだ。日銀やFRBがどう考えるかは、想像するしかない。私の予測では、仮想通貨が成功するのは、デジタルな割引券やインセンティブ（景品）、スマートコントラクト（契約の自動化）、あるいはそのほかの「デジタルトークン（電子暗号）」のような要素と組み合わせて利用される時だ。それが未来だ。そしていったん、仮想通貨が経済効率を高める莫大な可能性に気づいたら、異議を唱える政府や中央銀行はほとんどなくなるだろう。

そのような変化は、日本だけでなく東アジア諸国、世界全体に影響を与える。国全体として変化に対応する唯一の方法は、世界の動向と一体化し、世界との相互接続を深めることだ。そうすれば、そこから生まれる巨大な好機をうまく活かすことができる。外国人排斥はもちろん保護貿易主義や大衆迎合主義は、長期的に見て自滅への道を開くだけである。最善の方策は、自国の社会と経済をグローバルな動向に合わせることだ。

コミュニティや個人もまた、困難の先にある大きな機会に気づく必要がある。最も重要なのは、世界が変化しているという現実を受け入れることだ。私たちは極めて大きな、真の変化のただなかに生きている。私たちが変化に対応する準備ができるのを、時の流れは待ってくれない。時計の針も戻せない。変化に対応するただひとつの可能な方法は、変化に対応する方法そのものを変えることだ。その現実を受け入れたなら、未来へのカギは、新たな状況に適応する決断を下し、状況の変化によっては決断を修正することにある。それが本書のメッセージだ。そう心に刻み、行動を起こそう。

二〇二一年四月

原　注

事実と数字

以下のウェブサイトに最後にアクセスしたのは、2019年11月1日である。

1. アフリカの農業については African Development Bank, "Africa Agribusiness," https://www.afdb.org/en/news-and-events/africa-agribusiness-a-us-1-trillion-business-by-2030-18678.

2. 女性の富の予測については Capgemini and RBC Wealth Management, *World Wealth Report*, 2014, https://worldwealthreport.com/wp-content/uploads/sites/7/2018/10/2014-World-Wealth-Report-English.pdf.

3. 飢餓と肥満症の予測については UN,"Goal2: ZeroHunger," https://www.un.org/sustainabledevelopment/hunger; UN, "Pathways to Zero Hunger," https://www.un.org/zerohunger/content/challenge-hunger-can-be-eliminated-our-lifetimes; T. Kelly et al., "Global Burden of Obesity in 2005 and Projections to 2030," *International Journal of Obesity* 32, no. 9 (2008): 1431–1437; WHO, "Obesity and Overweight," February 16, 2018, https://www.who.int/news-room/fact-sheets/detail/obesity-and-overweighttargetText=Some%20recent%20WHO%20global%20estimates,%25%20of%20women)%20were%20overweight. 第5章10.～14.で紹介した出典も参照のこと。

4. 都市についてのデータは第5章より。同章で紹介した出典も参照のこと。

5. ミドルクラスのデータと予測については第3章より。同章で紹介した出典も参照のこと。

イントロダクション：時計の針は刻々と

以下のウェブサイトに最後にアクセスしたのは、2019年9月22日である。イントロダクションで紹介した統計については、次章以降を参照。

1. テイラー判事の言葉は Harper Lee, *To Kill a Mockingbird* の17章から引用。（『アラバマ物語』ハーパー・リー著／暮しの手帖社）

2. インドの火星探査機打ち上げの予算については Ipsita Agarwal, "These Scientists Sent a Rocket to Mars for Less than It Cost to Make 'The Martian,' " *Wired*, March 17, 2017. 以下も参照のこと。Jonathan Amos, "Why India's Mars Mission Is So Cheap—and Thrilling," BBC, September 24, 2014, https://www.bbc.com/news/science-environment-29341850.

3. インドによる月面での水の発見とNASAによる確認については Helen Pidd, "India's First Lunar Mission Finds Water on Moon," *Guardian*, September 24,

2009; Jesse Shanahan, "NASA Confirms the Existence of Water on the Moon," *Forbes*, August 22, 2018.
4. デボノの引用は以下より。Shane Snow, "How to Apply Lateral Thinking to Your Creative Work," 2014, https://99u.adobe.com/articles/31987/how-to-apply-lateral-thinking-to-your-creative-work.
5. プルーストの引用は1923年刊行のMarcel Proust, *The Captive,* the fifth volume of *Remembrance of Things Past* より。全文はhttp://gutenberg.net.au/ebooks03 /0300501h.html.（『失われた時を求めて』第5篇『囚われの女』マルセル・プルースト著／集英社など）
6. 周辺視野については、George Day and Paul J. H. Schoemaker, *Peripheral Vision: Detecting the Weak Signals That Will Make or Break Your Company* (Boston: Harvard Business School Press, 2006).（『強い会社は「周辺視野」が広い』ジョージ・S・デイ、J・H・ポール・シューメイカー著／ランダムハウス講談社）

第一章：出生率の動向を追う
以下のウェブサイトに最後にアクセスしたのは、2019年5月12日である。
1. エドウィン・キャナンの引用はV. C. Sinha and Easo Zacharia, *Elements of Demography* (New Delhi: Allied Publishers, 1984), 233より。
2. Paul R. Ehrlich and Anne Ehrlich, *The Population Bomb* New York:Sierra Club/Ballantine Books,1968.（『人口爆弾』ポール・エーリック著／河出書房新社）。どういう理由からか、アン・エーリックの名前は著者名に明記されていない。別の人口理論に関する概説は、http://www.economicsdiscussion.net/theory-of-population/top-3-theories-of-population-with-diagram/18461で読める。人口動態の理論と動向については第4章を参照のこと。Mauro F. Guillén and Emilio Ontiveros, *Global Turning Points*, 2nd ed. (Cambridge: Cambridge University Press, 2016). 人口、出生率、平均寿命のデータと予測については、国連経済社会局人口部が定期的に集計し、更新している。http://www.un.org/en/development/desa/population.
3. 本章の最初の図表のデータは、国連人口部による人口の中位推計を使って計算した。
4. マルサスの引用は1978年に刊行された *An Essay on the Principle of Population*（『人口論』マルサス著／光文社ほか), http://www.esp.org/books/malthus/population/malthus.pdf, 44より。
5. アメリカ人の性欲の減退についてはJean M. Twenge, Ryne A. Sherman, and Brooke E. Wells, "Declines in Sexual Frequency Among American Adults, 1989–2014," *Archives of Sexual Behavior* 46, no. 8 (2017): 2389–2401を参照。

6. 停電が出生率に及ぼす影響についてはA. Burlando, “Power Outages, Power Externalities, and Baby Booms,” *Demography* 51, no. 4 (2014): 1477–1500; 次も参照のこと。 Amar Shanghavi, “Blackout Babies: The Impact of Power Cuts on Fertility,” *CentrePiece* (London School of Economics), Autumn 2013.
7. アメリカ人が以前のようにたくさんの子どもを持たなくなった理由についての調査と、個別の例はClaire Cain Miller, “Americans Are Having Fewer Babies. They Told Us Why,” *New York Times*, July 5, 2018.
8. ゲアリー・ベッカーの人口理論の的確な概要は、Matthias Doepke, “Gary Becker on the Quantity and Quality of Children,” *Journal of Demographic Economics* 81 (2015): 59–66. ベッカーの引用は*A Treatise on the Family* (Cambridge, MA: Harvard University Press, 1991), 144 より。
9. アメリカで子どもをひとり育てるのにかかる費用については、次の記事にまとめられている。Abha Bhattarai, “It's More Expensive than Ever to Raise a Child in the U.S.,” *Washington Post*, January 10, 2017.
10. 中国の一人っ子政策導入の前後での、都市部と農村部の出生率のデータは、Junsen Zhang, “The Evolution of China's One-Child Policy and Its Effects on Family Outcomes,” *Journal of Economic Perspectives* 31, no. 1 (2017): 141–160. 一人っ子政策にまつわる誤った通説についてはMartin King Whyte, Wang Feng, and Yong Cai, “Challenging Myths About China's One-Child Policy,” *China Journal* 74 (2015): 144–159.
11. アマルティア・センの引用はAmartya Sen, “Women's Progress Outdid China's One-Child Policy,” *New York Times*, November 2, 2015.
12. 一人っ子政策のおかげで貯蓄余剰が生じた現象についてはShang-Jin Wei and Xiaobo Zhang, “The Competitive Savings Motive: Evidence from Rising Sex Ratios and Savings Rates in China,” NBER Working Paper no. 15093, 2009; Taha Choukhmane, Nicolas Coeurdacier, and Keyu Jin, “The One-Child Policy and Household Savings,” September 18, 2014, https://economics.yale.edu/sites/default/files/tahamaclunch100214_2.pdf.
13. 出会い系サービスについてのデータはStatista, *eServices Report 2017* (Hamburg: Statista, 2017).
14. 中国の出会い系プラットフォームで行なわれた実験はDavid Ong and Jue Wang, “Income Attraction: An Online Dating Field Experiment,” *Journal of Economic Behavior and Organization* 111 (2015): 13–22.
15. シベリア地方で男性が不足している現象と、キャロライン・ハンフリーが実施した調査については、以下を参照のこと。Mira Katbamna, “Half a Good Man Is Better than None at All,” *Guardian*, October 26, 2009; 及びKate Bolick, “All the Single Ladies,” *Atlantic*, November 2011.

16. アフリカの主権国家54カ国についてはCenter for Systemic Peace, Global Report 2017,www.systemicpeace.org/vlibrary/GlobalReport2017.pdf.
17. サミュエル・オウィティ・アウィノ、セレスティナ・ムンバ、フェリックス・アフォラビそのほかのアフリカの農業従事者については、African Agricultural Technology Foundationのウェブサイト https://www.aatf-africa.org/fieldstories に詳しい。
18. アフリカのキャッサバ農業についてはEmiko Terazono, "African Farming: Cassava Now the Centre of Attention," *Financial Times*, January 21, 2014を参照。
19. ナオミ・ワンジル・ンガンガの話は次に詳しい。Harry McGee, "How the Mobile Phone Changed Kenya," *Irish Times*, May 14, 2016.
20. ケニアの電子医療の試みについてはMartin Njoroge, Dejan Zurovac, Esther A. A. Ogara, Jane Chuma, and Doris Kirigia, "Assessing the Feasibility of eHealth and mHealth: A Systematic Review and Analysis of Initiatives Implemented in Kenya," *BMC Research Notes* 10 (2017): 90–101.
21. 移民の特性に関するデータ、分析、引用は以下より。*UN Migration Report 2015* (New York: United Nations, 2015); OECD, *Is Migration Good for the Economy?* (Paris: OECD, 2014); Giovanni Peri, "Immigrants, Productivity, and Labor Markets," *Journal of Economic Perspectives* 30, no. 4 (2016): 3–30; David H. Autor, "Why Are There Still So Many Jobs?," *Journal of Economic Perspectives* 29, no. 3: 3–30; National Academies of Sciences, Engineering and Medicine, *The Economic and Fiscal Consequences of Immigration* (Washington, DC: National Academies Press, 2017).
22. ブリッタ・グレノンの調査についてはStuart Anderson, "Restrictions on H-1B Visas Found to Push Jobs Out of the U.S.," *Forbes*, October 2, 2019.
23. アメリカで働く外国生まれの労働者の統計は以下を参照。Nicole Prchal Svajlenka, "Immigrant Workers Are Important to Filling Growing Occupations," Center for American Progress, May 11, 2017, https://www.americanprogress.org/issues/immigration/news/2017/05/11/431974/immigrant-workers-important-filling-growing-occupations.
24. 移民が創業したベンチャーや企業についてのデータや分析は以下より。Stuart Anderson, *American Made 2.0: How Immigrant Entrepreneurs Continue to Contribute to the U.S. Economy* (Washington, DC: National Venture Capital Association, 2015); Stuart Anderson, *Immigrant Founders and Key Personnel in America's 50 Top Venture-Funded Companies* (Arlington, VA: National Foundation for American Policy, 2011); Stuart Anderson, *Immigrants and Billion Dollar Startups* (Arlington, VA: National Foundation for American Policy, 2016).
25. アメリカの医療セクターで働く外国生まれの移民のデータは以下より。

George Mason University Institute for Immigration Research, "Immigrants in Healthcare," June 2016; Anupam B. Jena, "U.S. Immigration Policy and American Medical Research: The Scientific Contributions of Foreign Medical Graduates," *Annals of Internal Medicine* 167, no. 8 (2017): 584-586.

26. 損失回避バイアスについては Daniel Kahneman and Amos Tversky, "Choices, Values, and Frames," *American Psychologist* 39, no. 4 (1984): 341–350; Daniel Kahneman and Amos Tversky, "Advances in Prospect Theory: Cumulative Representation of Uncertainty," *Journal of Risk and Uncertainty* 5, no. 4 (1992): 297–323 などを参照。

27. テア・ウィグの論文は Thea Wiig, "Can Framing Change Individual Attitudes Towards Migration?," master's thesis, University of Bergen, 2017, https://pdfs.semanticscholar.org/f48f/2aac7860277f9fb97e234f0d28963b5d618d.pdf.

28. ジェイムズ・スロウィッキーの記事は James Surowiecki, "Losers!," *New Yorker*, May 30, 2016.

29. Mehtap Akgüç et al., "Risk Attitudes and Migration," *China Economic Review* 37, no. C (2016): 166–176.

30. マティアス・チャイカの調査は Mathias Czaika, "Migration and Economic Prospects," *Journal of Ethnic and Migration Studies* 41, no. 1 (2015): 58–82.

31. ウィリアム・クラークとウィリアム・リソフスキーの調査は William A. V. Clark and William Lisowski, "Prospect Theory and the Decision to Move or Stay," *Proceedings of the National Academy of Sciences*114, no. 36 (2017): E7432–E7440.

32. 移民が社会保障制度に果たす役割については以下を参照。*The 2018 Report of the Board of Trustees of the Federal Old-Age and Survivors Insurance and Federal Disability Insurance Trust Funds* (Washington, DC: Social Security Administration, 2018), https://www.ssa.gov/OACT/TR/2018/tr2018.pdf; Andrew Cline, "Social Security and Medicare Are Slowly Dying, but No One in Washington Will Lift a Finger," *USA Today*, June 13, 2018; Alexia Fernández Campbell, "Why Baby Boomers Need Immigrants to Fund Their Retirement," *Vox*, October 23, 2018, https://www.vox.com/2018/8/1/17561014/immigration-social-security; Nina Roberts, "Undocumented Immigrants Quietly Pay Billions into Social Security and Receive No Benefits," Marketplace, January 28, 2019, https://www.marketplace.org/2019/01/28/undocumented-immigrants-quietly-pay-billions-social-security-and-receive-no/.

33. 頭脳循環の概念については AnnaLee Saxenian, "From Brain Drain to Brain Circulation: Transnational Communities and Regional Upgrading in India and China," *Studies in Comparative International Development* 40 (2005): 35–61. 国境を越えた起業家についての世界銀行の調査は *Diaspora Networks and the*

International Migration of Skills (Washington, DC: World Bank, 2006).
34. ミン・ウーについてはAnnaLee Saxenian, "Brain Circulation: How High-Skill Immigration Makes Everyone Better Off," Brookings Institution, 2002, https://www.brookings.edu/articles/brain-circulation-how-high-skill-immigration-makes-everyone-better-off.
35. ジェイムズ・ジョジン・キムについてはTim Hyland, "Kim: 'There Is Much to Be Done,' " *Wharton Magazine*, Summer 2010, http://whartonmagazine.com/issues/summer-2010/kim-there-is-much-to-be-done/#sthash.bepdPPNK.dpbs.
36. カナダ協議委員会の調査はhttps://www.conferenceboard.ca/press/newsrelease/2018/05/15/imagining-canada-s-economy-without-immigration?AspxAutoDetectCookieSupport=1.

第二章：グレーは新しいブラック

以下のウェブサイトに最後にアクセスしたのは、2019年7月9日である。

本章で使用したそれぞれの年齢層の人口数は次を参照した。United Nations, World Population Prospects, 2019 Revision, https://population.un.org/wpp.
1. ペギー・ヌーナンの引用はhttps://www.brainyquote.com/quotes/peggy_noonan _159262より。
2. モルガン・スタンレーの引用はJohn Gapper, "How Millennials Became the World's Most Powerful Consumers," *Financial Times*, June 6, 2018より。
3. ミレニアル世代に関する見出しは、Carly Stern, "'I Wanted to Make a Memorial of All Our Destruction,'" *Daily Mail*, August 17, 2017で取り上げられたもの。
4. 高齢層の富についてはAARP and Oxford Economics, *The Longevity Economy: How People over 50 Are Driving Economic and Social Value in the US*, September 2016, https://www.aarp.org/content/dam/aarp/home-and-family/personal-technology/2016/09/2016-Longevity-Economy-AARP.pdfを参照。
5. ニール・ハウの引用とFRBの富のデータはNeil Howe, "The Graying of Wealth," *Forbes*, March 16, 2018より。
6. アメリカの世代による医療費の分析はTate Ryan-Mosley, "U.S. Health-Care Costs Are Soaring, but Don't Blame Old People," *MIT Technology Review*, September–October 2019, 57.
7. ドス・パソスの引用はhttps://www.brainyquote.com/quotes/john_dos_passos_402864より。
8. リンダ・バーンスタインの記事はLinda Bernstein, "What to Say When They Blame It on the Boomers," *Forbes*, November 15, 2016.
9. 本文に引用したカール・マンハイムの世代についての理論はKarl Mannheim,

"The Problem of Generations," in *Essays on the Sociology of Knowledge*, edited by Paul Kecskemeti (London: Routledge & Kegan Paul, 1952), 276–322 より。

10. ピエール・ブルデュについては Pierre Bourdieu, *Outline of a Theory of Practice* (Cambridge: Cambridge University Press, 1977).

11. ステファノ・ハットフィールドの記事は Stefano Hatfield, "Why Is Advertising Not Aimed at the Over-50s?," *Guardian*, December 3, 2014.

12. AARP の記事は "Selling Older Consumers Short," https://www.aarp.org/money/budgeting-saving/info-2014/advertising-to-baby -boomers.html.

13. 消費者としてとらえた高齢者層については以下を参照。Paul Irving, "Aging Populations: A Blessing for Business," *Forbes*, February 23, 2018; "The Grey Market," *Economist*, April 7, 2016; Elizabeth Wilson, "Find Hidden Opportunities in the Senior Market," *Entrepreneur*, April 16, 2019.

14. 原注 13. のウィルソンの記事にあるマリア・ヘンケの引用。

15. シャネルの引用は Ben Cooper, "Analysis: Why Retailers Should Be Engaging the Aging," *Retail Week*, July 28, 2017 より。

16. ジェフ・ビア、サラ・ラビア、ナディア・トゥーマの引用はともに Jeff Beer, "Why Marketing to Seniors Is So Terrible," *Fast Company*, June 6, 2019 より。

17. 洗濯機についての引用は Nellie Day, "Elder Friendly Guide to Top-Loading Washing Machines," Elder Gadget, December 1, 2019, http://eldergadget.com/eldergadget-guide-to-top-loading-washing-machines より。

18. 生活の質についてのデータは "The United States of Aging Survey," https://www.aarp.org/content/dam/aarp/livable-communities/old-learn/research/the-united-states-of-aging-survey-2012-aarp.pdf より。

19. 国際アクティブ・エイジング会議の、高齢者フレンドリーなジムの施設検索は https://www.icaa.cc/facilitylocator/facilitylocator.php.

20. 高齢者のオンラインショッピングについての、イーマーケターのデータは https://www-statista-com.proxy.library.upenn.edu/statistics/868862/online-shopping-buying-related-activities-internet-users にある。

21. 裁量支出のデータは Fung Global Retail and Technology, *The Silver Wave: Understanding the Aging Consumer*, 2016, https://www.fbicgroup.com/sites/default/files/Silver%20Wave%20The%20Aging%20Consumer%20Report%20by%20Fung%20Global%20Retail%20Tech%20May%2023%202016_0.pdf より。

22. フィリップスの事例は、Philips Museum, https://www.philips.nl/en/a-w/philips-museum.html のほか、オンライン上の情報をもとにしている。

23. ジェニファー・ジョリーの引用は、彼女の次の記事から。Jennifer Jolly, "Best New Tech to Help Aging Parents," *USA Today*, May 11, 2014.

24. インターネット使用と抑うつ症状については Shelia R. Cotton, George Ford, Sherry Ford, and Timothy M. Hale, "Internet Use and Depression Among Retired Older Adults in the United States," *Journals of Gerontology, Series B*, 69, no. 5 (September 2014): 763–771 を参照。
25. アニーナ・マクレスキーの引用は Robin Erb, "Teaching Seniors to Use Internet Cuts Depression Risk," *USA Today*, April 22, 2014 より。
26. レンデバーの事例は、次をもとにしている。Gökay Abacı, "Reconnecting the Elderly with the Joys of Everyday Life Through Virtual Technology," *Medium*, August 8, 2018, https://medium.com/@MassChallengeHT/reconnecting-the-elderly-with-the-joys-of-everyday-life-through-virtual-reality-277bf957483e.
27. パワードスーツについては Jonas Pulver, "An Ageing Japan Looks to Mechanical Exoskeletons for the Elderly," *World Weekly*, February 4, 2016.
28. 起業家としての高齢者については以下を参照。 Lauren Smiley, "Late-Stage Startup," *MIT Technology Review*, September–October 2019; Roger St. Pierre, "How Older Entrepreneurs Can Turn Age to Their Advantage," *Entrepreneur*, May 26, 2017.
29. アメリカの株式市場における株価収益率の研究は Zheng Liu and Mark M. Spiegel, "Boomer Retirement: Headwinds for U.S. Equity Markets?," FRBSF Economic Letter 2011-26, Federal Reserve Bank of San Francisco, August 22, 2011, http://www.frbsf.org /publications/economics/letter/2011/el2011-26.html.
30. ラウ、コタンスキー、フラックス、ティシュラーの引用は Penny Crosman, "6 Fintechs Targeting Seniors and Their Families," *American Banker*, June 20, 2018 より。
31. 高齢者の金融資産の搾取については以下を参照。Sara Zeff Geber, "Hot Tech Solutions to Keep Older Adults Safe from Financial Abuse," *Forbes*, April 23, 2019; Victoria Sackett, "New Law Targets Elder Financial Abuse," AARP, May 24, 2018, https://www.aarp.org/politics-society/government -elections/info-2018/congress-passes-safe-act.html.
32. エバーセーフについては Financial Solutions Lab, "EverSafe," http://finlab.finhealthnetwork.com/challenges/2017/eversafe を参照。
33. コリンソンとウェインストックの引用は Kenneth Terrell, "Why Working After Retirement Works," AARP, August 13, 2018, https://www.aarp.org/work/working-at-50-plus/info-2018/why-work-after-retirement.html より。
34. BMW の世代間チームについては以下を参照。 Helen Dennis, "The HR Challenges of an Ageing Workforce," *HR Magazine*, February 16, 2016; Robert M. McCann, "Aging and Organizational Communication," *Oxford Research Encyclopedias: Communication*, August 2017, doi: 10.1093/acrefo

re/9780190228613.013.472.

35. ミレニアル世代についての異なる視点は様々な見方があるが、ジーン・トウェンギの考えは Jean Twenge, *Generation Me: Why Today's Young Americans Are More Confident, Assertive, Entitled—and More Miserable than Ever Before* (New York: Free Press, 2006); *PR Newswire*, October 20, 2016.

36. ウィリアム・ストラウスとニール・ハウの考えについては William Strauss and Neil Howe, *Millennials Rising: The Next Great Generation* (New York: Vintage Original, 2000).

37. デイヴィッド・バースティンの考えは David Burstein, *Fast Future: How the Millennial Generation Is Shaping Our World* (Boston: Beacon Press, 2013).

38. エリック・フーバーの指摘は Eric Hoover, "The Millennial Muddle," *Chronicle of Higher Education*, October 11, 2009.

39. ジア・トレンティーノの記事は Jia Tolentino, "Where Millennials Come From," *New Yorker*, November 27, 2017.

40. 大統領経済諮問委員会の統計は Council of Economic Advisers, *15 Economic Facts About Millennials*, October 2014, https://obamawhitehouse.archives.gov/sites/default/files/docs/millennials_report.pdf;

41. World Values Survey, http://www.worldvaluessurvey.org/WVSContents.jsp?CMSID=Findings.

42. Kathleen Shaputis, *The Crowded Nest Syndrome* (New York: Clutter Fairy, 2004).

43. ミレニアル世代の貯蓄率については以下を参照。Josh Zumbrun, "Younger Generation Faces a Savings Deficit," *Wall Street Journal*, November 9, 2014; Bank of America, *2018 Better Money Habits Millennial Report*, https://bettermoneyhabits.bankofamerica.com/content/dam/bmh/pdf/ar6vnln9-boa-bmh-millennial-report-winter-2018-final2.pdf.

44. Z世代については Varkey Foundation, "Generation Z," January 2017, https://www.varkeyfoundation.org/what-we-do/policy-research/generation-z-global-citizenship-survey.

45. 中国の高齢者については以下を参照。Chong Koh Ping, "China's Elderly: Old and Left Behind," *Straits Times*, October 28, 2017; Jieyu Liu, "Ageing, Migration, and Familial Support in Rural China," *Geoforum* 51 (January 2014): 305–312.

46. 老人ホーム学生寮については Tiffany R. Jansen, "The Nursing Home That's Also a Dorm," Citylab, October 2, 2015, https://www.citylab.com/equity/2015/10/the-nursing-home-thats-also-a-dorm/408424 を参照。

47. レビンの引用 Bridey Heing, *Critical Perspectives on Millennials* (New York: Enslow, 2018), 23 より。

48.《ワイヤード》とファイザーとの高齢化に関する共同プロジェクトは “The Future of Getting Old: Rethinking Old Age,” *Wired*, April 2018, https://www.wired.com/brandlab/2018/04/the-future-of-getting-old.

第三章：シン家やワン家に負けじと張り合う

以下のウェブサイトに最後にアクセスしたのは、2019 年 8 月 29 日である。
1. ミドルクラスに対するマーガレット・ホールジーの考えは Margaret Halsey, *The Folks at Home* (New York: Simon & Schuster, 1952) より。
2. タタ・ナノの話は以下に詳しい。“Ratan Tata Hands Over First Three Nano Cars to Customers,” *Economic Times*, July 17, 2009; Saurabh Sharma, “How a Scooter on a Rainy Day Turned into Ratan Tata's Dream Project Nano,” *Business Today*, April 14, 2017; Kamalika Ghosh, “It's Time to Say Ta-Ta to the World's Cheapest Car,” *Quartz*, July 13, 2018.
3. ウェーバー・スティーブン・プロダクツがインドでバーベキューを広めるのに成功した話は、以下を参照。Dave Sutton, “8 Common Mistakes When Expanding into Emerging Markets,” TopRight, April 20, 2017, https://www.toprightpartners.com/insights/8-common-mistakes-expanding-emerging-markets; Natasha Geiling, “The Evolution of American Barbecue,” *Smithsonianmag.com*, July 18, 2013; Shrabonti Bagchi and Anshul Dhamija, “Licence to Grill: India Takes to the Barbecue,” *Times of India*, November 18, 2011.
4. 世界のミドルクラスの購買力のデータは Homi Kharas, “The Unprecedented Expansion of the Global Middle Class,” Brookings Institution, February 2017, https://www.brookings.edu/wp-content/uploads/2017/02/global_20170228_global-middle-class.pdf より。
5. 独身の日、ブラックフライデー、サイバーマンデーの売り上げ比較は Niall McCarthy, “Singles' Day Sets Another Sales Record,” Statista, November 12, 2018, https://www.statista.com/chart/16063/gmv-for-alibaba-on-singles-day.
6. チャールズ・ディケンズの引用は、1855 年 10 月に William C. Macready 宛てに送った手紙より。http://www.victorianweb.org/authors/dickens/ld/bezrucka1.html.
7. ジョージ・オーウェルの引用は *The Road to Wigan Pier*, http://gutenberg.net.au/ebooks02/0200391.txt（『ウィガン波止場への道』ジョージ・オーウェル／筑摩書房）最終段落から。
8. クライブ・ベルの引用は Clive Crook, “The Middle Class,” *Bloomberg*, March 2, 2017, https://www.bloomberg.com/quicktake/middle-classy より。
9. J・K・ローリングの引用は https://www.stylist.co.uk/people/life-according-

to-jk-rowling-harry-potter-books/18793 より。
10. ホーマー・シンプソンの経済的地位については "Homer Simpson: An Economic Analysis," posted by Vox on YouTube on September 16, 2018, https://youtu.be/9D420SOmL6U を参照。
11. ガートルード・スタインの引用は *Three Lives* (New York: Pocket Books, 2003), 250 より。
12. フィリップスとザッカーマンによって検証された順応の考え方は Damon J. Phillips and Ezra W. Zukerman, "Middle-Status Conformity: Theoretical Restatement and Empirical Demonstration in Two Markets," *American Journal of Sociology* 107, no. 2 (September 2001).
13. 法律違反についての考察は P. Piff et al., "Higher Social Class Predicts Increased Unethical Behavior," *Proceedings of the National Academy of Sciences of the United States of America*, 109, no. 11 (2012): 4086–4091.
14. チョウ・ユエンイェンの話は David Pilling, "Asia: The Rise of the Middle Class," *Financial Times*, January 4, 2011 にある。
15. ジョン・マンディの話は Norimitsu Onishi, "Nigeria Goes to the Mall," *New York Times*, January 5, 2016.
16. デロイト・トウシュ・トーマツの調査は "Africa: A 21st Century View," https://www2.deloitte.com/content/dam/Deloitte/ng/Documents/consumer-business/the-deloitte-consumer-review -africa-a-21st-century-view.pdf.
17. ブランド・アフリカのランキングについては http://www.brandafrica.net/Rankings.aspx.
18. 特許のデータは World Intellectual Property Organization, "World Intellectual Property Indicators 2017," 12, http://www.wipo.int/edocs/pubdocs/en/wipo_pub _941_2017.pdf.
19. フッカー・ファニチャー・コーポレーションの話は次に詳しい。Jason Margolis, "North Carolina's Fight to Keep Its Foothold on Furniture," *The World*, May 2, 2018, https://www.pri.org/stories/2018-05-02/north-carolina-s-fight-keep-its-foothold-furniture. フッカーについてのそれ以外のデータは、Hooker Furniture, "Creating Opportunities: 2018 Annual Report," http://investors.hookerfurniture.com/static-files/3551b785-4637-4d55-a5b7-8221c1b15164 より。
20. ピューリサーチセンターの調査は The Pew Study, "The American Middle Class Is Losing Ground," http://www.pewsocialtrends.org/2015/12/09/the-american-middle-class-is-losing-ground.
21. スポティファイの事業のデータは上場時有価証券報告書より。https://www.sec.gov /Archives/edgar/data/1639920/000119312518063434/d494294df1.htm.
22. ネットフリックスのデータは以下より。Louis Brennan, "How Netflix

Expanded to 190 Countries in 7 Years," *Harvard Business Review*, October 12, 2018; Manish Singh, "Netflix Will Roll Out a Lower-Priced Subscription Plan in India," TechCrunch, July 17, 2019, https://techcrunch.com/2019/07/17/netflix-lower-price-india-plan;P. R. Sanjai, Lucas Shaw, and Sheryl Tian Tong Lee, "Netflix's Next Big Market Is Already Crowded with Cheaper Rivals," *Economic Times*, July 20, 2019, https://economictimes.indiatimes.com/industry/media/entertainment/media/netflixs-next-big-market-is-already-crowded-with-cheaper-rivals/articleshow/70287704.cms.

23. アメリカ企業が世界で犯した致命的な失敗例については "10 Successful American Businesses That Have Failed Overseas," International Business Degree Guide, September 12, 2013, https://www.internationalbusinessguide.org/10-successful-american-businesses-that-have-failed-overseas より。

24. 中国の若い消費者の買い物三昧の話と引用は以下による。Yiling Pan, "Why Chinese Millennials Are Willing to Max Out Their Cards for Luxury Goods," originally published on January 2, 2019, in *Jing Daily* より。英語版は https://www.scmp.com/magazines/style/people-events/article/2178689/can-chinas-debt-ridden-millennial-and-gen-z-shoppers; Stella Yifan Xie, Shan Li, and Julie Wernau, "Young Chinese Spend Like Americans—and Take on Worrisome Debt," *Wall Street Journal*, August 29, 2019.

25. 中国とアメリカのリサイクルをめぐる紛争は以下に論じられている。Cassandra Profita, "Recycling Chaos in U.S. as China Bans 'Foreign Waste,'" *Morning Edition*, NPR, December 9, 2017, https://www.npr.org/2017/12/09/568797388/recycling-chaos-in-u-s-as-china-bans-foreign-waste; Sara Kiley Watson, "China Has Refused to Recycle the West's Plastics. What Now?," NPR, June 28, 2018, https://www.npr.org/sections/goatsandsoda/2018/06/28/623972937/china-has-refused-to-recycle-the-wests-plastics-what-now; Amy L. Brooks, Shunli Wang, and Jenna R. Jambeck, "The Chinese Import Ban and Its Impact on Global Plastic Waste Trade," *ScienceAdvances* 4, no. 6 (2018), http://advances.sciencemag.org/content/4/6/eaat0131.

26. レディットの投稿は https://www.reddit.com/r/jobs/comments/6e6p3n/is_it_really_that_hard_to_find_a_job_as_a.

27. パトリック・コールマンの記事は Patrick Coleman, "America's Middle-Class Parents Are Working Harder for Less," Fatherly, May 15, 2019, https://www.fatherly.com/love-money/american-middle-class-parents-cant-afford-kids.

28. OECD の調査は *Under Pressure: The Squeezed Middle Class* (Paris: OECD Publishing, 2019). 引用は p26, p57, 及び p69 から。

29. バッファローの復活については以下に取り上げられている。David Russell

Schilling, “Buffalo: The Best Designed & Planned City in the United States,” Industry Tap, January 25, 2015, http://www.industrytap.com/buffalo-best-designed-planned-city-united-states/26019; Courtney Kenefick, “Buffalo, New York, Is Staging a Comeback,” *Surface*, June 26, 2017, https://www.surfacemag.com/articles/architecture-buffalo-newyork-urban-renewal; David A. Stebbins, “Buffalo's Comeback,” Urbanland (blog), Urban Land Institute, October 17, 2014, https://urbanland.uli.org/development-business/buffalos-comeback.

30. クオモ州知事と見出しについてはJesse McKinley, “Cuomo's ‘Buffalo Billion’: Is New York Getting Its Money's Worth?,” *New York Times*, July 2, 2018.

31. ブルッキングス研究所の調査はAlan Berube and Cecile Murray, “Renewing America's Economic Promise Through Older Industrial Cities,” April 2018, https://www.brookings.edu/wp-content/uploads/2018/04/2018-04_brookings-metro_older-industrial-cities_full-report-berube_murray_-final-version_af4-18.pdf#page=16.

32. ダニエル・ラフの記事はDaniel Raff, “Wage Determination Theory and the Five-Dollar Day at Ford,” *Journal of Economic History* 48, no. 2 (June 1988): 387–399.

33. ジョン・ドス・パソスの小説は1936年に刊行された。John Dos Passos, *The Big Money* (New York: New American Library, 1979), 引用はp 73から。(『USA〈第3部〉ビッグマネー』ジョン・ドス・パソス/改造社など)

34. 『ザ・ヘンリー・フォード』に関する資料はhttps://www.thehenryford.org/explore/blog/fords-five-dollar-day.

35. アマゾンの時給15ドルについてはLouise Matsakis, “Why Amazon Really Raised Its Minimum Wage to $15,” *Wired*, October 2, 2018を参照。

36. ネイサン・ヘラーの記事はNathan Heller, “Who Really Stands to Win from Universal Basic Income?,” *The New Yorker*, July 9–16, 2018.

37. ジョンソン政権の負の所得税導入計画の結果は、次に概要がある。Jodie T. Allen, “Negative Income Tax,” *Encyclopedia of Economics*, http://www.econlib.org/library/Enc1/NegativeIncomeTax.html.

38. ベーシックインカムについての引用と研究はCatherine Clifford, “Why Everyone Is Talking About Free Cash Handouts—an Explainer on Universal Basic Income,” CNBC, June 27, 2019, https://www.cnbc.com/2019/06/27/free-cash-handouts-what-is-universal-basic-income-or-ubi.html.

39. アラスカについての全米経済研究所の調査はDamon Jones and Ioana Elena Marinescu, “The Labor Market Impacts of Universal and Permanent Cash Transfers: Evidence from the Alaska Permanent Fund,” NBER Working Paper No. w24312, February 2018.

40. アラスカの配当金が社会にもたらした効果の調査は Mouhcine Chettabi, “What Do We Know about the Effects of the Alaska Permanent Fund Dividend?,” Institute of Social and Economic Research, University of Alaska Anchorage, May 20, 2019, https://pubs.iseralaska.org/media/a25fa4fc-7264-4643-ba46-1280f329f33a/2019_05_20-EffectsOfAKPFD.pdf.

41. ヒラリー・ホインズとジェシー・ロススタインのより悲観的な調査は Hilary W. Hoynes and Jesse Rothstein, “Universal Basic Income in the U.S. and Advanced Countries,” NBER Working Paper No. 25538, February 2019.

第四章：もはや第二の性ではない？

以下のウェブサイトに最後にアクセスしたのは、2019年9月6日である。

1. マーガレット・アトウッドが2018年の《ヴァラエティ》誌パワー・オブ・ウーマン昼食会で行なったスピーチは https://variety.com/2018/tv/features/margaret-atwood-power-of-women-handmaids-tale-1202751729.

2. 本章で用いた女性の社会的・経済的地位のデータについては以下を参照のこと。Sarah Jane Glynn, “Breadwinning Mothers Are Increasingly the U.S. Norm,” Center for American Progress, 2016, https://www.americanprogress.org/issues/women/reports/2016/12/19/295203/breadwinning-mothers-are-increasingly-the-u-s-norm; Capgemini and RBC Wealth Management, *World Wealth Report*, 2014, https://worldwealthreport.com/wp-content/uploads/sites/7/2018/10/2014-World-Wealth-Report-English.pdf; Equal Measures 2030, “Harnessing the Power of Data for Gender Equality: Introducing the EM2030 SDG Gender Index,” 2019, https://data.em2030.org/2019-global-report; Alexandre Tanzi, “U.S. Women Outpacing Men In Higher Education,” Bloomberg, August 6, 2018, https://www.bloomberg.com/news/articles/2018-08-06/u-s-women-outpacing-men-in-higher-education-demographic-trends.

3. ハーバード大学とイェール大学の調査は Neil G. Bennett, David E. Bloom, and Patricia H. Craig. “The Divergence of Black and White Marriage Patterns,” *American Journal of Sociology* 95, no. 3 (November 1989): 692–722.

4. 一大センセーションを巻き起こした記事は Lisa Marie Petersen, “They're Falling in Love Again, Say Marriage Counselors,” *Advocate* (Stamford, CT), February 14, 1986, A1 and A12.

5.《ニューズウィーク》誌の1986年6月2日の特集記事は “The Marriage Crunch”。この時の論争に対する批判的なレヴューは、Andrew Cherlin, “A Review: The Strange Career of the ‘Harvard-Yale’ Study,” *Public Opinion Quarterly* 54, no. 1 (1990): 117–124.

6. 性別による消費、貯蓄、投資に関する統計は以下より。“Sales Share of the Luxury Goods Market,” https://www.statista.com/statistics/246146/sales-of-the-luxury -goods-market-worldwide-by-gender; S. A. Grossbard and A. Marvao Pereira, “Will Women Save More than Men? A Theoretical Model of Savings and Marriage,” Working Paper No. 3146, Ifo Institute for Economic Research, Munich, 2010; Gary Charness and Uri Gneezy, “Strong Evidence for Gender Differences in Risk Taking,” *Journal of Economic Behavior and Organization* 83, no. 1 (2012): 50–58.
7. グロフやスキャンロンのような女性の多様な話は Quoctrung Bui and Claire Cain Miller, “The Age That Women Have Babies,” *New York* Times, August 4, 2018.
8. 匿名のシングルマザーの話は Mike Dang, “A Conversation with a Single Mom Living on $40,000 a Year,” Billfold, April 22, 2013, https://www.thebillfold.com/2013/04/a-conversation-with-a-single-mom-living-on-40000-a-year で取り上げられている。
9. 離婚についての情報は以下より。Pamela J. Smock, Wendy D. Manning, and Sanjiv Gupta, “The Effect of Marriage and Divorce on Women’s Economic Well-Being,” *American Sociological Review* 64, no.6 (December 1999):794–812; Jay L. Zagorsky, “Marriage and Divorce’ s Impact on Wealth,” *Journal of Sociology* 41, no.4 (2005): 406–424.
10. 十代の母親についての体験談やデータは CDC, “About Teen Pregnancy,” https:// www.cdc.gov/teenpregnancy/about/index.htm; Kevin Ryan and Tina Kelley, “Out of the Shelter: How One Homeless Teenage Mother Built a Life of Her Own,” *Atlantic*, November 16, 2012; Paul Heroux, “Two Stories of Homeless, Teenage Mothers,” *Huffington Post*, July 9, 2016, https://www.huffingtonpost.com/paul-heroux/homeless-teenage-mothers_b_7758958.html; Poverty USA, “Facts: The Population of Poverty USA,” https://povertyusa.org/facts.
11. ジェイミー・ラッシュのインタビューは Debra Immergut, “My Life as a Teen Mom,” *Parents*, https://www.parents.com/parenting/dynamics/single -parenting/my-life-as-a-teenage-mom.
12. 子どものいない女性と男性については以下を参照。U.S. Census Bureau, “Childlessness Rises for Women in Their Early 30s,” May 3, 2017, https://www.census.gov/newsroom/blogs/random-samplings/2017/05/childlessness_rises.html; Lindsay M. Monte and Brian Knop, “Men’s Fertility and Fatherhood: 2014,” Current Population Reports, P70-162, June 2019, https://www.census.gov/content/dam/Census/library/publications/2019/demo/P70-162.pdf; Claire Cain Miller, “They Didn’t Have Children, and Most Said They Don’t Have Regrets,”

New York Times, July 23, 2018; Sian Cain, "Women Are Happier Without Children or a Spouse, Says Happiness Expert," *Guardian*, May 25, 2019; Jennifer Glass, Robin W. Simon, and Matthew A. Anderson, "Parenthood and Happiness," *American Journal of Sociology* 122, no. 3 (November 2016): 886–929.

13. 未成年での結婚や出産育児については以下を参照。Girls Not Brides, "Child Marriage Around the World," https://www.girlsnotbrides.org/where-does-it-happen; Office of the High Commissioner on Human Rights, "Ending Forced Marriage Worldwide," November 21, 2013, https://www.ohchr.org/EN/NewsEvents/Pages/EnforcedMarriages.aspx; United Nations Population Fund, "Female Genital Mutilation," https://www.unfpa.org/female-genital-mutilation.

14. キシヨンベ、サンボ、ファハミ、ディオンヌ、ロア、カスリ、ククバナ、サモラの物語は、拙著に詳しい。Mauro F. Guillén, ed., *Women Entrepreneurs: Inspiring Stories from Emerging Economies and Developing Countries* (New York: Routledge, 2013).

15. 女性の法的地位についての世界銀行の調査は *Women, Business, and the Law* (Washington, DC: World Bank, 2010).

16. 女性の起業家精神については Ester Boserup, *Woman's Role in Economic Development* (London: Earthscan, 1970). を参照。

17. クラークの引用は UNIFEM, *Annual Report 2009–2010* (New York: United Nations Development Fund for Women, 2010) の p3 を参照のこと。

18. グローバル・アントレプレナーシップ・モニターについては https://www.gemconsortium.org.

19. 仕事と家庭のバランスについての様々な議論と引用は、次に基づいている。"5 Women, 5 Work-Life Balance Tales," *Forbes*, May 29, 2013; "If I Think about My Money Problems Too Much, I'll Miss My Babies Growing Up," *HuffPost*, December 6, 2017, https://www.huffpost.com/entry/helen-bechtol-working-poor_n_4748631?utm_hp_ref=%40working_poor; Katie Johnston, "The Working Poor Who Fight to Live on $10 an Hour," *Boston Globe*, August 17, 2014; Adrienne Green, "The Job of Staying Home," *Atlantic*, September 30, 2016; M. Bertrand, C. Goldin, and L. F. Katz, "Dynamics of the Gender Gap for Young Professionals in the Financial and Corporate Sectors," *American Economic Journal*, July 2010, 228–255; Emma Johnson, "You Cannot Afford to Be a SAHM," June 20, 2019, https://www.wealthysinglemommy.com/you-cannot-afford-to-be-a-sahm-mom; Wendy J. Casper et al., "The Jingle-Jangle of Work-Nonwork Balance," *Journal of Applied Psychology* 103, no. 2 (2018): 182–214; Nancy Rothbard, Katherine W. Phillips, and Tracy L. Dumas, "Managing Multiple Roles: Family Policies and Individuals' Desires for Segmentation," *Organization Science* 16, no. 3 (2005):

243–248; Gøsta Esping-Andersen, *Social Foundations of Postindustrial Economies* (Oxford: Oxford University Press, 1999).
20. アヌ・アンチャラの物語は拙著 Mauro F. Guillén, ed., *Women Entrepreneurs: Inspiring Stories from Emerging Economies and Developing Countries* (New York: Routledge, 2013).
21. 日本人女性の例については Motoko Rich, “Japan’s Working Mothers,” *New York Times*, February 2, 2019.
22. 仕事による男女の平均寿命の変化については、次をもとにした。United Nations, World Population Prospects, 2019 Revision, https://population.un.org/wpp; Bertrand Desjardins, “Why Is Life Expectancy Longer for Women than It Is for Men?,” *Scientific American*, August 30, 2004; Rochelle Sharpe, “Women’s Longevity Falling in Some Parts of the U.S., Stress May Be Factor,” Connecticut Health I-Team, November 12, 2012, http://c-hit.org/2012/11/12/womens-longevity-falling-in-some-parts-of-u-s-stress-may-be-factor; Irma T. Elo et al., “Trends in Non-Hispanic White Mortality in the United States by Metropolitan-Nonmetropolitan Status and Region, 1990–2016,” *Population and Development Review*, 2019, 1–35; Arun S. Hendi, “Trends in Education-Specific Life Expectancy, Data Quality, and Shifting Education Distributions: A Note on Recent Research,” *Demography* 54, no. 3 (2017): 1203–1213.
23. モニカ・ポッツの引用は Monica Potts, “What’s Killing Poor White Women?,” *American Prospect*, September 3, 2013 より。
24. ローラ・リズウッドの引用は ThequotefromLauraLiswoodcanbefoundat
25. 女性経営者のデータについては Justin Wolfers, “Fewer Women Run Big Companies than Men Named John,” *New York Times*, March 2, 2015 を参照。
26. 実業界において女性が占める割合のデータは以下より。OECD, “Gender Equality,” https://www.oecd.org/gender; ILO, *Women in Business and Management: Gaining Momentum* (Geneva: ILO, 2015), https://www.ilo.org/wcmsp5/groups/public/—dgreports/—dcomm/—publ/documents/publication/wcms_316450.pdf. https://www.goodreads .com/quotes/159719-there-s-no-such-thing-as-a-glass-ceiling-for-women から。
27. サッチャーとメルケルについては以下を参照。Judith Baxter, “How to Beat the Female Leadership Stereotypes,” *Guardian*, December 9, 2013; Daniel Fromson, “The Margaret Thatcher Soft-Serve Myth,” *New Yorker*, April 9, 2013; “Nicknames of Margaret Thatcher,” Searching in History (blog), https://searchinginhistory.blogspot.com/2014/04/nicknames-of-margaret-thatcher.html.
28. バン・ボッシーについては Helen Walters, “Ban the Word Bossy. Sheryl Sandberg Lights Up TEDWomen 2013,” *TED Blog*, December 5, 2013, https://

blog.ted.com/sheryl_sandberg_tedwomen2013.
29. 上司の性別については "Americans No Longer Prefer Male Boss to Female Boss," Gallup News, November 16, 2017, https://news.gallup.com/poll/222425/americans-no-longer-prefer-male-boss-female-boss.aspx.
30. ロザベス・モス・カンターの理論が最初に掲載されたのは Rosabeth M. Kanter, "Some Effects of Proportions on Group Life: Skewed Sex Ratios and Responses to Token Women," *American Journal of Sociology* 82, no. 5 (March 1977): 965–990.
31. 中国の女性に対する雑誌のアドバイスは Roseann Lake, "China: A Wife Less Ordinary," *The Economist 1843*, April–May 2018, https://www.1843magazine.com /features/a-wife-less-ordinary にまとめられている。
32. サウジアラビアの女性の車の好みについてのエピソードは Margherita Stancati, "What Saudi Women Drivers Want: Muscle Cars," *Wall Street Journal*, July 18, 2018 から。
33. より多くの女性が権力の座に就いたために、汚職や暴力のレベルに及ぼした影響を記録した最近の調査を以下に挙げる。Chandan Kumar Jha and Sudipta Sarangi, "Women and Corruption: What Positions Must They Hold to Make a Difference?," *Journal of Economic Behavior and Organization* 151 (July 2018): 219–233; C. E. DiRienzo, "The Effect of Women in Government on Country-Level Peace," *Global Change, Peace and Security* 31, no. 1 (2019): 1–18; Naomi Hossein, Celestine Nyamu Musembi, and Jessica Hughes, "Corruption, Accountability and Gender," United Nations Development Programme, 2010, https://www.undp.org/content/dam/aplaws/publication/en/publications/womens-empowerment/corruption-accountability-and-gender-understanding-the-connection/Corruption-accountability-and-gender.pdf.
34. 気候変動が女性と子どもに及ぼす影響については WHO, *Gender, Climate Change, and Health* (Geneva: WHO, 2014), https://www.who.int/globalchange/GenderClimateChangeHealthfinal.pdf を参照。

第五章：都市が最初に溺れる

以下のウェブサイトに最後にアクセスしたのは、2019年9月12日である。
1. 都市、都市周辺地域、気候変動についての統計は以下を参照した。United Nations, "World Urbanization Prospects 2018," https://population.un.org/wup; Rohinton Emmanuel, "How to Make a Big Difference to Global Warming—Make Cities Cooler," The Conversation, February 9, 2015, http://theconversation.com/how-to-make-a-big-difference-to-global-warming-make-cities-cooler-37250; Laura Parker, "Sea Level Rise Will Flood Hundreds of Cities in the Near Future,"

National Geographic, July 12, 2017, https://news.nationalgeographic.com/2017/07/sea-level-rise-flood-global-warming-science; Jonathan Watts, "The Three-Degree World: The Cities That Will be Drowned by Global Warming," *Guardian*, November 3, 2017; John Englander, "Top 10 Sinking Cities in the World," January 7, 2018, http://www.johnenglander.net/sea-level-rise-blog/top-10-sinking-cities-in-the-world.

2. 気候変動に関する国連の資料は https://www.un.org/en/sections/issues-depth/climate-change. その考古学への影響は次に論じられている。Nick Paumgarten, "An Archeological Space Oddity," *New Yorker*, July 8–15, 2019.

3. ウッターズの引用は Larry O'Hanlon, "Heat Stress Escalates in Cities Under Global Warming," American Geophysical Union, September 8, 2017, https://phys.org/news/2017-09-stress-escalates-cities-global.html より。

4. ディケンズの引用は、1855年10月にウィリアム・C・マクレディに送った手紙から。http://www.victorianweb.org/authors/dickens/ld/bezrucka1.html.

5. 都市の富裕層と貧困層についてのデータは以下より。*World Ultra Wealth Report 2018*, WealthX, 2018, https://www.wealthx.com/report/world-ultra-wealth-report-2018; Michael Savage, "Richest 1% on Target to Own Two-Thirds of All Wealth by 2030," *Guardian*, April 7, 2018; Economic Analysis Division, Census and Statistics Department, *Hong Kong Poverty Situation Report 2016* (Hong Kong: Government of the Hong Kong Special Administrative Region, 2017), https://www.povertyrelief.gov.hk/eng/pdf/Hong_Kong_Poverty_SituationReport_2016(2017.11.17).pdf.

6. アメリカの貧困については以下を参照。Allan Mallach, *The Divided City: Poverty and Prosperity in Urban America* (Washington, DC: Island Press, 2018); Barbara Raab, "Poverty in America: Telling the Story," Talk Poverty, May 21, 2014, https://talkpoverty.org/2014/05/21/raab; Poverty USA, "Facts: The Population of Poverty USA," https://povertyusa.org/facts.

7. ロサ・リー・カニンガムの話は Leon Dash, "Rosa Lee's Story," *Washington Post*, September 18–25, 1994, https://www.washingtonpost.com/wp-srv/local/longterm/library/rosalee/backgrnd.htm を参照。

8. ギャツビーの引用は F. Scott Fitzgerald, *The Great Gatsby*, 第9章。オンライン版は https://ebooks.adelaide.edu.au/f/fitzgerald/f_scott/gatsby/contents.html.（『グレート・ギャツビー』スコット・フィッツジェラルド著／中央公論新社など）

9. ソースティン・ヴェブレンの引用は Thorstein Veblen, *The Theory of the Leisure Class*, 第4章。オンライン版は http://www.gutenberg.org/files/833/833-h/833-h.htm#link2HCH0004.（『有閑階級の理論』ソースティン・ヴェブレン著

／筑摩書房など）
10. 肥満についてはSarah Catherine Walpole et al., "The Weight of Nations: An Estimation of Adult Human Biomass," *BMC Public Health 12*, article no. 439 (2012) を参照。
11. WHOの資料は "Obesity," https:// www.who.int/topics/obesity/en.
12. OECDの調査は *Obesity Update 2017*, https://www.oecd.org/els/health-systems/Obesity-Update-2017.pdf.
13. アメリカの肥満についてはNational Institute of Diabetes and Digestive and Kidney Diseases, "Overweight and Obesity Statistics," August 2017, https://www.niddk.nih.gov/health-information/health-statistics/overweight-obesity を参照。
14. 太平洋諸国の肥満については "Why the Pacific Islands Are the Most Obese Nations in the World," Healthcare Global, April 21, 2015, https://www.healthcareglobal.com/hospitals/why-pacific-islands-are-most-obese-nations-world を参照。
15. ソーシャルメディアの利用についての統計は "Digital in 2019," We Are Social, https://wearesocial.com/global-digital-report-2019 から。
16. 小さな変化が大きな結果につながるという考えは以下より。Daniel F. Chambliss, "The Mundanity of Excellence: An Ethnographic Report on Stratification and Olympic Swimmers," *Sociological Theory* 7, no. 1 (1989): 70–86; Olivier Poirier-Leroy, "Mary T. Meagher: Success Is Ordinary," Your Swim Book, https://www.yourswimlog.com/mary-t-meagher-success-is-ordinary.
17. ナッジについてはRichard H. Thaler and Cass R. Sunstein, *Nudge: Improving Decisions About Health, Wealth, and Happiness* (New Haven, CT: Yale University Press, 2008).（『実践行動経済学――健康、富、幸福への聡明な選択』リチャード・セイラー、キャス・サンスティーン著／日経ＢＰ）
18. 水についての箇所は次をもとにした。"Water: Scarcity, Excess, and the Geopolitics of Allocation," Lauder Institute, Wharton School, University of Pennsylvania, 2016, https://lauder.wharton.upenn.edu/life-at-lauder/santander-globalization-trendlab-2016; Willa Paterson, et al., "Water Footprint of Cities," *Sustainability* 7 (2015): 8461–8490.
19. 国連の調査はUN–Water Decade Programme on Advocacy and Communication, "Water and Cities: Facts and Figures," 2010, https://www.un.org/waterforlifedecade/swm_cities_zaragoza_2010/pdf/facts_and_figures_long_final_eng.pdf; *Water Security and the Global Water Agenda: A UN-Water Analytical Brief* (Hamilton, Ontario: United Nations University Institute for Water, Environment and Health, 2013);

20. OECDの調査は *Towards Green Growth* (Paris: OECD, 2011).
21. 女性と水の問題については以下を参照。*Report on Women and Water* (New Delhi: National Commission for Women, 2018), http://ncw.nic.in/pdfReports/WomenandWater.pdf; Bethany Caruso, "Women Carry More than Their Fair Share of the World's Water," Grist, July 22, 2017, https://grist.org/article/women-carry-more-than-their -fair-share-of-the-worlds-water.
22. シンシア・ケーニッヒについては以下を参照。Kassia Binkowski, "Clean Water for a Thirsty World: Cynthia Koenig, Founder of Wello," The Good Trade, 2019, https://www.thegoodtrade.com/features/interview-series-cynthia-koenig-wello; Mary Howard, "An Idea That Holds Water," *Trinity Reporter*, Spring 2017, https://commons.trincoll.edu/reporter-spring2017/features/an-idea-that-holds-water; "Cynthia Koenig, Wello Water," Asia Society, April 23, 2014, https://asiasociety.org/texas/events/cynthia-koenig-wello-water.
23. 都市の農業については Christopher D. Gore, "How African Cities Lead: Urban Policy Innovation and Agriculture in Kampala and Nairobi," *World Development* 108 (2018): 169–180を参照。
24. ラビンドラ・クリシュナムルティについては Ravindra Krishnamurthy, "Vertical Farming: Feeding the Cities of the Future?," Permaculture News, October 29, 2015, https://permaculturenews.org/2015/10/29/vertical-farming-feeding-the-cities-of-the-future を参照。
25. デトロイトの話題は Breana Noble, "Indoor Farms Give Vacant Detroit Buildings New Life," *Detroit News*, August 15, 2016 より。
26. ナイジェリアの起業家については "Nigerian Entrepreneur: 'We're Farming in a Shipping Container,'" BBC, February 2, 2018, https://www.bbc.com/news/av/business-42919553/nigerian-entrepreneur-we-re-farming-in-a-shippin-container より。
27. ビルバオの再生については以下を参照。Herbert Muschamp, "The Miracle in Bilbao," *New York Times Magazine*, September 7, 1997; Ibon Areso, "Bilbao's Strategic Evolution," *Mas Context* 30 (2017), http://www.mascontext.com/issues/30-31-bilbao/bilbaos-strategic-evolution-the-metamorphosis-of-the-industrial-city; "The Internationalization of Spanish Companies: Ferrovial, the Rise of a Multinational," MIT, February 28, 2008, https://techtv.mit.edu/videos/16339-the-internationalization-of-spanish-companies-ferrovial-the-rise-of-a-multinational（ラファエル・デル・ピノのジョークは、ビデオの5分9秒あたり）.
28. ピッツバーグやそのほかのアメリカの都市の再生については以下を参照。Eillie Anzilotti, "American Cities Are Reviving—But Leaving the Poor Behind,"

Fast Company, July 5, 2018; David Rotman, "From Rust Belt to Robot Belt," *MIT Technology Review*, June 18, 2018.
29. Allan Mallach, *The Divided City: Poverty and Prosperity in Urban America* (Washington, DC: Island Press, 2018).
30. リチャード・フロリダの引用は Richard Florida, *The New Urban Crisis* (New York: Basic Books, 2017) p4 から。
31. チャタヌーガについては以下を参照。David Eichenthal and Tracy Windeknecht, "Chattanooga, Tennessee," Metropolitan Policy Program, Brookings Institution, 2008, https://www.brookings.edu/wp-content/uploads/2016/06/200809_Chattanooga.pdf; Daniel T. Lewis, "A History of the Chattanooga Choo-Choo Terminal," http://lewisdt.net/index.php?option=com_content&view=article&id=77%3Aa-history-of-the-chattanooga-choo-choo-terminal-station-a-trolley&catid=39%3Ahistory-&Itemid=1.
32. ジェイソン・ケイブラーの引用は Jason Koebler, "The City That Was Saved by the Internet," *Vice*, October 27, 2016, https://www.vice.com/en_us/article/ezpk77/chattanooga-gigabit-fiber-network より。
33. ベント・ロボについては Bento J. Lobo, "The Realized Value of Fiber Infrastructure in Hamilton Country, Tennessee," Department of Finance, University of Tennessee, Chattanooga, June 18, 2015, http://ftpcontent2.worldnow.com/wrcb/pdf/091515EPBFiberStudy.pdf.
34. 活気ある都市の文化と都市の住民のスキルについては Saskia Sassen, *The Global City* (Princeton, NJ: Princeton University Press, 2001);World Values Survey, http:// www.worldvaluessurvey.org/WVSContents.jsp?CMSID=Findings.
35. リチャード・フロリダの考えについては Richard Florida, "Bohemia and Economic Geography," *Journal of Economic Geography* 2 (2002): 55–71; Richard Florida, "America's Leading Creative Class Cities in 2015," CityLab, April 20, 2015, https://www.citylab.com/life/2015/04/americas-leading-creative-class-cities-in-2015/390852; Richard Florida, "A New Typology of Global Cities," CityLab, October 4, 2016, https://www.citylab.com/life/2016/10/the-seven-types-of-global-cities-brookings/502994 などを参照。
36. デイヴィッド・デミングの考えについては David J. Deming, "The Growing Importance of Social Skills in the Labor Market," NBER Working Paper No. 21473, June 2017, https://www.nber.org/papers/w21473 を参照。

第六章：トイレより多い携帯電話

以下のウェブサイトに最後にアクセスしたのは、2019年9月21日である。
1. トイレについては以下を参照。"A Brief History of the Flush Toilet," British

Association of Urological Surgeons, https://www.baus.org.uk/museum/164/the_flush_toilet; Nate Barksdale, "Who Invented the Flush Toilet?," History Channel, last updated August 22, 2018, https://www.history.com/news/who-invented-the-flush-toilet;Phoebe Parke, "More Africans Have Access to Cell Phone Service than Piped Water," CNN, January 19, 2016, https://www.cnn.com/2016/01/19/africa/africa-afrobarometer-infrastructure-report/index.html.

2. マダガスカルとルーワット社の話については Lina Zeldovich, "Reinventing the Toilet," Mosaic, June 19, 2017, https://mosaicscience.com/story/poo-toilet-waste-energy -madagascar-loowatt-future.

3. 国連大学の引用は United Nations University, "Greater Access to Cell Phones than Toilets in India: UN," press release, April 14, 2010, https://unu.edu/media-relations/releases/greater-access-to-cell-phones-than-toilets-in-india.html から。

4. インドのトイレと携帯電話については Pramit Bhattacharya, "88% of Households in India Have a Mobile Phone," LiveMint, December 5, 2016, https://www.livemint.com/Politics/kZ7j1NQf5614UvO6WURXfO/88-of-households-in-India-have-a-mobile-phone.html.

5. 腕時計の歴史は以下を参照。Alexis McCrossen, *Marking Modern Times: A History of Clocks, Watches, and Other Timekeepers in American Life* (Chicago: University of Chicago Press, 2013); Michael L. Tushman and Daniel Radov, "Rebirth of the Swiss Watch Industry, 1980–1992 (A)," Harvard Business School Case 400-087, June 2000.

6. 起業家精神と破壊についてのシュンペーターの引用は Joseph A. Schumpeter, *Capitalism, Socialism, and Democracy* (New York: Harper & Brothers, 1942), 83.（『資本主義、社会主義、民主主義 1』ヨーゼフ・シュンペーター著／日経ＢＰ）

7. ＡＩについては Laura Geggel, "Elon Musk Says 'Humans Are Underrated,'" Live-Science, April 17, 2018, https://www.livescience.com/62331-elon-musk-humans-underrated.html の記述を参照。

8. パブロ・ピカソの引用は William Fifield, "Pablo Picasso: A Composite Interview," *Paris Review* 32 (Summer- Fall 1964) より。

9. 産業における自動化については Association for Advancing Automation, "Record Number of Robots Shipped in North America in 2018," February 28, 2019, https://www.a3automate.org/record-number-of-robots-shipped-in-north-america-in-2018 を参照。

10. オバマ政権の調査は Executive Office of the President, "Artificial Intelligence, Automation, and the Economy," December 2016, https://obamawhitehouse.archives.gov/sites/whitehouse.gov/files/documents/Artificial-Intelligence-Automation-Economy.pdf.

11. アメリカの製造業の仕事については以下を参照。Michael J. Hicks and Srikant Devaraj, “Myth and Reality of Manufacturing in America,” Center for Business and Economic Research, Ball State University, 2017; Mark Muro, “Manufacturing Jobs Aren't Coming Back,” *MIT Technology Review*, November 18, 2016.
12. ルーティンの仕事については Maximiliano Dvorkin, “Jobs Involving Routine Tasks Aren't Growing,” Federal Reserve Bank of St. Louis, January 4, 2016, https://www.stlouisfed.org/on-the-economy/2016/january/jobs-involving-routine-tasks-arent -growing を参照。
13. 自動化と不安については “Automation and Anxiety,” *Economist*, June 23, 2016, https://www.economist.com/news/special-report/21700758-will-smarter-machines-cause-mass-unemployment-automation-and-anxiety を参照。
14. 自律型ロボットによる手術については Eliza Strickland, “Autonomous Robot Surgeon Bests Humans in World First,” IEEE Spectrum, May 4, 2016, https://spectrum.ieee.org/the-human-os/robotics/medical-robots/autonomous-robot-surgeon-bests-human-surgeons-in-world-first を参照。
15. ローラ・サイデルの引用は Laura Sydell, “Sometimes We Feel More Comfortable Talking to a Robot,” NPR, February 24, 2018, https://www.npr.org/sections/alltechconsidered/2018/02/24/583682556/sometimes-we-feel-more-comfortable-talking-to-a-robot より。
16. エヤル・プレスの記事は Eyal Press, “The Wounds of a Drone Warrior,” *New York Times*, June 13, 2018.
17. モラルマシンの調査は E. Awad et al., “The Moral Machine Experiment,” *Nature* 563 (November 2018): 59–64.
18. スリカー・レディと私の投稿記事は Mauro F. Guillén and Srikar Reddy, “We Know Ethics Should Inform AI. But Which Ethics?,” World Economic Forum, July 26, 2018, https://www.weforum.org/agenda/2018/07/we-know-ethics-should-inform-ai-but -which-ethics-robotics.
19. 3D 印刷については Tim Moore, “This Startup Is Building Houses with the World's Biggest Freeform 3D Printer,” Hypepotamous, April 9, 2019, https://hypepotamus.com/companies/branch-technology を参照。
20. ブランチ・テクノロジーズについては以下を参照。Dave Flessner, “3D Printer to Move into Branch Technology's Riverside Drive Warehouse,” *Times Free Press*, July 8, 2018, https://www.timesfreepress.com/news/business/aroundregion/story/2018/jul/08/branch-technology-expands-beyond-incubator3d/474370; Davide Sher, “Branch Technologies' C-FAB 3D Process Can Build Better Walls . . . on Mars,” 3D Printing Media Network, February 26, 2018,

https://www.3dprintingmedia.network/branch-technologies-c-fab-3d-process-can-take-us-mars.

21. IoTの将来的予測については Michelle Manafy, "Exploring the Internet of Things in 5 Charts," Digital Content Next, October 13, 2015, https://digitalcontentnext.org/blog/2015/10/13/exploring-the-internet-of-things-in-5-charts を参照。

22. VRについては以下を参照。Daniel Freeman and Jason Freeman, "How Virtual Reality Could Transform Mental Health Treatment," *Psychology Today*, May 13, 2016, https://www.psychologytoday.com/us/blog/know-your-mind/201605/how-virtual-reality-could-transform-mental-health-treatment.

23. VRが脳に及ぼす影響については S. M. Jung and W. H. Choi, "Effects of Virtual Reality Intervention on Upper Limb Motor Function and Activity of Daily Living in Patients with Lesions in Different Regions of the Brain," *Journal of Physical Therapy Science* 29, no. 12 (December 2017): 2103–2106.

24. VRと自閉症の子どもについては Juanita Leatham, "How VR Is Helping Children with Autism Navigate the World Around Them," VR Fitness Insider, June 22, 2018, https://www.vrfitnessinsider.com/how-vr-is-helping-children-with-autism-navigate-the-world-around-them.

25. ナノ技術については "The Price of Fast Fashion" (editorial), *Nature Climate Change* 8, no. 1 (2018) に挙げた資料を参照。

26. プログラム可能な物体については Michael Alba, "The Promise and Peril of Programmable Matter," Engineering.com, May 24, 2017, https://www.engineering.com/DesignerEdge/DesignerEdgeArticles/ArticleID/14967/The-Promise-and-Peril-of-Programmable-Matter.aspx.

27. 自己構築ラボについては "MIT Programmable Material Adapts to Temperature Just Like Human Skin," Design Boom, February 13, 2017, https://www.designboom.com/technology/mit-programmable-material-adapts-to-tempterature-02-13-2017 を参照。

28. ナノ技術と建物との関係については Jelena Bozic, "Nano Insulation Materials for Energy Efficient Buildings," *Contemporary Materials* 6, no. 2 (2015): 149–159 を参照。

29. ナノ医療については Amy Yates, "Potential Breakthrough in Cancer-Fighting Nanomedicine," National Foundation for Cancer Research, June 19, 2018, https://www.nfcr.org/blog/potential-breakthrough-cancer-fighting-nanomedicine を参照。

30. 電子書籍と紙の本の攻防については以下を参照。Edward Tenner, "Why People Stick with Outdated Technology," *Scientific American*, November 24, 2015;

Craig Mod, "Digital Books Stagnate in Closed, Dull Systems, While Printed Books Are Shareable, Lovely and Enduring. What Comes Next?," *Aeon*, October 1, 2015, https://aeon.co/essays/stagnant-and-dull-can-digital-books-ever-replace-print; Gregory Bufithis, "Books vs. E-Books," July 4, 2016, http://www.gregorybufithis.com/2016/07/04/books-vs-e-books-lets-not-lose-sight-of-the-main-goal-diverse-reading-and-increased-literacy; Ferris Jabr, "The Reading Brain in the Digital Age: The Science of Paper Versus Screens," *Scientific American*, April 11, 2013. 統計データについては、Amy Watson, "Book Formats in the U.S.," Statista, January 11, 2019, https://www.statista.com/topics/3938/book-formats-in-the-us.

31. Pew Research Center, "Book Reading 2016," https://www.pewinternet.org/2016/09/01/book-reading-2016.

32. 1歳の女の子のユーチューブ動画については "A Magazine Is an iPad That Does Not Work.m4v, posted by UserExperienceWOrks, October 6, 2011, https://www.youtube.com/watch?v=aXV-yaFmQNk.

33. 電子書籍のプラットフォームと子どもの教育については "Revolutionising eBook Access in South African Schools," Montegray Capital, February 2015, https://www.montegray.com/our-e-learning-solution-revolutionises-ebook-access-in-south-african-schools を参照。

34. ワールドリーダーについては "Worldreader," Center for Education Innovations, https://educationinnovations.org/program/worldreader.

35. 構造的慣性と一気に飛び越すことについては以下を参照。Michael Hannan, "Structural Inertia and Organizational Change," *American Sociological Review* 49, no. 2 (1984): 149–164; United Nations Conference on Trade and Development, *Technology and Innovation Report 2018* (Geneva: UN, 2018), https://unctad.org/en/PublicationsLibrary/tir2018_en.pdf.

36. オンラインでのワインの売り上げ高については Euromonitor による。

37. 英国については Julia Bower, "The Evolution of the UK Wine Market: From Niche to Mass-Market Appeal," *Beverages*, November 2018, https://www.mdpi.com/2306-5710/4/4/87/pdf.

38. フライホイールについては Ben Harder, "Reinventing the (Fly)Wheel," *Washington Post*, April 18, 2011 を参照。

第七章：所有物のない世界

以下のウェブサイトに最後にアクセスしたのは、2019年9月21日である。

1. ギグエコノミーについては Eileen Appelbaum, Arne Kalleberg, and Hye Jin Rho, "Nonstandard Work Arrangements and Older Americans, 2005–2017,"

Economic Policy Institute, February 28, 2019, https://www.epi.org/publication/nonstandard-work-arrangements-and-older -americans-2005-2017 ほか、以下に挙げた資料を参照。

2. 従業員のいない未来を予測した《エコノミスト》紙の記事は "Run, TaskRabbit, Run: July 2030," *Economist*, July 7, 2018.

3. ブルッキングス研究所の試算は Niam Yaraghi and Shamika Ravi, "The Current and Future State of the Sharing Economy," Brookings Institution, Impact Series No. 032017, March 2017.

4. プライスウォーターハウスクーパースの調査は PwC, "The Sharing Economy," 2015, https://www.pwc.fr/fr/assets/files/pdf/2015/05/pwc_etude_sharing_economy.pdf.

5. 引用部分は以下から。Brad Stone, *The Upstarts: How Uber, Airbnb, and the Killer Companies of the New Silicon Valley Are Changing the World* (New York: Little, Brown, 2017), Kindle ed., 32.（『アップスターツ――ウーバーとエアビーアンドビーはケタ違いの成功をこう手に入れた』ブラッド・ストーン著／日経ＢＰ）

6. ブライアン・チェスキーの引用は、Shirin Ghaffary, "The Experience Economy Will be a 'Massive Business,' According to Airbnb CEO Brian Chesky," Vox, May 30, 2018, https://www.recode.net/2018/5/30/17385910/airbnb-ceo -brian-chesky-code-conference-interview より。

7. アメリカの旅行者については Kari Paul, "Millennials Are Trying to Redefine What It Means to Be an American Tourist Abroad," MarketWatch, October 5, 2017, https://www.marketwatch.com/story/what-we-can-all-learn-from-millennials-about-travel-2017-10-04.

8. ユヴァル・ノア・ハラリの引用は Yuval Noah Harari, "Were We Happier in the Stone Age?," *Guardian*, September 5, 2014 より。

9. 財産の政治的、社会的側面については Andrew G. Walder, "Transitions from State Socialism: A Property Rights Perspective," in *The Sociology of Economic Life*, ed. Mark Granovetter and Richard Swedberg (Boulder, CO: Westview, 2011), 510 を参照。

10. Rachel Botsman, *What's Mine Is Yours: The Rise of Collaborative Consumption* (New York: HarperCollins, 2010) より。（『シェア――〈共有〉からビジネスを生み出す新戦略』レイチェル・ボッツマン著／ＮＨＫ出版）

11. Caren Maio, "Forget the American Dream: For Millennials, Renting Is the American Choice," Inman, August 30, 2016, https://www.inman.com/2016/08/30/forget-the-american-dream-for-millennials-renting-is-the -american-choice/# より。

12. ノーナーシップについては以下を参照。Blake Morgan, "NOwnership, No Problem," *Forbes*, January 2, 2019; Anjli Raval, "What Millennial Homes Will Look Like in the Future," *Financial Times*, July 30, 2018.
13. バーナード・マーの主張はBernard Marr, "The Sharing Economy— What It Is, Examples, and How Big Data, Platforms and Algorithms Fuel It," *Forbes*, October 21, 2016.
14. ミレニアルの（車の）共有についてはEnel, "Millennials: Generation (Car) Sharing," August 29, 2018, https://www.enel.com/stories/a/2018/08/millennials-sharing-economyを参照。
15. 共有経済の地域別実態についてはNielsen, "Global Survey of Share Communities," 2014, https://www.nielsen.com/apac/en/press-releases/2014/global-consumers-embrace-the-share-economy/による。
16. ウーバライズの定義は"Uberize," Collins Dictionary, https://www.collinsdictionary.com/us/dictionary/english/uberize.
17. ネイサン・ヘラーの引用はNathan Heller, "Is the Gig Economy Working?," *New Yorker*, May 15, 2017より。
18. ワッツアップについてはO Jillian D'Onfro, "Facebook Bought WhatsApp One Year Ago Today. Here Are 11 Quotes from Its Billionaire Cofounders," *Business Insider*, February 19, 2015, https://www.businessinsider.com/brian-acton-jan-koum-quotes-whatsapp-2015-2#koum-on-their-no-nonsense-style-neither-of-us-has-an-ability-to-bull—10を参照。
19. ザッカーバーグの引用はJillian D'Onfro, "11 Mark Zuckerberg Quotes That Show How He Built the Company That Took Over the World," *Business Insider*, January 1, 2014, https://www.businessinsider.com/best-mark-zuckerberg-quotes-2013-12?より。
20. ユニコーン企業のランキングと国についてはCB Insights, "The Global Unicorn Club," https://www.cbinsights.com/research-unicorn-companiesによる。
21. ギグエコノミーの仕事についてはMatt Williams, "The Evolution of American Labor: A Defense of the Gig Economy," Department of Anthropology, University of Notre Dame, April 2005, https://anthropology.nd.edu/assets/200504/williamsmatthew.pdfを参照。
22. ロバート・ライシュの引用はRobert Reich, "The Share-the-Scraps Economy," February 2, 2015, http://robertreich.org/post/109894095095より。
23. ローレンス・カッツとアラン・クルーガーの見積もりはLawrence F. Katz and Alan B. Krueger, "The Rise and Nature of Alternative Work Arrangements in the United States, 1995–2015," https://krueger.princeton.edu/sites/default/files/

akrueger/files/katz_krueger_cws_-_march_29_20165.pdf.
24. プレカリアートについてはGuy Standing, *The Precariat: The New Dangerous Class* (London: Bloomsbury, 2011).
25. Steven Hill, "Good Riddance, Gig Economy," *Salon*, March 27, 2016.
26. Samuel P. Fraiberger and Arun Sundararajan, "Peer-to-Peer Rental Markets in the Sharing Economy," Heartland Institute, October 6, 2015, https://www.heartland.org/publications-resources/publications/peer-to-peer-rental-markets-in-the-sharing-economy.
27. ジュリエット・ショアの調査はJuliet B. Schor, "Does the Sharing Economy Increase Inequality Within the Eighty Percent?," *Cambridge Journal of Regions, Economy, and Society* 10, no. 2 (July 2017): 263–297.
28. ダイアン・マルケイについてはEmma Plumb, "Author Insights: Diane Mulcahy on the Gig Economy," 1 Million for Work Flexibility, February 2, 2017, https://www.workflexibility.org/diane-mulcahy-gig-economyを参照。ギグエコノミーで働く人たちの言葉は、ショアの記事から。
29. ジュリアン・ブレイブ・ノイズキャットの引用はJulian Brave NoiseCat, "The Western Idea of Private Property Is Flawed. Indigenous People Have It Right," *Guardian*, March 27, 2017より。
30. ジェイコブ・ハッカーの考えについてはJacob S. Hacker, *The Great Risk Shift* (New York: Oxford University Press, 2019) を参照。
31. フィッシュバックの引用は、25.に挙げたのヒルの著書"Good Riddance, Gig Economy."から。
32. 選挙キャンペーンでのソーシャルメディア活用については以下を参照。Lynda Lee Kaid, "Changing and Staying the Same: Communication in Campaign 2008," *Journalism Studies* 10 (2009): 417–423; Derrick L. Cogburn, "From Networked Nominee to Networked Nation: Examining the Impact of Web 2.0 and Social Media on Political Participation and Civic Engagement in the 2008 Obama Campaign," *Journal of Political Marketing* 10 (2011): 189–213.
33. ウーバーについては Andy Kessler, "Travis Kalanick: The Transportation Trustbuster," *Wall Street Journal*, January 25, 2013を参照。
34. ウーバーが取った戦略については Marcus Wohlsen, "Uber's Brilliant Strategy to Make Itself Too Big to Ban," *Wired*, July 8, 2014を参照。
35. シーラ・コルハトカーの引用はSheelah Kolhatkar, "At Uber, a New CEO Shifts Gears," *New Yorker*, March 30, 2018より。
36. 《ガーディアン》紙の記事はSam Knight, "How Uber Conquered London," *Guardian*, April 27, 2016.
37. ウーバーが飲酒運転の減少に貢献しているという主張はChristopher N.

Morrison et al., "Ridesharing and Motor Vehicle Crashes in 4 US Cities: An Interrupted Time-Series Analysis," *American Journal of Epidemiology* 187, no. 2 (2018): 224–232 より。

38. コモンズの悲劇と共有経済については以下を参照。Tad Borek, "Uber Exemplifies the Tragedy of the Commons," *Financial Times,* December 6, 2017; Peter Cohen et al., "Using Big Data to Estimate Consumer Surplus: The Case of Uber," NBER Working Paper No. 22627, 2016, https://www.nber.org/papers/w22627.

39. アルワ・マーダウィの指摘はArwa Mahdawi, "How to Monetise Your Home," *Guardian,* October 28, 2018 による。

40. アダム・スミスの引用は*Wealth of Nations* (1776), 第２章から。https://www.gutenberg .org/files/3300/3300-h/3300-h.htm.『国富論』（アダム・スミス著／講談社学術文庫ほか）

41. ギャレット・ハーディンのコモンズの悲劇についてはGarrett Hardin, "The Tragedy of the Commons," *Science* 162, no. 3859 (December 13, 1968): 1243–1248 を参照。

42. エリノア・オストロムの解決策についてはDavid Sloan Wilson, "The Tragedy of the Commons: How Elinor Ostrom Solved One of Life's Greatest Dilemmas," Evonomics, October 29, 2016, https://evonomics.com/tragedy-of-the-commons-elinor-ostrom.

43. 共有が環境にもたらす利益については以下を参照。"Sharing Is Caring," *Scientific American,* October 10, 2013; "How Green is the Sharing Economy?," Knowledge@Wharton, December 11, 2015, http://knowledge.wharton.upenn.edu/article/how-green-is-the-sharing-economy; Laura Bliss, "The Ride-Hailing Effect: More Cars, More Trips, More Miles," CityLab, October 12, 2017, https://www.citylab.com/transportation/2017/10/the-ride-hailing-effect-more-cars-more-trips-more-miles/542592; Martin J. Smith, "Don't Toss That Lettuce—Share It," Stanford Graduate School of Business, October 23, 2017, https://www.gsb.stanford.edu/insights/dont-toss-lettuce-share-it; "The *Real* Sustainable Fashion Movement," Rent the Runway, https://www.renttherunway.com/sustainable-fashion?action_type=footer_link.

44. エアビーアンドビーの主張は以下を参照。Benjamin Snyder, "Exclusive: Airbnb Says It's Saving Our World with Each Rented Room," *Fortune,* July 31, 2014; Andrew Simon, "Using Airbnb Is Greener than Staying in Hotels," Grist, July 31, 2014, https://grist.org/business-technology/using-airbnb-is-greener-than-staying-in-hotels.

第八章：国の数より多い通貨

以下のウェブサイトに最後にアクセスしたのは、2019年9月22日である。

1. お金と通貨についての文章はWalter Bagehot, *Lombard Street: A Description of the Money Market* (London: Henry S. King, 1873) のほか、以下に挙げた資料に基づく。

2. 通貨の発明についてはThe Invention of Money," *New Yorker*, August 5–12, 2019を参照。

3. ロスチャイルド家の逸話はMichael A. Hirchubel, *Vile Acts of Evil: Banking in America* (CreateSpace Independent Publishing, 2009), 1:28で取り上げられている。

4. FRBとサルバドール・ダリ効果についてはDante Bayona, "The Fed and the 'Salvador Dalí Effect,'" Mises Institute, August 19, 2014, https://mises.org/library/fed-and-%E2%80%9Csalvador-dali-effect%E2%80%9Dを参照。

5. 世界経済におけるドルの優越性については以下を参照。Emine Boz, Gina Gopinath, and Mikkel Plagborg-Moller, "Global Trade and the Dollar," March 31, 2018, https://scholar.harvard.edu/files/gopinath/files/global_trade_dollar_20180331.pdf; Gita Gopinath, "Dollar Dominance in Trade," Exim Bank of India, December 21, 2017, https://www.eximbankindia.in/blog/blog-content.aspx?BlogID=9&BlogTitle=Dollar%20 Dominance%20in%20Trade:%20Facts%20and%20Implications.

6. 人民元についてはBarry Eichengreen, "Number One Country, Number one Currency?," *World Economy* 36, no. 4 (2013): 363–374を参照。

7. ミルトン・フリードマンの箇所については以下を参照。Milton Friedman, *Inflation: Causes and Consequences* (New York: Asia Publishing House, 1963), 39; Milton Friedman, *There Is No Such Thing as a Free Lunch* (Chicago: Open Court, 1975); Deroy Murdock, "The Friedmans, Up Close: An Interview with Rose and Milton Friedman," *National Review*, May 11, 2001.

8. ビットコインについてはSatoshi Nakamoto, "Bitcoin: A Peer-to-Peer Electronic Cash System" (2008), https://bitcoin.org/bitcoin.pdfを参照。

9. コインベースについてはBrian Armstrong, "What Is Coinbase's Strategy?," *Medium*, June 6, 2017, https://medium.com/@barmstrong/what-is-coinbases-strategy-1c5413f6e09dを参照。

10. ジェイミー・ダイモンの引用はEvelyn Chang and Kayla Tausche, "Jamie Dimon Says If You're 'Stupid' Enough to Buy Bitcoin, You'll Pay the Price One Day," CNBC, October 13, 2017, https://www.cnbc.com/2017/10/13/jamie-dimon-says-people-who-buy-bitcoin-are-stupid.htmlより。

11. ヌリエル・ルービニの引用はRyan Browne, "Roubini Doubles Down on

Criticisms of Crypto," CNBC, October 12, 2018, https://www.cnbc.com/2018/10/12/dr-doom-economist-nouriel-roubini-calls-crypto-stinking-cesspool.html より。

12. ブロックチェーンについては以下を参照。European Parliament, *How Blockchain Technology Could Change Our Lives* (Strasbourg: European Parliament, 2017); Jacob Pramuk, "Trump to Slap 25% Tariffs on Up to $50 Billion of Chinese Goods; China Retaliates," CNBC, June 15, 2018, https://www.cnbc.com/2018/06/15/trump-administration-to-slap-a-25-percent-tariff-on-50-billion-of-chinese-goods-threatens-more.html. Sean Stein Smith, "Tackling Blockchain in the Accounting Profession," *Accounting Today*, March 13, 2018.

13. マイク・オーカットの論文は Mike Orcutt, "Hate Lawyers? Can't Afford One? Blockchain Smart Contracts Are Here to Help," *MIT Technology Review*, January 11, 2019.

14. アンドルー・ロソフの引用は Andrew Rossow, "How Can We Make Intellectual Property Rights 'Smarter' with the Blockchain?," *Forbes*, July 24, 2018 より。

15. ビルギット・クラークの引用は Birgit Clark, "Blockchain and IP Law: A Match Made in Crypto Heaven," *WIPO Magazine*, February 2018, https://www.wipo.int/wipo_magazine/en/2018/01/article_0005.html より。

16. ニック・イスマイルの引用は Nick Ismail, "What Is Blockchain's Role in the Future of Intellectual Property?," *Information Age*, July 12, 2018 より。

17. 英国政府主席科学顧問の報告書は以下を参照のこと。UK Government Chief Scientific Adviser, *Distributed Ledger Technology: Beyond Block Chain* (London: Government Office for Science, 2016).

18. 電子エストニアについての記事は Matt Reynolds, "Welcome to E-stonia," *Wired*, October 26, 2016.

19. ネイサン・ヘラーの記事は Nathan Heller, "Estonia, the Digital Republic," *New Yorker*, December 18–25, 2017.

20. 世界銀行の電子ガーナの記述は World Bank, "eGhana Additional Financing," http://projects.worldbank.org/P093610/eghana?lang=en.

21. ケニアの試みについては Esther Nderitu Imbamba and Nancy Kimile, "A Review of Status of e-Government Implementation in Kenya," *Regional Journal of Information and Knowledge* 2, no. 2 (2017): 14–28.

22. ブロックチェーンと銃規制の問題は以下を参照。Sissi Cao, "Blockchain Could Improve Gun Control—But Lawmakers Hate the Idea," *Observer*, February 22, 2018; "Blockchain Could Be Key to Cracking Gun Debate," ScienceBlog, May 12, 2018, https://scienceblog.com/500871/blockchain-could-be-key-to-cracking-

gun-debate; Thomas F. Heston, “A Blockchain Solution to Gun Control,” PeerJ.com, November 13, 2017, https://peerj.com/preprints/3407.pdf.
23. ブロックチェーンと世界銀行については以下を参照。Mike Orcutt, “The World Bank Is a Verified Blockchain Booster,” *MIT Technology Review*, September 13, 2018; Mike Orcutt, “The World Bank Is Betting Big on Blockchain-Based Bonds,” *MIT Technology Review*, August 10, 2018.
24. ブロックチェーンが貧困国にもたらす利益については Elizabeth Woyke, “How Blockchain Can Bring Financial Services to the Poor,” *MIT Technology Review*, April 18, 2017, https://www.technologyreview.com/s/604144/how-blockchain-can-lift-up-the-worlds-poor を参照。
25. ソマリアの例については以下を参照。World Bank, “Somalia Economic Update: Rapid Growth in Mobile Money,” press release, September 13, 2018, https://www.worldbank.org/en/news/press-release/2018/09/13/somalia-economic-update-rapid-growth-in-mobile-money.
26. ブロックチェーンと絶滅危惧種の保護は以下を参照。“Endangered Species Protection Finds Blockchain and Bitcoin Love,” Bitcoin Warrior, February 22, 2018, https://bitcoinwarrior.net /2018/02/endangered-species-protection-finds-blockchain-and-bitcoin-love; Moe Levin, “Top Five Blockchain Projects That Will Save the Environment,” *Medium*, March 26, 2018, https://medium.com/@kingsland/top-five-blockchain-projects-that-will-save-the-environment-28a2d4366ec0.
27. ブロックチェーンと持続可能なエネルギーの未来については Kate Harrison, “Blockchain May Be the Key to a Sustainable Energy Future,” *Forbes*, February 14, 2018 を参照。
28. リサ・ウォーカーの箇所については Lisa Walker, “This New Carbon Currency Could Make US More Climate Friendly,” World Economic Forum, September 19, 2017, https://www.weforum.org/agenda/2017/09/carbon-currency-blockchain-poseidon-ecosphere を参照。
29. データセンターの箇所については Nicola Jones, “How to Stop Data Centres from Gobbling Up the World’s Electricity,” *Nature*, September 12, 2018 を参照。
30. 銀行の雇用の危機については Matt Egan, “30% of Bank Jobs Are Under Threat,” CNN Money, April 4, 2016, https://money.cnn.com/2016/04/04/investing/bank-jobs-dying-automation-citigroup/index.html を参照。
31. ジェイミー・ダイモンとエイミー・ウェブの引用は Egan, “30% of Bank Jobs Are Under Threat.” より。
32. ニック・サボの引用は Michael Del Castillo, “Relax Lawyers, Nick Szabo Says Smart Contracts Won’t Kill Jobs,” CoinDesk, last updated August 11, 2017,

https://www.coindesk.com/nick-szabo-lawyers-jobs-safe-in-smart-contract-era より。

結 論：2030年を生き延びる――水平思考の助言と秘訣

以下のウェブサイトに最後にアクセスしたのは、2019年9月22日である。

1. 追い風の引用は、ジェフ・ベゾスが1997年のアマゾンの株主に宛てた手紙から。https:// www.sec.gov/Archives/edgar/data/1018724/000119312517120198/d373368dex991.htm.

2. ブラックホールの最初の画像について報じた記事のひとつは、Dennis Overbye, "Darkness Visible, Finally: Astronomers Capture First Ever Image of a Black Hole," *New York Times*, April 10, 2019.

3. フォークナーの言葉は、クリストファー・コロンブスのものとされることもある。https://www.quotery.com/quotes/one-doesnt-discover-new-lands.

4. メキシコ征服の物語については、1632年に刊行されたBernal Díaz del Castillo, *The True History of the Conquest of New Spain* (New York: Penguin, 1963) による。 https://archive.org/stream/tesisnoqueprese00garcgoog/tesisnoqueprese00garcgoog_djvu.txt. 引用箇所は第58章及び第22章。（『メキシコ征服記1』ベルナール・ディーアス・デル・カスティーリョ著／岩波書店）

5. レゴについての箇所は以下の資料に基づく。David C. Robertson, *Brick by Brick: How LEGO Rewrote the Rules of Innovation and Conquered the Global Toy Industry* (New York: Crown Business, 2013)（『レゴはなぜ世界で愛され続けるのか――最高のブランドを支えるイノベーション7つの心理』デビッド・C・ロバートソン、ビル・ブリーン著／日本経済新聞出版社); Mary Blackiston, "How Lego Went from Nearly Bankrupt to the Most Powerful Brand in the World," Success Agency, February 27, 2018, https://www.successagency.com/growth/2018/02/27/lego-bankrupt-powerful-brand; Lucy Handley, "How Marketing Built Lego into the World's Favorite Toy Brand," CNBC, April 27, 2018, https://www.cnbc.com/2018/04/27/lego-marketing-strategy-made-it-world-favorite-toy-brand.html; Johnny Davis, "How Lego Clicked: The Super Brand That Reinvented Itself," *Guardian*, June 4, 2017; Jeff Beer, "The Secret to Lego's Social Media Success Is in the Creative Power of Crowds," *Fast Company*, June 20, 2017; Jonathan Ringen, "How Lego Became the Apple of Toys," *Fast Company*, August 1, 2015; David Kindy, "How Lego Patents Helped Build a Toy Empire, Brick by Brick," *Smithsonian Magazine*, February 7, 2019.

6. アイデアとうさぎについてのスタインベックの引用は、1947年のインタビューから。https://smallbusiness.com/monday-morning-motivation/john-steinbeck-quote-ideas-are-like-rabbits.

7. スティーブ・ジョブズについては Malcolm Gladwell, “The Tweaker,” *New Yorker*, November 14, 2011 を参照。
8. 努力の泥沼化については Barry M. Staw, “The Escalation of Commitment: An Update and Appraisal,” in *Organizational Decision Making*, ed. Zur Shapira (New York: Cambridge University Press, 1997), 191–215.
9. ウェリントンの引用は次を参照されたい。*The Nineteenth Century: A Monthly Review*, volume 17 (London: Kegan Paul, Trench, 1885), 905.
10.《ファスト・カンパニー》誌の記事は Heidi Grant Halvorson, “Why Keeping Your Options Open Is a Really, Really Bad Idea,” *Fast Company*, May 27, 2011 を参照。
11. Hugh Courtney, “Keeping Your Options Open,” *World Economic Affairs*, Winter 1999, https://www.mcgill.ca/economics/files/economics/keeping_your_options_open.pdf.
12. 競技不安については 以下を参照。Nathan Davidson, “The 20 Greatest Sports Psychology Quotes of All Time,” Thriveworks, August 8, 2017, https://thriveworks.com/blog/greatest-sports-psychology-quotes-of-all-time; Simon M. Rice et al., “Determinants of Anxiety in Elite Athletes: A Systematic Review and Meta-analysis,” *British Journal of Sports Medicine* 53, no. 11 (2019): 722–730.
13. イースター島については Jared Diamond, *Collapse* (New York: Viking, 2005) を参照。(『文明崩壊』ジャレド・ダイヤモンド著/草思社)
14. テリー・ハントとカール・リポの考えについては Terry Hunt and Carl Lipo, *The Statues That Walked: Unraveling the Mystery of Easter Island* (Berkeley, CA: Counterpoint, 2012), 引用部分は p53, p92, p155, p180.
15. ポール・バーンとジョン・フレンリーについては Paul Bahn and John Flenley, *Isla de Pascua, Isla de Tierra*, 4th ed. (Viña del Mar, Chile: Rapanui Press, 2018), 引用部分は p15, p204, p235, p257.
16. イースター島の運命については Nicholas Casey and Josh Haner, “Easter Island Is Eroding,” *New York Times*, March 15, 2018; Megan Gannon, “People of Easter Island Weren’t Driven to Warfare and Cannibalism. They Actually Got Along,” LiveScience, August 13, 2018, https://www.livescience.com/amp/63321-easter-island-collapse-myth.html.
17. デイヴィッド・ブレッサンの引用は David Bressan, “Climate, Overpopulation and Environment—The Rapa Nui Debate,” *Scientific American*, October 31, 2011 より。
18. 復活した技術の古いアイデアについては Ron Miller and Alex Wilhelm, “With Tech, What’s Old Is New Again,” TechCrunch, April 6, 2015, https://techcrunch.com/2015/04/06/with-tech-whats-old-is-new-again.

19. ユージン・オニールの引用は Eugene O'Neill, *Recklessness: It's a Great Game—The Pursuit of Happiness* (Amazon Digital Services, 2014).

2030
世界の大変化を「水平思考」で展望する

2021年6月20日　初版印刷
2021年6月25日　初版発行

*

著　者　マウロ・ギレン
訳　者　江口泰子（えぐちたいこ）
発行者　早川　浩

*

印刷所　株式会社精興社
製本所　大口製本印刷株式会社

*

発行所　株式会社　早川書房
東京都千代田区神田多町2−2
電話　03-3252-3111
振替　00160-3-47799
https://www.hayakawa-online.co.jp
定価はカバーに表示してあります
ISBN978-4-15-210029-0　C0034
Printed and bound in Japan
乱丁・落丁本は小社制作部宛お送り下さい。
送料小社負担にてお取りかえいたします。

ハヤカワ・ノンフィクション

オリンピック秘史
——120年の覇権と利権

POWER GAMES
ジュールズ・ボイコフ
中島由華訳
46判並製

真の「平和の祭典」にいたる道は？

ナチズム喧伝に利用されたベルリン五輪、日本を含む西側諸国がボイコットしたモスクワ五輪など、時代ごとの国際情勢を如実に映してきたオリンピックの歴史をたどり、今の課題を洗い出す。サッカー五輪代表をつとめた異色の政治学者による、二〇二〇年に東京五輪を迎える日本人必読の書。解説／二宮清純

ハヤカワ・ノンフィクション

日本スターバックス物語

——はじめて明かされる個性派集団の挑戦

梅本 龍夫

46判並製

日本スターバックス物語
はじめて明かされる
個性派集団の挑戦
梅本龍夫
早川書房

スターバックス初の海外進出を成功させた人びとの熱き闘い

「日本で通用するわけがない」——業界のプロに否定されたスターバックスの躍進劇を担ったのは、数々のトレンドを仕掛けてきたサザビーリーグだった。日米のカリスマ経営者が組んだ最強タッグの知られざる舞台裏とは。日本進出プロジェクトを率いた著者が語る。